160 690150 8
D0784627

DER FRÜHE HEINE

EIN KOMMENTAR ZU DEN »REISEBILDERN«

VON JOST HERMAND

WINKLER VERLAG MÜNCHEN

Umschlag: Else Driessen
Gesamtherstellung: Friedrich Pustet, Regensburg
Printed in Germany
ISBN 3 538 07021 0

INHALT

Einleitung 7

Briefe aus Berlin
Politische Tendenz und feuilletonistische Form 22

Über Polen
Weltbürgertum und Nationalstaat 43

Die Harzreise
Unmut gegen Goethe 59

Nordsee III
Zur Dialektik des Fortschritts 81

Ideen. Das Buch Le Grand
Das Wahre ist das Ganze 102

Englische Fragmente
Die halbvollendete Revolution 119

Reise von München nach Genua
Objektivität in der Subjektivität 132

Die Bäder von Lucca
Aristophanische Satire 150

Die Stadt Lucca
Die Religion der Irreligiösen 168

Die Reisebilder in der zeitgenössischen Kritik
Auf verlorenem Posten 181

Anmerkungen 200

Namenregister 221

EINLEITUNG

> »Es ist, als ob nach einem großen Sturme, der den ganzen Ozean aufgewühlt, die Sonne mit ihren glänzenden Strahlen die Küsten beleuchte, wo die Trümmer der jüngsten Schiffbrüche umherliegen, Kostbares mit Unwertem vermischt, des Dichters eigner ehemaliger Besitz und die Güter eines geistigen Gemeinwesens, dem er selber angehört, alles untereinander«
>
> (Varnhagen von Ense über den 2. Band von Heines *Reisebilder*).

Gereist ist man immer: aus Neugierde, aus Eroberungslust, aus Abenteurertum, aus Besitzgier, aus Unterwerfungsgelüsten. Doch seit wann reist man, um gesellschaftswissenschaftliche Informationen zu sammeln, Vergleiche anzustellen, sich von den politischen Restriktionen der Heimat zu befreien, kurz: um sich zu emanzipieren? Wohl erst vom 16. und dann verstärkt vom 18. Jahrhundert an, als sich die bürgerliche Klasse allmählich von der autoritären Bevormundung der herrschenden Gewalten zu befreien begann und das Recht auf ›Individualität‹, auf einzelpersönliche Freizügigkeit zur Parole des neuen Liberalismus erhob. Während im Barock noch die »sehr curieuse Reisebeschreibung« mit ihrem Interesse am Seltsamen, Merkwürdigen und Exotischen im Vordergrund gestanden hatte, deren ideologisches und wissenschaftliches Pendant die höfischen Raritätenkabinette sind, entwickelte sich im 18. Jahrhundert in steigendem Maße der Typ der ›befreienden‹ Einzelreise. Fast jede Strömung dieser Epoche hat dazu ihren Beitrag geleistet: im Rokoko kultivierte man die ›galante Reise‹, Sterne und seine Anhänger propagierten die ›Sentimental journey‹, die utopischen Aufklärer schrieben ihre ›Imaginary voyages‹, die radikalen Aufklärer ihre kritischen Reiseberichte über die ›deutsche Misere‹, die Anhänger der Französischen Revolution ihre Reisen nach Paris – wodurch sich das anfangs so harmlose Genre des Reiseberichts schließlich bis zum Revolutionsaufruf radikalisierte.[1]

Doch als die Ideen der Französischen Revolution im Verlauf der Napoleonischen Kriege allmählich an Faszination verloren, hörte auch die ›liberale‹ Reiselust auf. Mit der Ausbreitung romantischen Gedankenguts um 1800 setzte eine allgemeine Introversion, ja Frustrierung ein, die den aufklärerischen Impulsen geradezu diametral zuwiderlief. Das Ergebnis dieser Entwicklung sind jene ›Reisen ins Innere‹, die seitdem zu den ideologischen Leitbildern aller regressiven Bewegungen gehören. Die romantischen Künstler reisten nicht mehr nach London oder Paris, sondern zurück ins Mittelalter, in die goldene Ära der Kunst oder gar in irgendein Reich poetisch-religiöser Transzendenz. Sie wollten wieder ›nach Hause‹ in die Geborgenheit, wie man bei Novalis nachlesen kann. Die Metaphern des Aufbruchs und der ideologischen Morgenröte wurden daher mehr und mehr durch Bilder des Nächtlichen, des Nebelhaften, ja des absoluten Stillstands ersetzt. Wenn man überhaupt noch aufbrach, um etwas bisher Vermißtes zu suchen, machte man meist die Entdeckung, daß man das Gesuchte längst in der eigenen Seele mit sich herumtrug. Die liberale Linie der Reiseberichte, an deren Anfang Autoren wie Riesbeck, Wekhrlin, Geiger, Affsprung, Rebmann und Forster stehen, bricht daher nach 1800 plötzlich ab[2], wenn man von einem hartnäckigen Einzelgänger wie Seume einmal absieht, der sich auch im Zeitalter der allgemeinen Regression seine republikanischen Ideale nicht rauben ließ.

Damit soll nicht gesagt werden, daß man im frühen 19. Jahrhundert keine Reiseberichte mehr geschrieben hat. Im Gegenteil. Gerade in der sogenannten ›Restaurationsepoche‹, die nach der Wiederherstellung des Ancien régime auf dem Wiener Kongreß einsetzt, wimmelt es nur so von Reiseberichten. Da sich durch die allgemeine Verarmung nach den Napoleonischen Kriegen das Bürgertum kaum noch größere Reisen leisten konnte, jedoch an allgemein-europäischen Problemen wesentlich interessierter war als je zuvor, entwickelte sich in dieser Ära ein ausgesprochener Hunger nach geographischer, sozialer, ökonomischer und schließlich auch politischer Information.

Die frühbiedermeierliche Reiseliteratur bekam daher für all jene, die sich das Reisen versagen mußten, fast den Charakter einer Ersatzfunktion.[3] In ihr versuchte man zu erfahren, was denn hinter den Bergen eigentlich vorging. Da sich die Zeitungen nach den Karlsbader Beschlüssen (1819) in ihren politischen Berichten aus Angst vor der Zensur immer reservierter verhielten, wollte man sich wenigstens in den Reiseberichten über die Schicksale anderer Völker informieren. Doch auch dort wurde man meist nur mit nichtssagenden Aufreihungen oder poetisch-pittoresken Verbrämungen abgespeist[4], weil sich auch die Autoren der Reiseberichte – ob nun aus zutiefst reaktionärer Gesinnung oder aus Furcht vor der Zensur – selten an politisch brisante Themen heranwagten.

Und in diese Situation platzten Heines *Reisebilder* (1826–1831) und wurden Band für Band zu skandalumwitterten Sensationserfolgen. Hier trat nach langer Windstille endlich ein Autor auf, der etwas absolut Unkonventionelles wagte. Statt seine Leser mit bloßen Fakten, empfindsamen Schwärmereien, forciert pittoresken Landschaftsschilderungen oder katalogartigen Aufzählungen abzuspeisen, bot Heine seinem Publikum eine literarische Mélange, bei der sich alles mit allem vermischt, ja, die neben Poetischem, Beschreibendem, Empfindsamem zugleich einen kräftigen Schuß Liberalität enthält, in dem ein unverhülltes Emanzipationsbedürfnis zum Durchbruch kommt. In diesen Werken äußert sich ein junger Schriftsteller, der die deutsche Misere einmal nicht idyllisiert, sondern in all ihrer Kleinlichkeit und Erbärmlichkeit schildert, indem er sie ständig mit den Zuständen anderer Länder konfrontiert – und gerade durch diese Kontrastvergleiche eine eminent politische Wirkung erreicht. Heines *Reisebilder* sind daher die ersten ›Bücher der Bewegung‹, wie die Jungdeutschen ihre Reiseberichte später gern nannten, geschrieben von einem ›Mann der Bewegung‹, wie sich Heine selber bezeichnete, dessen Ziel es war, seine biedermeierlichen Zeitgenossen endlich ideologisch in Trab zu setzen.

Doch warum griff Heine dabei nach einem so niedrigen Genre wie dem Reisebericht? Das hat eine ganze Reihe von Gründen. Dazu gehört vor allem die Einsicht, daß er mit Dramen wie dem *Almansor* und dem *Ratcliff*, ja selbst mit der Lyrik seiner *Frühen Leiden* notwendig ein esoterischer Dichterling bleiben würde. Er hatte sich daher schon früh auch als Zeitungskorrespondent versucht, um sich einen größeren Wirkungsraum zu verschaffen. Doch hier war er mit seinem liberalen Freimut sofort an die Schranken der Zensur gestoßen, was die Verstümmelungen in seinen *Briefen aus Berlin* und seinem Essay *Über Polen* zur Genüge beweisen. Indem er also als Dramatiker gescheitert war und sich als Journalist unbeliebt gemacht hatte, mußte er sich notwendig nach einem Genre umtun, das ihm größere Wirkung und zugleich größere Freiheit erlaubte.[5] Und eine solche Chance bot ihm nur die Reisebeschreibung, die ein recht effektives, weil beliebtes Genre war und bei der er obendrein die gefürchtete Vorzensur umgehen konnte, von der alle Veröffentlichungen über 320 Seiten befreit waren. Heines Problem war also zu diesem Zeitpunkt, wie er mit einem zwar beliebten, aber doch recht teuren Genre eine literarische und zugleich politische Sensation erregen konnte. Der Vorteil dieser Gattung bestand darin, daß er hier an keine ästhetischen Normen gebunden war, nicht ›Fiktion‹ zu produzieren brauchte, sondern »von allen Dingen und von noch einigen« schreiben konnte, wie sich Heine in einem Brief vom 14. Oktober 1826 an Moses Moser ausdrückte. Und zwar hatte er das Glück, für diese operative Form einen höchst wagemutigen Verleger zu finden, nämlich den jungen Julius Campe in Hamburg, der damals als Verleger noch ebenso unbekannt war wie der junge Heine als Autor. Heine beginnt daher die Reihe seiner *Reisebilder* etwas zögernd mit der *Harzreise* und einigen lyrischen Zyklen, wird aber bereits im zweiten Bande, mit der *Nordsee III* und dem *Buch Le Grand*, in denen sich massive Angriffe gegen Adel und Klerus finden, wesentlich schärfer und holt schließlich im dritten und vierten Bande, den italienischen und englischen Reisebildern, völlig unverhohlen gegen die Gesamtheit aller restaurativ-reaktionären Tendenzen aus.

All das mußte in der Sirupzeit der frühen Restaurationsepoche vor 1830, vor dem Auftreten der Jungdeutschen, als Heine noch der einzige liberale Autor weit und breit war, notwendig ›Skandäler‹ erregen. Die Wut der regierungsfrommen Gazetten schäumte daher geradezu über und verhalf so – wider ihre Absicht – Heine zu einem enormen literarischen und politischen Ansehen. Gerade die bösen Rezensionen gaben ihm seine notorische Berühmtheit, verschafften ihm einen Öffentlichkeitsraum, ließen ihn zu einem wahrhaft demokratischen Schriftsteller werden und verliehen so dem Namen

›Heine‹ eine Macht, mit der selbst ein Metternich rechnen mußte. Indem man sich ständig über ihn erregte, wurde er schließlich zu einem der wichtigsten Katalysatoren der Liberalität überhaupt. Wie fast jede linke Opposition in Deutschland, die auf Heine folgte, trug er jedoch nicht nur zu einer Befreiung der Liberalen, sondern auch zu einer Verhärtung der Konservativen bei. Das Fatale einer solchen Entwicklung ist scheinbar nicht zu umgehen. Die Spießer wurden durch Heine noch philisterhafter, die Nationalisten noch chauvinistischer und antisemitischer, die Klerikalen noch frömmelnder. Doch zugleich wurden jene unruhig gestimmten Weltschmerzler der zwanziger Jahre, die zwar das Potential zu einem echten Widerstand mitbrachten, aber keine wirklichen Ziele vor sich sahen, durch ihn zum erstenmal frei, zum erstenmal ›liberal‹ in ihrer Gesinnung und schließlich auch in ihrem Handeln. Und zwar waren es vor allem die *Reisebilder*, die den Jungdeutschen nach 1830 plötzlich die Zunge lösten und eine neue liberale Bewegung hervorriefen, nachdem die alten Aufklärer und Jakobiner bereits kurz nach 1800 von der Bühne abgetreten waren. Erst jetzt kam es wieder zu einem allgemeinen Aufatmen, nachdem man lange genug unter der Stickluft der Restauration gelitten hatte. Vor allem der junge Wienbarg äußerte sich in seinen *Ästhetischen Feldzügen* geradezu enthusiastisch über Heines *Reisebilder* und gab damit der liberalen Prosa ein ganz neues Ansehen gegenüber den mehr konservativen, versgebundenen Gattungen.[6]

Es ist daher kein Wunder, daß sich die Jungdeutschen, die Gutzkow, Laube, Kühne, Mundt, Pückler, Gathy, Glassbrenner, Spazier, Willkomm, Fanny Lewald und andere alle in Prosa ausgedrückt haben. Genres, denen die Sklavenfesseln der Metrik anhaften, gibt es in dieser Bewegung kaum. Von jungdeutscher Lyrik zu sprechen, wäre darum fast eine Contradictio in adjecto. Es war die Prosa, die diese Bewegung als das Genre der Freiheit, der Ungebundenheit, der Bewegung, des bürgerlichen Liberalismus, des saint-simonistischen Sensualismus und nicht zuletzt der Heineschen Frechheit empfand. Heines *Buch der Lieder*, das 1827 erschienen war, wurde deshalb von dieser Generation kaum beachtet und kam erst 1837 in zweiter Auflage heraus. Seine *Reisebilder* mußten dagegen bereits in den frühen dreißiger Jahren zum zweitenmal aufgelegt werden und wurden so unverschämt nachgeahmt, daß man schon damals im Hinblick auf die Jungdeutschen von einer großen *Reisebilder*-Schule sprach. Ja, Heine selbst schrieb in den frühen dreißiger Jahren kaum noch Lyrik, sondern warf sich völlig in die ›wilden Wogen‹ der ungezügelten Prosa. Sogar in Frankreich galt Heine in diesen Jahren vor allem als der Autor seiner *Tableaux de voyage*, deren Ruhm den seiner Gedichte anfänglich weit überstrahlte.[7]

Der skandalumwitterte Ruhm dieser Bände währte bis etwa 1840. Danach flaute das Ansehen der *Reisebilder* allmählich ab.[8] Die alternden Jungdeutschen und die jungen Vormärzler wandten sich anderen Genres zu, darunter vor allem dem Zeitgedicht, dem Zeitstück und dem Tendenzroman. Und auch Heine – zum Teil in Konkurrenz mit diesen neuen Strömungen – griff wieder zur Lyrik, ja sogar zum Versepos, um seine neuen politischen Absichten zum Ausdruck zu bringen. Dafür sprechen sowohl seine *Zeitgedichte* als auch sein *Deutschland. Ein Wintermärchen*, in denen er dieser veränderten Situation Rechnung trägt. Reisebilder schrieb er dagegen nach 1840 keine mehr, zumal er kaum noch reiste und die Erlebnisse seiner Hamburg-Reise lieber ins Versepische übertrug.

Wiederum völlig anders gestaltet sich die Situation in den Jahren nach 1848, in denen die politisierte Prosa mehr und mehr an Ansehen verliert. Vom national-liberalen Pathos und Arbeitsethos im Sinne Gustav Freytags einmal abgesehen, macht sich jetzt ein Zug zur inneren Emigration, zur Sentimentalisierung und Entpolitisierung bemerkbar, der zwar Heines *Buch der Lieder* zu einem gewaltigen Nachruhm verhilft, seine *Reisebilder*-Prosa jedoch stark in den Hintergrund treten läßt. Im Zeitalter ›realistischer‹ Objektivität und Verklärungstendenz, in dem der Autor parteilos hinter seinem Werk zurückzutreten hat, ist für die kritisch-reflektierende Prosa des jungen Heine plötzlich kein Bedürfnis mehr. Auch die Heine-Forschung, die sich in dieser Ära zu entwickeln beginnt, beschäftigt sich mit Heine fast ausschließlich als dem Lyriker Heine. Indem sie ihn angesichts der massiven Franzosenfeindschaft und des ebenso massiven Antisemitismus bürgerlich ›respektabel‹ zu machen versucht, stellt sie Heine immer wieder als großen Erlebnislyriker hin und betont das Tiefgefühlte seines *Buchs der Lieder*, das heißt, versucht ihn wenigstens als Lyriker neben den alles überragenden Klassiker Goethe zu rücken. Auf seine *Reisebilder* hinzuweisen, in denen Napoleon und die Franzosen nahezu kultisch verehrt werden, erschien selbst einem Ernst Elster nicht gerade opportun – ganz zu schweigen von Heines *Französischen Zuständen* und seiner *Lutetia*, die sich im Zeitalter der Sedan-Feiern nicht gerade als besonders patriotische Texte empfahlen.[9] Wenn man in Wilhelminischer Zeit überhaupt einmal auf die *Reisebilder* zu sprechen kommt, dann höchstens auf die *Harzreise*, an der vor allem die Studentenromantik und die deutsche Naturinnigkeit hervorgehoben werden. Doch als um 1900 – im Zuge der Neuromantik – plötzlich Eichendorffs *Taugenichts* neu entdeckt wurde, mußte sich selbst die *Harzreise* mit einer zweitrangigen Rolle begnügen. Schließlich werden in ihr die deutsch-nationalen Burschenschafter nicht gerade besonders sanft angefaßt. Und das war in einer Zeit, in der man die hundertjährige Wiederkehr der Befreiungskriege feierte, nicht die beste Empfehlung. Heines Ruhm schrumpfte daher immer stärker auf die Wirkung des *Buchs der Lieder* zusammen – und diesen Ruhm setzte dann Karl Kraus törichterweise auch noch der Lächerlichkeit aus.

Eine ernstzunehmende wissenschaftliche Auseinandersetzung mit Heines *Reisebildern* beginnt erst in der Weimarer Republik, und auch dann nur zögernd und vereinzelt. Dafür sprechen vor allem Erich Loewenthals *Studien zu Heines ›Reisebildern‹* (1922), die zwar methodisch noch vom Positivismus des späten 19. Jahrhunderts herkommen und obendrein die Elstersche These der absoluten Formlosigkeit, ja impressionistischen Verschwommenheit von Heines Prosa wiederholen, aber doch schon so stark vom liberalen Geist der zwanziger Jahre affiziert sind, daß sie die »Einheit der Reisebilder« in der »Einheit ihrer Tendenz« sehen.[10] Während Günther Tschich in seiner Kieler Dissertation von 1928 über den *Impressionismus im Prosastil von Heines ›Reisebildern‹* noch einmal das ›Unbeständige‹ hervorkehrt, wird bei Loewenthal Heine nicht mehr wie bisher als der ständig Wechselnde, der Charakterlose, das Chamäleon, der Filou ohne Gemüt, der Literat ohne deutsche Innigkeit hingestellt. Hier werden Heines *Reisebilder* zum erstenmal wirklich ernst genommen: als historische Dokumente deutscher Liberalität und zugleich als große Literatur. Doch solche Aufwertungstendenzen waren ebenso kurzlebig wie die Weimarer Republik und gingen 1933 in der Lawine des Faschismus unter, die auch Loewenthal, der auf die viehischste Weise in Auschwitz umgebracht wurde, unter sich begrub.

Von einer wirklichen *Reisebilder*-Forschung kann man darum erst nach 1945 sprechen. Wie auf den meisten Gebieten der Heine-Forschung ergriff auch hier die DDR die Initiative.[11] Dieser Dichter stand den Kulturfunktionären der DDR eben doch näher als den Literaturfreunden der BRD, wo man erst mühsam und dann machtvoll das von Heine so gehaßte Metternichsche Regime zu restaurieren versuchte. Dafür spricht bereits die Dissertation von Hans Kaufmann über das *Wintermärchen* (1955), wo der *Reisebilder*-Komplex wenigstens andeutungsweise behandelt wird.[12] Wohl die umfassendste marxistische Studie zu diesem Komplex bildet die Arbeit *Heinrich Heines ›Reisebilder‹*, mit der Karl Emmerich 1965 an der Ost-Berliner Humboldt-Universität promovierte. In seiner inhaltlichen Analyse an Loewenthal anknüpfend, hebt Emmerich vor allem die emanzipatorische Absicht dieses zeitbefördernden »Mediums des operativen Eingreifens« hervor.[13] Vor einem breiten gesellschaftlichen Hintergrund, der die Gesamtsituation der deutschen Publizistik mit einbezieht, wird hier besonders Heines sich ständig verschärfende Frontstellung gegen Adel, Klerus, Philistertum und Großbourgeoisie herausgearbeitet, deren bewußt restaurative oder auch bloß stumpfsinnig beharrende Tendenzen Heine immer wieder mit den Ideen der Französischen Revolution konfrontiere, wodurch er notwendig beim offenen Revolutionsaufruf lande. An die Stelle der Poesie trete daher in Heines *Reisebildern* immer stärker der Bericht, an die Stelle des Geistigen immer stärker das Politische, was zu einer höchst aggressiven Gegenüberstellung von Idee und Wirklichkeit führe. Die spezifische DDR-Perspektive dieser Jahre äußert sich bei Emmerich vor allem in dem Nachdruck auf der »nationalerzieherischen« Tendenz der *Reisebilder*[14] und der These, daß sich Heine Goethes »Realismus« zum Vorbild genommen habe.[15]

In der BRD hatten es dagegen die *Reisebilder* anfangs wesentlich schwerer. Vor allem in den fünfziger Jahren wurde Heine rein von seinem lyrischen Schaffen her gesehen, falls man sich überhaupt mit ihm beschäftigte. In den Heine-Auswahlbänden dieser Jahre beschränkt man sich deshalb meist auf die *Harzreise*, das *Buch Le Grand* und die Gumpelino-Hirsch-Partien aus den *Bädern von Lucca*, da man in ihnen wirkliche ›Dichtungen‹ sah, während die *Nordsee III*, die Platen-Polemik, die *Stadt Lucca* und die *Englischen Fragmente* als bloße Journalistik oder – noch schlimmer – als bloße Tendenzschriftstellerei galten. Damals trennte man noch säuberlich zwischen Dichter und Literat, zwischen reiner Dichtung und unsauberem Engagement, was sich natürlich auf die Wertschätzung Heines, bei dem man diesen Unterschied eben nicht machen kann, notwendig tödlich auswirken mußte. Allenthalben wirkten in dieser Ära noch die Verdikte eines Karl Kraus, Friedrich Gundolf und Rudolf Borchardt nach.[16] Wenn man überhaupt etwas gut an Heine fand, dann höchstens die späte Lyrik, das heißt das Ästhetische, das Subjektive, das Hoffnungslose. Die einzige größere Studie, in der auch Heines *Reisebilder* behandelt werden, nämlich Manfred Links Kölner Dissertation *Der Reisebericht als literarische Kunstform von Goethe bis Heine* von 1963, hebt daher selbst an diesem »operativen« Medium, wie es Karl Emmerich genannt hat, vor allem die »Kunstform« hervor.

Eine wesentlich höhere Wertschätzung der *Reisebilder* läßt sich in der BRD erst seit etwa 1965 beobachten. Und zwar beginnt man mit vorwiegend ästhetischen Gesichtspunkten, indem man selbst in Werken wie der *Harzreise* oder dem *Buch Le Grand* poetische ›Strukturen‹ nachzuweisen versucht, um auch diese Werke – aufgrund ihrer formalen Stimmigkeit – in die Reihe der etablierten Meisterwerke der epischen Weltliteratur einreihen zu können.[17] Neben diesen rein ästhetischen Gesichtspunkten macht sich dann – unter dem Druck der Neuen Linken – ein steigendes Interesse an den emanzipatorischen Inhalten der Heineschen *Reisebilder* bemerkbar, was zu aufschlußreichen, wenn auch zum Teil widerspruchsvollen Mischformen der Interpretation führt. Von besonderem Einfluß war dabei Wolfgang Preisendanz, der die durchgehende »Struktur« der *Reisebilder* in ihrer unlösbaren Einheit von emanzipatorischer Absicht und moderner »Schreibart« sah.[18] Diese »Strukturen« definiert er in Anlehnung an Heine als »Signaturen«, die so raffiniert verschlüsselt seien, daß nur ein hochgebildeter, »esoterischer« Leser ihren doppelten oder dreifachen Hintersinn wirklich verstehe.[19] Und damit bricht in Preisendanz' Theorien, so progressiv sie auch klingen, doch wieder jener subjektivistische Formalismus durch, als dessen literarischer Säulenheiliger in den fünfziger Jahren Friedrich Schlegel fungiert hatte. Denn trotz der ›kühnen‹ Nivellierung des Unterschieds von Dichtung und Publizistik, der nebenbei bereits den Essayisten der fünfziger Jahre als höchstes poetisches Ideal vorschwebte, bleibt selbst diese avancierte Interpretation Heines rein innovationistisch, da sie die zugrundeliegende »Struktur« immer wieder mit der bloßen »Schreibart« identifiziert.

An diese Thesen knüpft heute eine ganze Schule des sogenannten ›Progressivismus‹ an. So geht etwa Dierk Möller in seinen Untersuchungen zu *Episodik und Werkeinheit* (1973) sowohl von Preisendanz als auch von Roland Barthes aus, um zu beweisen, daß die *Bäder von Lucca* – trotz aller bisherigen Einwände – doch eine überzeugende, »poetisch-durchstrukturierte« Einheit besäßen.[20] Ähnliche Überlegungen stellte im gleiche Jahr Marianne Schuller zur »Textkonstitution« der Heineschen *Reisebilder* an, wobei sie die Preisendanzschen Thesen mit dem modischen Jargon gewisser Halb- oder Viertellinken verbindet und von den oft zitierten »Signaturen« einen kühnen Bogen zu Benjamins These vom Dichter als »Produzenten« schlägt – wodurch sie bei der fragwürdigen Schlußfolgerung landet, daß sich »Reiseliteratur« stets »durch ein hohes Maß an Liberalität« auszeichne.[21]

Wohl den anspruchsvollsten Vorstoß in diese Richtung bildet das Buch *Textstruktur und Textgeschichte. Die ›Reisebilder‹ Heinrich Heines. Eine textlinguistische und texttheoretische Beschreibung des Prosatyps* (1973) von Götz Großklaus. Hier werden wirklich alle Register gezogen und neben Hegel, Marx, Adorno, Lukács und Habermas zugleich Chomsky, Weinrich, S.J. Schmidt, Baumgärtner, Bierwisch, Jakobson, Jauss, Ihwe und Todorow zitiert, um neben neulinken Gesichtspunkten zugleich linguistische, strukturalistische, formalistische, texttheoretische und rezeptionsgeschichtliche Ansätze ins Spiel zu bringen. Um dabei einem bloß eklektischen Methodenpluralismus zu entgehen, konzentriert sich Großklaus letztlich doch auf ein textlinguistisches Verfahren. Die »moderne, großstädtische Prosa« wird dabei einfach mit Erscheinungsformen wie »ästhetischer Komplexität«, »Emanzipation von der Fabel« und verwirrender »Kaleidoskopik« gleichgesetzt.[22] Ebenso formal bleibt die These, daß die Bevorzugung von »Kleintextfeldern« stets progressiv, die Bevorzugung von »Großtextfeldern« stets reaktionär sei.[23] Gilt das auch für »Großtextfelder« wie Marxens *Kapital*? Wie schon bei Adorno wird auf diese Weise die pure »Text-Form« zum entscheidenden »Ort des gesellschaftlichen Gehalts«.[24] Wohin ein so esoterischer und pseudo-kritischer Text-Innovationismus letztlich hinsteuert, belegt folgendes Zitat: »In der Emanzipation der ästhetisch-technischen Verfahren verschlüsselt sich die Emanzipation der Gesellschaft: Im offen und flexibel angelegten Text-Bedeutungssystem, das seinen Elementen Eigenbeweglichkeit und relative Autonomie beläßt und die Freizügigkeit der Relationierung kontext- und statusverschiedener Einzelrelate gestattet, keine (fabelspezifischen) Anschlußzwänge ausübt und keine (gattungsspezifischen) Anschlußhierarchien aufbaut etc., verwirklicht sich ein ›Ordnungstyp‹, der sich konstellativ auf soziale Grundverhältnisse einer freien, humanen Gesellschaft beziehen läßt.«[25] Und so nimmt es nicht wunder, daß Großklaus die legitimen Fortsetzer der Heineschen Emanzipationsbestrebungen in Autoren wie Helmut Heißenbüttel, Peter Handke und Jürgen Becker sieht, die im Sinne Heines einer »einschichtigen Tendenzliteratur« aus dem Wege gingen und »hochgradig kalkulierte Sprachgebilde« fabrizierten[26], in denen sich eine fortschreitende gesellschaftliche und poetologische Befreiung von immobilen Strukturen manifestiere.

Doch neben solchen Tendenzen haben sich in letzter Zeit, wenn auch nicht ganz unbeeinflußt von ihnen, in der BRD auch etwas konkretere Ansichten über Heines *Reisebilder* entwickelt, die nicht ganz so texttheoretisch, nicht ganz so innergermanistisch wirken und auch inhaltlich-ideologische Elemente mit in ihre Interpretationen einbeziehen.[27] Etwas publizistisch-vordergründig bleibt dabei Albrecht Betz in seinem Buch *Ästhetik und Politik. Heinrich Heines Prosa* (1971), das vor allem von Kriterien wie Zerrissenheit, Isoliertheit und Fremdheit ausgeht und diese Elemente gegen die heile Welt der Biedermeierdichtung, aber auch gegen den goethezeitlichen Anspruch einer Idealität in geschlossener Fiktion ausspielt. Vor allem das *Buch Le Grand* und die *Bäder von Lucca* erscheinen ihm in dieser Hinsicht als Beispiele einer geradezu bahnbrechenden ›Modernität‹. Inhaltlich wird dabei manches etwas ›liberal‹ überinterpretiert, wie etwa die Gleichsetzung der »Madame« im *Buch Le Grand* mit der »Göttin der Freiheit«.[28] Heines Hauptbedeutung liegt für Betz letztlich in der Vermittlung von Politik und Kunst, Ästhetik und Freiheit, was als Wegbereitung einer nicht näher qualifizierten ›Moderne‹ hingestellt wird. Auf einer ähnlichen Linie liegt die Studie *Heinrich Heine. Theorie und Kritik der Literatur* (1972) von Wolfgang Kuttenkeuler, obwohl letztere auf wesentlich fundierteren historischen Kenntnissen beruht.

Kuttenkeuler sieht die Prosa des jungen Heine zu Recht in bestimmten »chronologischen Zusammenhängen«.[29] Er stellt daher Heines ästhetische Theoriebildung vor den weitgespannten zeitgeschichtlichen Hintergrund des Berliner Kulturvereins, der Philosophie Hegels, der poetologischen Konzepte Goethes, der weiterwirkenden Romantik, ja selbst noch der Fernwirkungen der Aufklärung und der Französischen Revolution, um einen Erklärungsgrund für Heines »Zerrissenheit« zu finden.[30] Er hebt dabei einerseits die doppelte Optik in den Signaturen der Heineschen *Reisebilder* hervor, die etwas unleugbar Esoterisches habe, vergißt jedoch andererseits nicht, auch auf das Exoterische und damit Revolutionäre dieses operativen Genres hinzuweisen, obwohl er den hochgespannten Versuch Heines, eine neue »historische Poetik« zu schaffen, weitgehend unter dem Gesichtspunkt des Scheiterns sieht.[31] Ebenso faktisch abgesichert wirken die kritischen Überlegungen in dem Buch *Integration und Konflikt. Die Prosa Heinrich Heines im Kontext oppositioneller Literatur der Restaurationsepoche* (1972) von Günter Oesterle, in dem Heines *Reisebilder* als ein Rekurs auf die »radikaldemokratische Tradition« des 18. Jahrhunderts gedeutet werden.[32] Statt gegen das Bürgertum als Klasse aufzutreten, hacke Heine – nach Meinung Oesterles – immer noch anachronistisch auf Adel und Klerus herum, was er vor allem an *Nordsee III* darzustellen versucht. Heines ›Modernität‹ erscheint ihm daher recht problematisch, da sie noch zuviel »narzißstische Subjektivität« enthalte und sich somit als »radikale Endstufe der Kunstperiode« decouvriere, was auch durch die vielen Bekenntnisse zum Gedanken einer allgemeinen »Emanzipation« nicht aus der Welt geschafft werde.[33] Auf derselben Ebene liege, daß Heine höchst bewußt mit seiner stilistischen Brillanz und gewissen erotischen Reizmitteln operiere, in denen sich der Warencharakter seiner *Reisebilder* offenbare. Dennoch wird eine Reduktion dieser Werke auf eine bestimmte »Schreibart« à la Preisendanz mit aller Entschiedenheit als »nicht akzeptabel« abgelehnt.[34] Mit solchen Tendenzen verglichen, erscheinen ihm die *Reisebilder* immer noch ungeheuer emanzipativ.

Kommen wir zu Folgerungen. Was die jüngsten Studien eines Betz, Kuttenkeuler und Oesterle verbindet, ist neben allen ästhetisch-theoretischen Erörterungen ein wesentlich intensiveres Interesse an ökonomischen, sozialgeschichtlichen, ideologiekritischen und rezeptionsgeschichtlichen Fragen denn je zuvor. Dem entspricht ein ständig abschweifender Stil, der à la Heine alles mit allem zu verbinden sucht und somit die Digression zur Progression verwandelt. Alle drei Bücher sind auf ähnliche Weise fragmentarisch. Sie fangen irgendwo an und hören irgendwo auf, ohne daß dem Leser ein bestimmtes Schema oder eine bestimmte Gliederung aufgezwungen würde. Sie demonstrieren daher in ihrer ›Schreibart‹ einen bewußt freien, antiautoritären Stil. Aus diesem Grunde sind ihre Haupt-Schlagworte Dinge wie Modernität, Emanzipation und Zerrissenheit: alles Signaturen für eine bestimmte neulinke oder auch altliberale Gesinnung, die zwar richtig ist, aber doch richtungslos bleibt. Denn das Interesse an Heine gilt hier völlig Heine dem Ungebundenen, dem Fragenden, dem Kritischen, dem Zweifelnden, dem Satirischen, dem Liberalen zwischen den Stühlen, der sich nicht festnageln läßt. Indem sie also Heine fast ausschließlich als linksbürgerlichen Intellektuellen interpretieren, sind diese Bücher zugleich Dokumente der Selbstbefragung und Selbstaufdeckung der eigenen Ideologie.

Doch was sollten sie anderes sein? Der westdeutsche Heine kann nur der kritische, der vereinzelte, der zerrissene Heine sein. Denn in diesem Lande gibt es nichts, an was man gesamtgesellschaftlich anknüpfen könnte. Hier gibt es keine allgemeingültige Pädagogik, keine allgemeingültige Kulturpolitik oder irgendeine gemeinsame Verständigung über den möglichen Gebrauchswert des ›kulturellen Erbes‹. In all diesen Dingen gibt es nur den Kritiker und sein Objekt. Schließlich ist die kulturelle Situation in dieser Gesellschaft, was auch für ihre ökonomischen und sozialen Grundwidersprüche gilt, seit den Tagen Heines weitgehend die gleiche geblieben. Auf das Phänomen ›hohe Kultur‹ reagiert man hier immer noch ›bürgerlich‹, das heißt schichtenspezifisch, elitär, ja geradezu parasitär. In der BRD läßt sich also Heine noch nicht auf einer neuen Stufe der kulturellen Entwicklung ›aufheben‹, indem man ihn negiert, konserviert und zugleich transformiert, wie das in einigen östlichen Ländern angestrebt wird. Hier ist Heine noch immer ein Reflexionsgegenstand für linksbürgerliche Intellektuelle, so verwaschen dieser Begriff inzwischen auch geworden ist.

Und so sollten auch die folgenden Studien zu Heines *Reisebildern* vorwiegend als kritische Reflexionen gewertet werden. Sie können nur bereits In-Gang-Gebrachtes weiterführen, indem sie noch intensiver als bisher auf den Einfluß Hegels eingehen und zugleich Heines höchst prekäre Einstellung zu Goethe in einem neuen Licht erscheinen lassen – was die bürgerlichen Statthalter Goethes vielleicht etwas irritieren wird. Doch auch solche Gesichtspunkte werden nicht viel dazu beitragen, Heine endlich ins allgemeine Kulturbewußtsein zu integrieren. Indem sie sich nicht nur auf die Untersuchung seiner ›Schreibart‹ beschränken, sondern wesentlich stärker ins Historische ausgreifen, als das bisher meist geschehen ist, können sie zwar zur ideologischen Profilierung Heines beitragen, aber auch nicht viel mehr. Und doch zehren diese Studien von dem scheinbar unausrottbaren Bedürfnis nach kritischer Bewußtseinserhellung, die uns als Wissenschaftlern nun einmal seit der Aufklärung als verpflichtende Zielvorstellung aufgegeben ist. Und sie versuchen das aufgrund umfangreicher historischer Vorstudien, eines über den bloßen Liberalismus hinausgehenden Engagements und zugleich einer gewissen inhaltlichen Systematik.

Die folgenden Aufsätze sind daher nicht als Essays gedacht, die auf der ›Kunst der Interpretation‹ beruhen, sondern versuchen anhand bestimmter Einzelanalysen stets einen größeren ästhetischen, philosophischen oder politischen Einheitskomplex zu behandeln: die Frage des Journalismus in der frühen Restaurationsepoche, die Judenfrage und das Nationalitätenproblem, die Einstellung zu Goethe und zur Kunstperiode, den Einfluß der Hegelschen Geschichtsphilosophie, die Frage des politischen Engagements, Heines Einstellung dem sich entwickelnden Kapitalismus gegenüber, das Problem der Personalsatire und die antiklerikale Kritik. Und damit soll dieses Buch nicht nur eine Interpretation der *Reisebilder* sein, sondern zugleich ein ideologisches Gesamtbild des frühen Heine schlechthin entwerfen. Vom Historisch-Konkreten ausgehend, liegt jedem Kapitel eine Argumentationslogik zugrunde, die unermüdlich zur Kritik, zum Bewegenden im scheinbar Unbewegten, zur Dialektik der Überwindung vorzustoßen versucht, also zu jenen Elementen, die uns wegen ihres Durchbruchscharakters auch heute noch mit einem gewissen Elan beflügeln, selbst wenn manche der hier behandelten Fragen inzwischen eine leichte Patina angesetzt haben. Bei der Betrachtungsweise soll daher stets das ›Synthetische‹, das heißt Dialektisch-Zielbezogene überwiegen. Denn was uns an älterer Literatur auch in unseren Zeiten noch bewegt, ist ja letztlich nur das, was auch damals schon auf Bewegung drängte. ›Lebendiges Kulturerbe‹, falls ein so großes Wort überhaupt noch erlaubt ist, scheint mir nur dort zu sein, wo sich Fortschritte andeuten, wo etwas gewagt wird, wo man opponiert – statt durch einen blasierten Fatalismus den Mächtigen direkt in die Hände zu spielen und damit ein Mitschuldiger des allgemeinen Terrors zu werden.

Und in diesem Sinne sind auch Heines *Reisebilder* immer noch ›lebendig‹, da in ihnen nicht die Starrheit, sondern die Mobilität, nicht das Spießige, sondern das Spontane, nicht der Status quo, sondern der ständige Aufbruch gefeiert werden. Hier ist einer, der sich zu Recht als ›Mann der Bewegung‹ bezeichnet, da er auf Reisen geht, um sozial-politische Vergleiche anzustellen, sich zu informieren, zu grundsätzlichen Erkenntnissen zu gelangen. Aus diesem Grunde gehören Heines *Reisebilder* vielleicht zu seinen wichtigsten Werken. Sie wenden sich an Menschen, die fähig sind, all ihre Handlungen, Gedanken und Gefühle stets im Spannungsfeld jener revolutionären und reaktionären Kräfte zu sehen, die wir posthum als ›Geschichte‹ bezeichnen. Denn nur wer sich selber als historisches Subjekt empfindet, gehört zu jenen, denen die progressive Kunst der Vergangenheit immer noch energetisierende Impulse verleihen kann. Mit einer solchen Einstellung wäre vielleicht sogar in bürgerlicher Gesellschaft, die auf eine zielgerichtete Kulturpolitik bewußt verzichtet, ein dialektisch fruchtbarer Wechselbezug zum ›kulturellen Erbe‹ möglich.

BRIEFE AUS BERLIN

(E: Januar/Juni 1822)

Politische Tendenz und feuilletonistische Form

»Seltsam! – Wenn ich der Dei von Tunis wäre,/Schlüg' ich, bei so zweideut'gem Vorfall, Lärm«
(Heinrich von Kleist, *Prinz von Homburg*).

Als der junge Heine in den letzten Februartagen 1821 in Berlin eintraf, um sich dort als ›Studiosus juris‹ immatrikulieren zu lassen, sah er sich zum erstenmal in seinem Leben in ein typisches Großstadtmilieu versetzt, das ihn schnell in seinen Sog zu ziehen verstand. Düsseldorf, Bonn, Göttingen, ja selbst Hamburg mußten ihm neben einer Haupt- und Residenzstadt wie Berlin, die damals etwa 200000 Einwohner zählte, plötzlich wie zurückgebliebene und ereignislose Kleinstädte erscheinen. Wo gab es in diesen Jahren ein solches Theater- und Gesellschaftsleben? Wo sah man soviel berühmte Leute in einer Stadt versammelt? Wo fand man größere lukullische Genüsse als bei Jagor und Josty? Sein Studium beschäftigte ihn darum bald nur noch in zweiter Linie. Er ging zwar in einige Vorlesungen von Hasse, Schmalz, Hegel, Bopp, Wolf, Boeckh und Raumer, aber wohl nur sehr unregelmäßig. Überhaupt scheint ihn das großstädtische Gesellschaftsleben viel stärker angezogen zu haben als das Professoren- und Studentenmilieu. So gehörte er mit Grabbe, Köchy, Ludwig Robert und Uechtritz zu einem Kreis junger Poeten bei Lutter und Wegener, frequentierte den Salon von Elise von Hohenhausen, in dem er aus seinen Gedichten vorlas und als ›deutscher Byron‹ bewundert wurde, verbrachte seine Donnerstagabende manchmal bei Philipp Veit, wo er Gans, Moser und Zunz kennenlernte, verkehrte im Salon Rahels und Varnhagen von Enses und wurde im August 1822 Mitglied des »Vereins für Kultur und Wissenschaft der Juden«.

Nimmt man noch seine häufigen Theaterbesuche hinzu, muß sein Gesamteindruck von Berlin ein erregender und verwirrender gewesen sein. Halb neugierig, halb angereizt, gab sich Heine allem hin, was Gesellschaft, Kunst, Wissenschaft, Restaurants und Straßenleben dieser Stadt zu bieten hatten. Doch als echter Schriftsteller begann er schon nach wenigen Monaten, diese Eindrücke in sich zu verarbeiten und den Plan zu fassen, auch anderen davon zu berichten. Und zwar wandte er sich dabei zuerst an den als ›liberal‹ bekannten Leipziger Verleger Friedrich Arnold Brockhaus und ließ ihm im Herbst 1821 durch einen gewissen Dr. Klindworth einen *Brief über das hiesige Theater* für sein *Literarisches Konversationsblatt* zugehen.[1] Daß sich Heine und Brockhaus kurz zuvor in Berlin begegnet waren, gilt als gesichert.[2] Bei dem erwähnten Theater-Brief wird es sich höchstwahrscheinlich um einen Aufsatz über den Weber-Spontini-Streit gehandelt haben, der im Sommer 1821 in Berlin großes Furore machte. Als sich Brockhaus daraufhin nicht rührte, bat ihn Heine am 1. Februar 1822 in einem freundlichen Brief, diese Angelegenheit als erledigt zu betrachten. Denn in der Zwischenzeit war ihm die Idee gekommen, über seine Berlin-Eindrücke in einer Folge von feuilletonistischen Impressionen im *Kunst- und Wissenschaftsblatt* des *Rheinisch-Westfälischen Anzeigers* zu berichten, das bereits einige Gedichte und den Aufsatz *Die Romantik* von ihm gebracht hatte. Und so erschien denn sein Aufsatz über den Weber-Spontini-Streit vom Sommer 1821, der für eine Zeitung eigentlich schon etwas veraltet war, mitten in seinen rein aktuellen *Briefen aus Berlin*, die zwischen dem 8. Februar und 19. Juli 1822 in den Nummern 6–7, 16–19 und 27–30 im *Kunst- und Wissenschaftsblatt* herauskamen und jeweils mit einem lakonischen ». . . e« gezeichnet sind. Im Vergleich zu Brockhaus war das ein Abstieg, der Heine sicher gewurmt hat. Doch andererseits konnte er so vor einem Publikum auftreten, unter dem sich einige seiner wichtigsten Verwandten und Freunde befanden.

Über die Druckgeschichte der *Briefe aus Berlin* ist nicht viel bekannt, da sich von dem Briefwechsel zwischen Heine und den Verlegern Heinrich Schulz und Gottlieb Augustin Wundermann in Hamm nichts erhalten hat. Dasselbe gilt für die Manuskripte. Nach dem 1. Brief muß ihn Schulz ermahnt haben, sich etwas ›vorsichtiger‹ auszudrücken, woraus Heine sofort eine ironische Pointe machte (7, 570). Im 2. Brief scheint

Schulz (oder die Zensur) außer einem Witz auf Benzenberg und einer Bemerkung über Spontini nur »wenig gestrichen« zu haben.[3] Um so mehr war Heine über die Streichungen im 3. Brief empört. Er schreibt darüber am 1. September 1822 an Ernst Christian Keller: »In meinem 3ten Briefe aus Berlin ist auf unverzeihliche Weise geschnitten worden. Schulz schreibt, es sei die Zensur gewesen.« Heine stellte darauf seine Korrespondentenberichte aus Berlin ein, obwohl er ursprünglich noch zwei weitere »Briefe aus Berlin« geplant hatte.[4] Doch es werden wohl nicht nur die Zensurschwierigkeiten gewesen sein, die ihn zu diesem Schritt veranlaßten. Eigentlich hatte er alles ›Wichtige‹ bereits gesagt. Was es jetzt noch zu schreiben gab, wäre eindeutig in die Rubrik der »Konvenienzkorrespondenz« gefallen – und gegen die hatte er sich deutlich genug ausgesprochen (7, 570). Obendrein wurde es im Sommer in Berlin sowieso still. Alles, was Rang und Namen hatte, verbrachte diese Zeit auf seinen Gütern oder in fashionablen Badeorten. Und so fuhr denn auch Heine Anfang August zu seinem Freunde Eugeniusz Breza nach Gnesen. Als er wieder nach Berlin zurückkam, suchte er sich für seine weiteren Arbeiten eine bekanntere Zeitung als den *Rheinisch-Westfälischen Anzeiger* und ließ seinen Aufsatz *Über Polen* und die *Harzreise* im Gubitzschen *Gesellschafter* erscheinen.

Welche Wirkung diese *Briefe* auf seine Zeitgenossen hatten, läßt sich schwer ermitteln. Schließlich war Heine damals noch nicht so berühmt, daß ihn jede Zeitung laufend besprach. Um so erstaunter ist man, daß dieses Werk dennoch einen gewissen Widerhall fand. So bemerkt etwa der Berliner *Gesellschafter* in seiner Nr. 133 vom 21. August 1822, daß das *Kunst- und Wissenschaftsblatt* des *Rheinisch-Westfälischen Anzeigers* in den letzten Monaten wegen »der darin enthaltenen humoristischen Briefe aus Berlin [...] gern und viel gelesen« werde. Im *Brandenburger Erzähler*, einer Beilage zum *Märkischen Boten*, heißt es in der Nr. 177 vom 18. Mai 1822: »Das Interesse, welches die Leser an dem, im ›Westfälischen Anzeiger‹ ohnlängst erschienenen, ersten Briefe aus Berlin genommen, veranlaßt uns, den, im gedachten Blatte ebenfalls befindlichen zweiten Brief [...] unsern Lesern zur Unterhaltung mitzuteilen.« Das Literarische *Konversationsblatt* bedachte die *Briefe* nur mit einer kurzen, abfälligen Bemerkung, wahrscheinlich von Köchy stammend.[5] Die Zeitschrift *Westfalen und Rheinland* schrieb: »Die in den neuesten

Stücken des Rheinisch-Westphälischen Anzeigers enthaltenen ›Briefe aus Berlin‹ von H. (Heine etwa?) haben hinsichtlich mancher gewagten Ansichten und Behauptungen Sensation erregt; besonders ist die Namennennung mancher bekannten Person darin und deren Zusammenstellung mit den Erscheinungen des Tages aufgefallen.«[6] Einer der Beim-Namen-Genannten, der Baron August Wilhelm Heinrich von Schilling, drohte Heine sogar mit einer Herausforderung, was letzterer jedoch durch einen entschuldigenden Brief vom 30. April und eine öffentliche Erklärung im *Gesellschafter*[7] gütlich beilegen konnte.

Im großen und ganzen konnte also Heine mit dem Erfolg dieses Werks durchaus zufrieden sein. Er löste daher 1827 aus seinen *Briefen aus Berlin* drei zusammenhängende Stücke heraus und hängte sie – nach sorgfältiger Redaktion – als Nachspiel an das *Buch Le Grand*, wo sie auf den Seiten 297 bis 326 erscheinen. Die Verstümmelungen im 3. Brief wurden dabei zum Teil durch recht scharfe politische Äußerungen ersetzt, bei denen sich nicht genau entscheiden läßt, ob sie noch aus dem Urtext stammen oder spätere Ergänzungen sind. Der Hauptgrund für diesen Neuabdruck wird wohl die Zwanzigbogengrenze gewesen sein, mit der viele Autoren die berüchtigte Präventivzensur zu umgehen versuchten, die nur bei Schriften unter 320 Seiten ›in Anwendung gebracht‹ wurde. Warum allerdings Heine diese Bruchstücke als *Briefe aus Berlin I.* bezeichnet, bleibt unerfindlich. Denn bei der zweiten Auflage seines 2. *Reisebilder*-Bandes wurden sie nicht etwa fortgesetzt, sondern im Gegenteil wieder herausgeworfen. Auch sonst drückt sich Heine um 1830 in Briefen und Vor- oder Nachworten recht despektierlich über sie aus.[8] Daß durch diesen Rausschmiß der Schluß seines *Le Grand* mit dem ironisch-tröstenden Hinweis auf »Jungfernkranz«, »Maskenbälle« und »Hochzeitsfreuden« (3,194), den drei Hauptthemen der folgenden *Briefe aus Berlin*, etwas in der Luft hängenbleibt, scheint ihn nicht gestört zu haben.

Die Tatsache, daß Heine mit diesem Werkchen ebenso rücksichtslos umgesprungen ist wie die Zensur, hat auch in der Sekundärliteratur zu einem höchst abfälligen Urteil über die *Briefe aus Berlin* geführt. Lediglich Adolf Strodtmann, der dem Ganzen zeitlich noch relativ nahesteht und daher manche der politischen Pointen gerade noch mitbekommt, sieht in diesen *Briefen* wegen ihres »kecken Übermuts« ein recht beachtliches

Präludium zu den folgenden *Reisebildern*.[9] Doch die spätere Heine-Literatur hat diesen *Briefen* nichts mehr abgewinnen können. Ernst Elster zum Beispiel beurteilt 1890 das Ganze nur noch als feuilletonistische Fingerübung und bringt die von Heine nicht redigierten Stellen, die immerhin zwei Drittel des ursprünglichen Textes ausmachen, in den Lesarten unter (7,560–597). Als Ganzes sind daher die *Briefe aus Berlin* bis heute nie interpretiert worden, obwohl die meisten neueren Ausgaben (Walzel, Kaufmann, Briegleb, DHA) sie im vollen Wortlaut bringen. Was man über sie zusammentragen kann, geht kaum über ein paar verstreute Bemerkungen hinaus. Wilhelm Bölsche nennt 1888 ihren Inhalt »äußerst dürftig«, findet die Witze »fad« und die »schwärmerisch warmen Worte über das preußische Königshaus« geradezu »widerwärtig«.[10] Friedrich Marcus charakterisiert sie 1919 als die »oft recht läppischen ›Briefe aus Berlin‹«.[11] Heinrich Uhlendahl liest im gleichen Jahr aus den »ziemlich flachen ›Berliner Briefen‹« lediglich »engherzige, reaktionäre Gesinnung«, schmeichlerisches Lob für Clauren und Gubitz und »Begeisterung« für die Mitglieder der königlichen Familie heraus.[12] Max Brod bezeichnet sie 1935 als »Klatsch und Quatsch«.[13] Für Richard Salomon gehören sie zu dem »Schwächsten, was Heine geschrieben hat«.[14] Walter Vontin schreibt 1949, daß sie wegen ihres »allzu unruhigen, witzelnden Tons« und der »banalen Wortspiele« keineswegs als ein »wertvolles Werk« hingestellt werden dürften.[15] Und selbst Walther Victor, der in manchen Abschnitten durchaus »sozialkritische« Elemente wahrzunehmen glaubt, hält noch 1954 ihre Grundgesinnung für »preußisch-königstreu«.[16]

Was also in der Sekundärliteratur immer wieder hervorgehoben wird, sind vor allem zwei Gesichtspunkte. Einerseits findet man die *Briefe aus Berlin* nicht ›gestaltet‹ genug, andererseits vermißt man in ihnen das Salz der ›politischen Tendenz‹. Beide Urteile lassen sich mit einiger Mühe als ›unhistorisch‹ disqualifizieren. Sobald man nämlich Heines *Berliner Briefe* vor ihrem engeren zeitgeschichtlichen Hintergrund betrachtet, gewinnen sie schnell an Statur, die allerdings einem Auge, das alles sub specie aeternitatis beurteilt, notwendig verborgen bleibt.

Beginnen wir mit jenen Stimmen, die sich von rein ästhetischen Gesichtspunkten leiten lassen und an Heines früher Prosa vor allem ihre Formlosigkeit kritisieren. Ihr Kunstbegriff knüpft meist an die Goethe-Zeit an, als sich der weite Bereich des Literarischen immer stärker auf die ›hohe Dichtung‹ verengte. Unter einem so esoterischen Blickwinkel gesehen, sind Heines *Briefe aus Berlin* in der Tat etwas ›formlos‹. Doch die ästhetischen Kriterien dieser Periode erschienen Heine schon in jungen Jahren als reichlich elitär. Ihn also an ihren Maßstäben zu messen, wäre geradezu unfair. Sein Vorbild war nicht die Klassik, sondern die Aufklärung. Begibt man sich nämlich ins 18. Jahrhundert zurück, begegnet man solcher Zweck- und Gebrauchsliteratur wie Heines *Briefen aus Berlin* auf Schritt und Tritt. Schon die Einkleidung in die Briefform verbindet sie mit all jenen *Briefen eines reisenden Franzosen* oder *Briefen eines Engelländers*, wie sie Riesbeck, Riedel, Geiger, Rebmann, Affsprung, Wekhrlin und Pezzl verfaßten. Hier wie dort schreibt man politisch gefärbte Reiseberichte und Städtecharakteristiken, in denen mit satirischen Mitteln gesellschaftliche Mißstände bloßgelegt werden. Daß die Aufklärung dabei stärker ›moralisierend‹ verfährt und den korrupten Verhältnissen in den Städten meist die Wonnen eines rousseauistisch gesehenen Landlebens entgegenhält, versteht sich von selbst. Ähnliche Unterschiede lassen sich im Bereich des Formalen beobachten. Während die Schriftsteller des 18. Jahrhunderts ihre Reiseberichte weitgehend in Buchform herausgaben, taucht dieses Genre nach 1800 mehr und mehr in den üblichen Zeitungskorrespondenzen unter. Man sollte daher Heines *Briefe aus Berlin* nicht mit anspruchsvollen Jugendwerken wie Goethes *Werther* vergleichen, sondern sie als Gebrauchsliteratur neben die biedermeierlichen Städtenachrichten stellen, die in den meisten Tages- oder Wochenblättern dieser Jahre im Petitdruck auf der letzten Seite erschienen und stereotype Überschriften wie »Aus Berlin«, »Aus Dresden«, »Aus Wien«, »Aus Hamburg« usw. trugen. Nur wenn man sie hieran mißt, wird man zu einem historisch gerechtfertigten Urteil vordringen können.

Gute Beispiele einer solchen »Konvenienzkorrespondenz« (7,570), auf die Heine ausdrücklich hinweist, finden sich in der *Zeitung für die elegante Welt* (7,587), der Dresdner *Abendzeitung*, dem Stuttgarter *Morgenblatt* und dem Wiener *Konversationsblatt* (7,561). Von den anderen Zeitungen dieser Jahre werden die *Vossische* (7,584), die *Spenersche* (7,584), der *Beobachter an der Spree* (7,589), die *Allgemeine Preußische Staatszeitung* (7,586), die *Raritäten und Kuriositäten* (7,589), die *Magdeburgische Zeitung*

(7,586), der *Märkische Bote* (7,589) und das *Literarische Konversationsblatt* (7,591) genannt. Heine hat sich also genau umgesehen, wie es die anderen machen, bevor er an seine eigenen *Briefe* ging. Was ihm dabei besonders mißfiel, war die pedantische Ausführlichkeit der meisten Berichterstatter, die kein Ereignis unerwähnt lassen und darum bei einer langweiligen Nachrichtenreihe landen (7,561). So schrieb etwa der Kriegsrat Karl Müchler regelmäßig *Briefe aus Berlin* für die *Elegante*, in denen in witzloser Chronologie lediglich die üblichen Hofneuigkeiten, Verbrechen, Theaterereignisse und ›kuriosen‹ Vorfälle aneinandergereiht werden. Ebenso pedantisch verfuhren die von Heine erwähnte *Abendzeitung*[17] und das *Morgenblatt*.[18] Selbst da, wo sich etwas Zusammenhängendes findet wie die *Briefe aus Berlin* von Elise von Hohenhausen in der *Abendzeitung*[19] oder die *Briefe von Freimund* im *Rheinisch-Westfälischen Anzeiger*[20], wird man entweder durch eine langweilige Systematik oder einen trivialen Plauderton angeödet, der nicht über den Horizont der üblichen ästhetischen Teezirkel hinausreicht.

Im Vergleich mit solchen Korrespondenzberichten sind Heines *Briefe aus Berlin* geradezu feuilletonistische Meisterwerke, die sich nie in weitschweifige Berichterstattung oder bloßes Getratsche verlieren. Trotz der äußeren Erscheinungsform, durch die dieses Werkchen in zehn Fortsetzungen zerstückelt wurde, spürt man hinter dem Ganzen ein deutliches Aufbauprinzip. Und zwar geht Heine in jedem Brief von einem kleinen, aber wohlüberlegten Erzählzusammenhang aus. Im 1. Brief ist es der Spaziergang durch die Stadt, im 2. die Jungfernkranz-Episode und im 3. die Hochzeitsfeierlichkeit. An diesen anekdotischen Kern wird dann jeweils die von der Zeitung gewünschte Nachrichtenreihe gehängt, die Heine in den Mund eines schwatzhaften, allwissenden Kammermusikus legt, um sich dadurch etwas von ihr abzusetzen. Auf diese Weise ergibt sich trotz der lockeren Briefform doch eine klare Struktur: Novellistisch-Anekdotisches steht neben der gewünschten Information, wodurch sowohl das Ästhetische als auch das Aktuelle zu seinem Rechte kommt. Besser läßt sich eine solche Aufgabe eigentlich kaum lösen. Und so konnte Heine 1827 die bereits erwähnten Episoden relativ leicht aus dem Ganzen herauslösen und sie seinem zweiten *Reisebilder*-Band einverleiben. Mag er diese drei Stücke auch 1830 wieder ausgeschieden haben, als bloßer ›Klatsch und Tratsch‹ sind sie ihm sicher nicht erschienen. Das beweist Heines letzter Plan zu einer Gesamtausgabe seiner Werke, die alles politisch und ästhetisch Wertvolle in sich vereinigen sollte und wo im Inhaltsverzeichnis zum 19. Band – neben dem *Almansor* und einer Reihe kleinerer Prosastücke – plötzlich auch die *Briefe aus Berlin* wieder auftauchen, wenn auch wohl nur in Form der drei *Reisebilder*-Stücke.

Ebenso ungerecht wäre es, die *Briefe aus Berlin* als politisch ›harmlos‹ zu bezeichnen. Auch hier sollte man erst einmal einen Blick auf die allgemeine Situation des deutschen Zeitungswesens werfen, bevor man ein so leichtfertiges Urteil fällt. Vergleicht man sie lediglich mit den *Französischen Zuständen* (1833) oder der *Lutetia* (1854), sind solche negativen Schlüsse natürlich gerechtfertigt. Aber was schrieben denn die üblichen Journalkorrespondenten 1822 in der *Abendzeitung* oder im *Morgenblatt*? Oder besser gesagt: was durften sie schreiben? Schließlich ist gerade diese Ära, die kurz auf die berüchtigten ›Karlsbader Beschlüsse‹ folgt, durch eine besonders strenge Zensur gekennzeichnet. Das gesamte Zeitungswesen wurde einem wohlausgeklügelten System von Denunzianten, Spitzeln und Oberzensurkollegienräten unterworfen, deren einziger Ehrgeiz darin bestand, den Befehlen der Obrigkeit zu ›gehorsamen‹. Denn durch die allgemeinen Umtriebe und Revolutionen in Spanien, Neapel, Polen, Griechenland, Mexiko und Südamerika war man auf fürstlicher Seite gegen jede Art von ›liberaler‹ Regung äußerst empfindlich geworden. Selbst die Burschenschafter und Philhellenen wurden daher als Vertreter einer ›Internationalen Verschwörung‹ verdächtigt, der man mit der unumgänglichen ›Strenge des Gesetzes‹ entgegentreten müsse.

In einer solchen Situation blieb für die armen Zeitungsherausgeber nur der Ausweg offen, sich auf den relativ harmlosen Sektor ›Kunst und Unterhaltung‹ zu beschränken. Alles andere hätte sie sofort in ihrer Existenz bedroht. Ludwig Salomon nennt darum in seiner *Geschichte des deutschen Zeitungswesens* die Jahre nach 1819 eine Ära der »kläglichen Oberflächlichkeit« und der »leichtfertigen Unterhaltung«, die ganz im Zeichen von Theaterstars und Virtuosen wie Henriette Sonntag, Boucher, Paganini und der Catalani gestanden habe.[21] Zu ähnlichen Einsichten kommen Tieck in seinen *Musikalischen Freuden und Leiden* (1824) und Immermann in seinen *Epigonen* (1836). Wohin man auch blickt, wird das ›Künstlerische‹ in einer Weise hochgespielt, als gebe es überhaupt keine anderen Probleme mehr. Mit welcher Wonne sich manche dieser ästhetischen Harmlosigkeit hingaben, beweist ein kurzes Zitat aus den Memoiren von Karoline Bauer, einem der beliebtesten Berliner Bühnenstars dieser Jahre: »Eine neue Erscheinung in der Oper, im Schauspielhause, Konzert, Ballsaal, eine Rezension von ›Spuck-Schulze‹ in der ›Spenerschen‹ oder von Gubitz, Willibald Alexis, Rellstab in der ›Vossischen‹, ein Hoffest, eine kostümierte Schlittenfahrt, eine originelle Toilette, ein pikantes Histörchen, ein Roman von Walter Scott, eine Mimili-Geschichte von Clauren, ein anonymes Gedicht – konnten ganz Berlin tagelang beschäftigen.«[22] Etwas besorgter beurteilten Männer wie Varnhagen diese Situation, der sich am 22. Mai 1822 in sein Tagebuch notierte: »Stille in der Politik, allgemeine Spannung und Erwartung. – Das Publikum ist hauptsächlich mit Theater beschäftigt, mit den Vermählungsfesten, Paraden usw. Nicht ohne Bedeutung und Wirkung sind hier die Schauspiele zu einer großen kostbaren Staatsanstalt erhoben, sie geben unendliche Beschäftigung für alle Klassen, der Hof und die Prinzen selbst nehmen tätig daran teil. Die Leute vergessen die Politik, und statt von Ministern, unterhalten sie sich von Mad. Neumann, von Mad. Stich, von Herrn Wolf und Herrn Blume.«[23] Heine schrieb daher 1827 mit ähnlicher Akzentsetzung, daß man in Deutschland statt »Parlamentsdebatten« nur »Theaterkritiken« kenne, weshalb sich die Zeitungsmeldungen weitgehend in »literarischen Fraubasereien« erschöpften (3,526). Ja, in der *Romantischen Schule* heißt es noch deutlicher: »Wir, die wir fast keine räsonnierende politische Journale besaßen, waren immer desto gesegneter mit einer Unzahl ästhetischer Blätter, die nichts als müßige Märchen und Theaterkritiken enthielten [...]. Für die Kunst wird [...] in Deutschland alles Mögliche getan, namentlich in Preußen. Die Museen strahlen in sinnreicher Farbenlust, die Orchester rauschen, die Tänzerinnen springen ihre süßesten Entrechats, mit tausend und einer Novelle wird das Publikum ergötzt, und es blüht die Theaterkritik. Justin erzählt in seinen Geschichten: Als Cyrus die Revolte der Lydier gestillt hatte, wußte er den störrischen, freiheitssüchtigen Geist derselben nur dadurch zu bezähmen, daß er ihnen befahl, schöne Künste und sonstige lustige Dinge zu treiben« (5,284f.).

Nur so wird verständlich, warum die restaurativ eingestellten Kreise um Friedrich Wilhelm III. so ›kunstbegeistert‹ waren. Vom König selbst weiß man, daß er fast jeden Abend ins Theater ging. Wer also trotz dieses obrigkeitlichen Beispiels wagte, die Öffentlichkeit auch mit anderen Fragen zu ›belästigen‹, wurde von den ›Ultras‹ sofort als »jakobinisch« verschrieen.[24] Was daher Heine in seinen *Briefen aus Berlin* bringt, grenzt stellenweise fast an Hochverrat. Dazu paßt, daß er im 2. *Reisebilder*-Band den drei Erzählfragmenten das Kleistsche Motto voranstellte: »Seltsam! – Wenn ich der Dei von Tunis wäre, / Schlüg' ich, bei so zweideut'gem Vorfall, Lärm«, das jener Szene entnommen ist, in der Kottwitz in Berlin einmarschieren will, um dort eine offene Rebellion gegen den Kurfürsten in die Wege zu leiten. Von einer ›widerwärtigen‹ Anbiederung an Preußen kann also gar keine Rede sein. Dann hätten Schulz und die Zensur ja nichts zu streichen gehabt. Obendrein wissen wir aus Varnhagens Tagebüchern, daß Heine wegen der *Briefe aus Berlin* höchstwahrscheinlich mit der Polizei in Berührung gekommen ist. So schreibt ersterer bereits am 20. Februar: »Im westphälischen Anzeiger stehen dreiste Korrespondenznachrichten aus Berlin; es heißt darin z. B., ›ich sah bei der Parade sehr viele mich anekelnde aristokratische Gesichter‹.«[25] Kurze Zeit später notiert er sich: »Der junge Heine, Verfasser des Berliner Berichts im Westphälischen Anzeiger, welcher von Berlin weggewiesen werden sollte, ist noch hier.«[26] Dafür spricht auch die peinliche Befragung durch den Staatsrat Schulz, die Heine im Frühjahr 1824 über sich ergehen lassen mußte, als er zum zweiten Male nach Berlin kam. Daß er seinen *Briefen aus Berlin* Anfang 1823 noch seinen Polen-Aufsatz nachgeschickt hat, muß den preußischen Behörden geradezu tollkühn vorgekommen sein.

Sieht man sich also das Ganze, das auf den ersten Blick so unverbindlich plaudernd wirkt, etwas genauer an, stutzt man fast bei jedem Satz. Eigentlich gibt es hier nichts, was nicht eine leicht riskante Note hätte. Selbst das Kulturelle und Gesellschaftliche wird stets unter politischer Perspektive gesehen. Und zwar bedient sich dabei Heine meist der Methode der kleinen Nadelstiche. Überall bringt er versteckte Pointen an, läßt scheinbar Selbstverständliches in einem ironischen Licht aufblitzen oder spielt den naiv Erstaunten. Ein anderer Trick dieses politisch-gefärbten Journalismus ist die bewußt unsystematische Darstellungsart. Denn durch sie gewinnt Heine die Möglichkeit, ständig mit pikanten Kontrastwirkungen zu operieren und so den Eindruck des ›Verfänglichen‹ noch zu verstärken. Vieles wird deshalb nur angedeutet oder bewußt offen gelassen. Man sollte das nicht nur auf seine jugendliche Inkonsequenz oder den häufig zitierten ›Impressionismus‹ Heines schieben. Denn hinter diesen spielerischen Arabesken steckt bereits ebensoviel Zensuranrüchiges wie in den wirren Prosastücken der späteren Jungdeutschen.[27]

Wenn Heine wirklich so ›harmlos‹ gewesen wäre, wie manche behaupten, hätte er ja einfach die anderen Zeitungen nachahmen können. Denn was dort im Vordergrund steht, ist weitgehend das Höfische: die Beschreibung der landesherrschaftlichen Geburtstagsfeiern, die Krönungsfeste, Hofbälle, Paraden, Ernennungen oder Ordensverleihungen, die bei vielen Korrespondenten über die Hälfte ausmachen. Von alledem findet sich bei Heine nur wenig – und das obendrein in ironischer Perspektive. Den zweiten Sektor der üblichen Korrespondenzberichte bildete damals das Theaterleben. Hiervon bringt auch Heine eine ganze Menge, aber wiederum unter einer völlig anderen Perspektive. Während die anderen lediglich zwischen »trefflich« und »vortrefflich« unterscheiden, um nur ja nicht anzustoßen, wie Heine einmal sarkastisch bemerkt (7, 573), interessiert ihn auch hier nur das Riskante. So hören wir kein einziges Wort über die vielen Mozart-Opern oder die berühmten Klassiker-Inszenierungen auf den Berliner Bühnen. Denn das ›Bewährte‹ oder ›Selbstverständliche‹ läßt Heine von vornherein kalt. Es muß schon ans Gefährliche, Erregende oder Anstößige grenzen, das heißt einen gesellschafts- oder kulturpolitischen Zündstoff enthalten, wenn er es in seine Darstellung aufnimmt. Dasselbe gilt für das dritte Stoffgebiet der landläufigen Korrespondenzberichte: die ›interessanten‹ Kuriosa oder Novitäten. Wo andere einfach Zeilen füllen, indem sie sich auf den üblichen Klatsch oder die offiziellen Kriminalberichte stützen, benutzt Heine das Prinzip der Nachrichtenreihe meist im Sinne geschickt kontrastierender Spiegelwirkungen. So stellt er etwa seinen Lieblingsfeind Savigny mit den Possenreißern zusammen (7, 561) oder erwähnt die verbreitete Ordenssucht im gleichen Passus, wo er von den kleinen »Hundezeichen« spricht, die man den Prostituierten umhängen will (7, 566). In beiden Fällen erspart er sich damit einen gefährlichen Kommentar und läßt doch den Leser genau seine persönliche Ansicht wissen. Besser als in diesen beiden Beispielen kann man den Anspruch des ›Ehrwürdigen‹ eigentlich kaum persiflieren.

Kein Wunder, daß Heine bei einer solchen Gesinnung mehrfach auf die Zensur zu sprechen kommt, über deren Existenz man damals offiziellerweise gar nicht reden durfte. Immer wieder betont er, daß er in seinen *Briefen* nichts verschleiern wolle. Anstatt also wie manche Korrespondenten nur von einer »großen norddeutschen Macht« zu sprechen, spricht er unverblümt von »Preußen« (7, 570). Lediglich die »Hofgesichter« will er aus »stadtvogteilichen Gründen« nicht beim Namen nennen (7, 184f.). Dafür äußert er sich um so ungenierter über die vielen Eingriffe der Staatsgewalt in das allgemeine Geistesleben. So war es sicher nicht ungefährlich, auf die polizeilichen Säuberungsaktionen der öffentlichen »Lesebibliotheken« hinzuweisen (7, 581). Von den Schwierigkeiten, die Brockhaus mit dem Berliner Oberzensurkollegium und den Berliner Ministerien hatte, wird sogar dreimal berichtet. Eine strenge Rezensur aller Brockhausischen Schriften bestand in Preußen seit Juni 1821, »weil in den meisten in seinem Verlage erscheinenden Schriften eine sehr schlechte Gesinnung« herrsche, wie sich die Berliner Polizeiverwaltung ausdrückte.[28] Heine weist daher ausdrücklich darauf hin, daß vom Brockhausischen *Konversationsblatt* hin und wieder einzelne Blätter »konfisziert« würden (7, 569). Ebenso berichtenswert findet er, daß jeder Einspruch gegen diese Willkürmaßnahmen auf ministerielle Ablehnung stoße (7, 579), daß man die verschärfte Rezensur am 9. Mai 1822 aufgehoben habe, sie jedoch auf Betreiben von Kamptz am 18. Mai wieder eingeführt worden sei (7, 594). Obwohl Brockhaus den Verlag von Heines Gedichten abgelehnt hatte, lobt er deshalb Brockhausische Verlagsprodukte wie die politisch-riskanten Schriften von de Pradt (7, 568), die ›liberalen‹ Supplementbände zum Konversationslexikon (7, 578f.), ja sogar die damals höchst anrüchigen *Memoiren von Jakob Casanova de Seingalt* (7, 593f.), die er seinen Freunden nachdrücklich empfiehlt.[29] Ungeachtet aller verletzten Eitelkeit will Heine damit einen Verlag herausstreichen, der im Gegensatz zu den biedermeierlichen Duckmäusern politisch und erotisch etwas wagte.

Eine andere Zensuraffäre, die ebenso ausführlich zu Worte kommt, ist die Streichung der Knarrpanti-Episode in E.T.A.

Hoffmanns *Meister Floh* (7,569, 580, 594). Erst heißt es nur: »Hoffmann gibt jetzt bei Wilmans in Frankfurt unter dem Titel ›Der Floh‹ einen Roman heraus, der viele politische Sticheleien enthalten wird« (7,569). Die Sache mit den ›Sticheleien‹ muß durch unvorsichtige Äußerungen Hoffmanns selber bekannt geworden sein.[30] Denn auch Varnhagen notiert sich zur gleichen Zeit in sein Tagebuch: »Herr Kammergerichtsrat Hoffmann schreibt an einem humoristischen Buche, worin die ganze demagogische Geschichte, fast wörtlich aus den Protokollen, höchst lächerlich gemacht wird.«[31] Wenige Seiten später spricht Heine in aller Offenheit davon, daß der *Meister Floh* »auf Requisition unserer Regierung konfisziert worden sei« (7,580). Kamptz, der Hoffmannsche Knarrpanti, hatte inzwischen den bereits erwähnten Dr. Klindworth mit einer Eilkutsche nach Frankfurt geschickt, um dort die nötigen Streichungen vorzunehmen.[32]

Auch auf die heikle *Prinz-von-Homburg*-Affäre wird zweimal angespielt (7,570, 579). Wiederum sagt Heine in aller Unverblümtheit, daß das Kleistsche Stück nur darum nicht aufgeführt werde, »weil eine edle Dame glaubt, daß ihr Ahnherr in einer unedlen Gestalt darin erscheine« (7,579). Mit der »edlen Dame« ist die Prinzessin Maria Anna von Preußen, eine geborene von Hessen-Homburg gemeint, die nach dem Tode von Königin Luise zur ›ersten Dame‹ bei Hofe aufgestiegen war. Was Heine von einer solchen Borniertheit hält, sagt er offen genug: »Was mich betrifft, so stimme ich dafür, daß es gleichsam vom Genius der Poesie selbst geschrieben ist« (7,579). Doch über solche Fragen wurde damals noch nicht ›abgestimmt‹.

Mit derselben Pointiertheit, mit der sich Heine über Fragen der Theater-, Buch-, Verlags- und Leihbibliothekszensur äußert, betrachtet er auch die anderen Sektoren des politischen, religiösen, gesellschaftlichen und kulturellen Lebens. Greifen wir erst einmal das Politische heraus. Was man ihm auf diesem Gebiet verübelt hat, ist vor allem seine positive Einstellung dem Königshaus gegenüber. Aber ist sie wirklich so positiv? Selbstverständlich war auf diesem Terrain höchste Vorsicht geboten, um nicht von vornherein als Majestätsverbrecher abgestempelt zu werden. Was Heine also macht, ist zweierlei. Einerseits arbeitet er mit versteckten Pointen, andererseits mit einer tödlichen Liebenswürdigkeit, die ihr Objekt so zu umschmeicheln und hochzuloben versteht, daß man es schließlich als fragwürdig empfindet.[33] So ist schon der erste Hinweis auf Friedrich Wilhelm III. nicht besonders ›harmlos‹. Es heißt dort: »Hut ab! da fährt der König selbst!« (7,564). Das klingt auf Anhieb ganz ungefährlich. Wenn man jedoch weiß, daß es Unter den Linden zu Unruhen gekommen war, weil sich die Passanten geweigert hatten, vor dem König die Hüte abzunehmen[34], sieht diese Stelle gleich ganz anders aus. Die anschließenden Lobeshymnen legt Heine schlauerweise den Umstehenden in den Mund. Als Heine der »schönen, edlen, ehrfurchtgebietenden Gestalt des Königs« und den »schönen Königskindern« mit ihrer »allernobelsten Noblesse« anschließend im Tiergarten begegnet, heißt es scheinbar überschwenglich: »Welch ein schönes, kräftiges Fürstengeschlecht« (7,178). Doch soviele Adjektive auf einmal sind bei Heine immer verdächtig. Man weiß, was man bei ihm von einer Blume zu halten hat, die »so hold und schön und rein« dem Sonnenlicht entgegenstrahlt (1,117). Das wird noch deutlicher an jener Stelle, wo er auf die Prinzessin Alexandrine, jenes »leuchtende, majestätische Frauenbild« zu sprechen kommt. »Im braunen, festanliegenden Reitkleide«, heißt es hier, »ein runder Hut mit Federn auf dem Haupte und eine Gerte in der Hand, gleicht sie jenen lieblichen Frauengestalten, die uns aus dem Zauberspiegel alter Märchen so lieblich entgegenleuchten und wovon wir nicht entscheiden können, ob sie Heiligenbilder sind oder Amazonen. Ich glaube, der Anblick dieser reinen Züge hat mich besser gemacht; andächtige Gefühle durchschauern mich, ich höre Engelsstimmen, unsichtbare Friedenspalmen fächeln, in meiner Seele steigt ein großer Hymnus« (7,178f.). Und das mitten in einer Parodie auf die verlogene Süßlichkeit von Carl Maria von Webers »Wir winden dir den Jungfernkranz«! Wird dadurch nicht das ganze Königsgeschlecht in eine anachronistisch-erhabene, mittelalterliche Scheinwelt transponiert, die direkt aus den Ritterromanen Fouqués zu stammen scheint?

Dieselbe Taktik wendet Heine bei der Beschreibung der Offiziere und des Adels an. Auch hier liest man von »schönen, kräftigen, rüstigen, lebenslustigen Menschen«, unter die sich nur ab und zu »aufgeblasene, dummstolze Aristokratengesichter« mengen (7,563). Daß er selber kein »sonderlicher Freund« des Militärwesens ist, wird nirgends verschwiegen (7,563). Nicht minder kritisch betrachtet Heine die 1813 eingeführte Heeresreform, durch die sich nicht viel geändert habe. Wie in allen anderen Staaten gelte es auch in Preußen vom Soldaten: »Er schultert, präsentiert und – schweigt« (7,563). Ähnliche Nadelstiche treffen die ›Ultras‹ innerhalb der Regierung und der Universitätsverwaltung. So weist Heine bei der Erwähnung der Brockhausischen Supplementbände ausdrücklich auf Ultras wie Albrecht, Altenstein und Ancillon hin (7,579). Bei den Mutmaßungen um die Autorschaft eines anonymen Pamphlets gegen die theologische Fakultät werden Beckedorff, Klindworth und Kamptz aufgezählt: wiederum alles Ultras (7,578). Noch schärfer nimmt er sich Savigny her, der mit »frommen Augen gen Himmel« schaue und »einem Christusbilde ähnlich sehen« möchte (7,570), und den Varnhagen einmal einen »tückischen Schleicher, voll Falschheit und Herrschsucht« nennt.[35]

Mit der gleichen Offenheit werden die politischen Spannungen im Universitätsleben behandelt. Obwohl Heine das mittelalterliche »Korporationswesen« verdammt (7,592), ist er über das Verbot der ›Polonia‹ und ›Arminia‹ sehr empört (7,564).[36] Zweimal macht er den Leser darauf aufmerksam, daß man Studenten wegen demagogischer Umtriebe »arretiert« (7,581) oder »relegiert« (7,592) habe. Seine Sympathie gilt dabei mehr den Anhängern der ›Polonia‹, zu denen auch sein Freund Breza gehörte, als den ›Herminen‹. Denn für jene Burschenschafter, die sich »immer noch einbilden, das Vortrefflichste und Köstlichste, was die Erde trägt, sei ein – Deutscher« (7,564), konnte sich Heine nicht mehr recht erwärmen. Ja, es gab in diesen Monaten Momente, wo ihm alles »Deutsche« wie ein »Brechpulver« erschien.[37] Er spricht deshalb höchst verächtlich über alle »breitschwatzenden Freiheitshelden«, die ständig die »flachen, poesielosen Verse« eines Körner zitieren (7,587) und unter Deutschtum vor allem Rüpelhaftigkeit und Biersauferei verstehen. So heißt es einmal von einer Redoute, auf der Heine lediglich französisch parliert: »Nur ein deutscher Jüngling wurde grob und schimpfte über mein Nachäffen des welschen Babeltums und donnerte im urteutonischen Bierbaß: ›Auf einer teutschen Mummerei soll der Teutsche Teutsch sprechen‹« (7,182f.). Wenn er solchen Typen begegnet, die sich »nicht aus dem Sumpfe der Nationalselbstsucht hervorwinden können«, bezeichnet er sich nach alter aufklärerischer Tradition als ›Kosmopolit‹ (7,183). Nicht ganz so engagiert verhält sich Heine in der de-Wette-Frage, wo es sich um einen freisinnigen

Theologieprofessor handelt, der die Ermordung Kotzebues in einem Brief an Sands Mutter als eine Tat der ›reinen Gesinnung‹ entschuldigt hatte und dafür am 18. September 1819 vom König entlassen worden war.[38] Aber unter den gegebenen Umständen war bereits die simple Tatsache, auf einen solchen Fall überhaupt hinzuweisen, ein Einbruch in die Welt der politischen Tabus.

Das Religiöse scheint ihn überhaupt nur am Rande zu interessieren. Um so erstaunter ist man über sein Lob Schleiermachers. Steckt hier vielleicht das ›Reaktionäre‹ der *Briefe aus Berlin*? Ganz im Gegenteil. Gerade Schleiermacher galt in diesen Jahren als besonders freisinnig und war am 9. Juli 1819 von der *Preußischen Staatszeitung* als einer der geistigen Väter des ›deutschen Jakobinismus‹ bezeichnet worden. Da ihm statt der herrschenden ›Staatskirche‹ eine mehr demokratisch orientierte ›Volkskirche‹ vorschwebte, wurde er von den Ultras unentwegt als ›Demagoge‹ verdächtigt. Wenn ihn also Heine einen »Priester der Wahrheit« nennt, der mit der »Kraft eines Luthers« auftrete, so hat das schon seine Gründe (7, 578). Denn Schleiermacher befand sich seit 1819 in offener Fronde gegen den König, dessen ›Neue Liturgie‹ er als reaktionär-katholisierend empfand. Obendrein hatte er sich gegen die Absetzung de Wettes ausgesprochen und die vom König protegierte ›Gesellschaft zur Beförderung des Christentums unter den Juden‹ angegriffen, die von Ultras wie Witzleben, Ancillon, Beckedorff und Schmalz geleitet wurde. Leute wie Kamptz und Wittgenstein versuchten daher Schleiermacher zu stürzen und belegten ihn zeitweilig mit Stadtarrest. Wenn ihn Heine also lobt, kritisiert er zugleich gefügige Theologen wie den Hofprediger Theremin, die Friedrich Wilhelm III. durch geschickte Ordensverleihungen für seine ›Neue Liturgie‹ zu gewinnen verstand (7, 185).

Nicht minder offen ist seine Einstellung allen gesellschaftlichen Problemen gegenüber. Wo Heine der Kastengeist des Ancien régime entgegentritt, reagiert er sofort kritisch. Man erinnere sich an seine Bemerkung über die »dummstolzen Aristokratengesichter« (7, 563). Überhaupt stört ihn das säuberlich geschiedene »Nebeneinander vieler kleinen Kreise, die sich immer mehr zusammenzuziehen als auszubreiten suchen« (7, 180). »Der Hof und die Minister, die Kaufleute, die Offiziere«, heißt es einmal, »alle geben ihre eigenen Bälle, worauf nur ein zu ihrem Kreise gehöriges Personal erscheint« (7, 180). In scharfer Opposition gegen eine solche Borniertheit preist Heine alle Ereignisse, bei denen die Menschen als mehr oder minder unterschiedslose ›Masse‹ auftreten und damit wenigstens eine äußere Gleichheit entsteht. So ist er geradezu berauscht vom großstädtischen Straßenleben und den Menschenansammlungen auf dem Weihnachtsmarkt. Ähnlich begeistert äußert sich Heine über die schmelztiegelhafte Funktion der Restaurants und Konditoreien. Während die Turner und Burschenschafter solche Lokalitäten als ›Stätten der Verweichlichung‹ anprangerten, wird er nicht müde, auf den Amüsiertrieb des Menschen hinzuweisen, der ihm wie ein Stimmungsbarometer des Liberalismus erscheint. Obendrein sind ihm die Restaurants – schon wegen der dort ausliegenden Zeitungen – zugleich Zentren der Information und der politischen Debatten. Noch begeisterter ist Heine selbstverständlich von den öffentlichen Redouten, wo durch die allgemeine Maskerade die schönste »Freiheit« und »Gleichheit« gewährleistet sei und das »schlichte Du« eine geradezu »urgesellschaftliche Vertraulichkeit« herstelle (7, 182).

Eine ähnliche Haltung nimmt Heine in allen kulturellen Fragen ein. Auch hier interessiert ihn vorwiegend das Aktuelle, Weitertreibende, der unmittelbare Impuls. Die großen Werke der Vergangenheit bleiben daher unerwähnt. Um so mehr beschäftigt er sich mit jenem Reibungsfeld zwischen Kunst und Gesellschaft, auf dem sogar ein zweitrangiges Werk zum erregenden Politikon werden kann. So hören wir auf dem Gebiet der bildenden Kunst fast nichts über die großartigen Bauten Schinkels, die in diesen Jahren in Berlin entstanden und alle Welt in Atem hielten. Doch was hätte Heine an einem so königstreuen ›Klassizismus‹ Bemerkenswertes finden sollen? Wofür er sich interessiert, ist einzig die »Haltbarkeit der Mauern« des Neuen Schauspielhauses (7, 574). An anderen Stellen werden die neuen Statuen von Rauch erwähnt, weil es sich dort um die inzwischen ›problematisch‹ gewordenen Helden der Befreiungskriege handelte (7, 569, 590).

Noch deutlicher zeigt sich diese Einstellung auf dem Gebiet der Musik. So werden etwa die Aufführungen von Mozart- und Gluckopern völlig übergangen, da bei solchen Werken nur eine neutrale, rein ›ästhetische‹ Würdigung möglich wäre. Auch hier zieht Heine nicht das Klassische, sondern das Politische, Direkt-ins-Leben-Greifende an. Den Hauptteil seiner

Musikkritik nimmt daher der Weber-Spontini-Streit ein, der seit Monaten als brisanter Zündstoff galt. Spontini? werden manche fragen, warum ist die Kritik an einer solchen Figur ein Politikum? Dazu muß man wissen, daß Spontini erst 1820 von Friedrich Wilhelm III. nach Berlin geholt worden war, um dort auf königlichen Wunsch die alte ›Huldigungsoper‹ oder ›Festoper‹ zu erneuern. Aufgrund dieser Tatsache wurde er sofort zum »Lieblingskomponisten« der Hofkreise.[39] Um sich dafür dankbar zu erweisen, schmeichelte Spontini dem »Geschmack des Königs« vorwiegend mit »solcher Musik, die einen heroischen, kriegerischen Charakter hatte«.[40] Und so marschierten schon nach kurzer Zeit alle preußischen Kompanien nach Spontinischen Märschen, während bei Hofbällen nur noch Spontinische Melodien erklangen. »Spontinitreue« war darum fast ein Synonym für »Königstreue«[41], vor allem für Erz-Ultras wie Witzleben und Karl von Mecklenburg, die Spontini zum offiziellen Aushängeschild der Reaktion erhoben.

Eine so offensichtliche Günstlingswirtschaft konnte natürlich nicht ohne Folgen bleiben und führte in den Kreisen des liberalen Bürgertums zur Bildung einer »antispontinischen Partei« (7, 572). Die erste Schlacht lieferten sich diese beiden Gruppen anläßlich der Premiere von Spontinis *Olympia* am 14. Mai 1821, für die der König eine gewaltige Ausstattungssumme und eine dreimonatige Probenzeit gewährt hatte. Der gesamte Adel war anwesend und klatschte ostentativ, während sich das Bürgertum deutlich zurückhielt. Der Augenzeuge Varnhagen berichtet darüber: »Großer Beifall des Königs und des Hofes [...]. Das Publikum ist nur zum Teil in dieser Richtung, der überwiegende Teil ist widerspenstig gegen den Geschmack des Königs, findet die Oper bloßen Lärm, Spontini'n ohne Verdienst, und beseufzt dessen Wirksamkeit, Ansehen und Besoldung.«[42] Um einer eventuellen Kritik zuvorzukommen, ließ Friedrich Wilhelm III. jede öffentliche Herabsetzung Spontinis durch Kabinettsbefehl verbieten[43] und zeichnete ihn im Januar 1822 demonstrativ mit dem roten Adlerorden aus. Wenn also Heine gegen dic »spontinische Partei« auftritt und sie mit der »Noblesse« gleichsetzt (7, 573), begeht er damit fast ein Majestätsverbrechen. Mit einem guten Spürsinn für den barocken Bombast dieses Werkes, den gewaltigen Aufwand an Chören, Bläsergruppen und Schauelefanten, weist er auf das ausgesprochen Restaurative dieser Oper hin, deren innere Haltung noch dem Ancien régime verpflichtet sei. Die Probe aufs Exempel liefert die Tatsache, daß gerade an der Stelle, wo er von dem »Unwillen Vieler« gegen diese Art von »Pauken- und Trompetenspektakel« spricht, die Zensur scheinbar besonders heftig eingegriffen hat (7,573). Ja, im 3. Brief zieht er noch einmal unbarmherzig über Spontinis *Nurmahal* her, die dieser für die Hochzeit der Prinzessin Alexandrine geschrieben hatte (7,585). Alles in allem waren diese Angriffe nicht ungefährlich, da »Herr von Spontini« seine Gegner unbedenklich als »Jakobiner« bezeichnete, wie Varnhagen einmal berichtet.[44]

Es spricht für Heines hohen politischen Sinn, daß er aus Abneigung gegen Spontini nun nicht ohne weiteres zu den bürgerlichen *Freischütz*-Verehrern überläuft. Wo diese antihöfisch eingestellt sind, macht er sofort mit ihnen gemeinsame Sache. So lobt er etwa Brühl, der gegen den Hof und Spontini einen schweren Stand hatte (7,569). Doch der *Freischütz* selbst ließ ihn relativ kühl. Er besuchte zwar die Premiere[45], die als »sichtbarste Opposition gegen Spontini und die ihm gewogene Hofpartei« von den bürgerlich-liberalen Kunstfreunden mit »größtem Jubel« aufgenommen wurde[46], doch weiter ging seine Sympathie kaum. Daß man im Publikum »fast keine Uniformen sah«[47], wird Heine sicher gefreut haben. Ebenso beifällig erwähnt er den Erfolg des Ganzen, der sich trotz mancher ungünstigen Besprechung in der Presse und dem Fernbleiben des Hofes nicht aufhalten ließ (7,569). Weniger nach seinem Geschmack waren dagegen der Samiel-Spuk und die Jungfernkranz-Sentimentalität, wie überhaupt die »kindischen Verse«.[48] Auch das patriotische Drum und Dran wird ihm etwas auf die Nerven gegangen sein. Brühl hatte nämlich die Premiere des *Freischütz* ausdrücklich auf den 18. Juni, den Jahrestag von Belle Alliance gelegt, um mit ihr einen neuen Sieg über das ›Welsche‹ herbeizuführen. Überhaupt war Weber für die meisten Berliner immer noch der Komponist der Befreiungskriege, der viele der chauvinistisch-verblendeten Gedichte aus Körners *Leier und Schwert* vertont hatte. Wie sollte ein Verehrer Napoleons, wie Heine, einem solchen Manne viel Geschmack abgewinnen?

Noch aufschlußreicher als die Musikkritik ist das Literaturkonzept, das Heine in seinen *Briefen aus Berlin* entwickelt. Auch hier wird fast alles vom gesellschaftlichen Standpunkt aus beurteilt. Von den berühmten Goethe- und Schiller-Inszenierungen auf den Berliner Bühnen hört man zum Beispiel keine Silbe. Derlei ist für Heine nicht mehr aktuell genug. Um so mehr beschäftigt er sich mit der ›Interessantheit‹ mancher Tagesgrößen. Daß Heine dabei den *Bräutigam aus Mexiko* von Clauren an einer Stelle lobend erwähnt, ist ihm besonders verübelt worden. Doch erstens ist diese Komödie wirklich recht amüsant, zweitens hatte sie wegen ihrer »dreistesten Anspielungen auf unsere Finanzzustände«, wie Varnhagen schreibt[49], den König »sehr aufgebracht«[50] und sollte darum vom Spielplan abgesetzt werden. Heines Lob ist deshalb keineswegs opportunistisch gemeint, sondern hat eine durchaus politische Pointe. Ähnliches gilt für die Anerkennung des braven Gubitz, der im *Gesellschafter* gewagt hatte, etwas Abfälliges über Spontinis *Olympia* zu schreiben, jedoch seine Rezension auf allerhöchsten Befehl sofort abbrechen mußte.

Was Heine auch auf diesem Gebiet am meisten bedrückt, ist die repressive Wirkung der Zensur, die überhaupt keine ›Öffentlichkeit‹ erlaubt, sondern alles ins Ästhetische, Unterhaltende oder bloß Individuelle abzudrängen versucht. Schon in dieser frühen Schrift zieht er daraus die Schlußfolgerung, daß sich eine große Literatur nur dort entwickeln kann, wo sie Stoffe aufgreift, welche die gesamte Nation bewegen. Ja, er entwirft bereits einen Aufriß zu einer vergleichenden Ästhetik. So heißt es von den französischen Schriftstellern, daß sie beständig in einer Gesellschaft verkehrten, die nur die Titel ›Monsieur‹ und ›Madame‹ kenne, was ihnen eine urbane »Beweglichkeit« verleihe, wie man sie bloß bei ›freien‹ Völkern finde (7, 596). Die Weltoffenheit der englischen Schriftsteller wird aus ihrer Reiselust abgeleitet. Der »arme deutsche Dichter« verschließt sich dagegen nach Heines Meinung »in einer einsamen Dachstube, faselt eine Welt zusammen, und in einer aus ihm selbst wunderlich hervorgegangenen Sprache schreibt er Romane, worin Gestalten und Dinge leben, die herrlich, göttlich, höchstpoetisch sind, aber nirgends existieren« (7, 596). Das Ergebnis einer solchen Haltung seien »Naturphilosophie, Geisterkunde, Liebe, Unsinn und – Poesie!« (7, 597). Nicht viel anders heißt es später in *Nordsee III*: »Eben die Literaturen unserer Nachbarn jenseits des Rheins und des Kanals muß man mit unserer Bagatelliteratur vergleichen, um das Leere und Bedeutungslose unseres Bagatellebens zu begreifen« (3, 121). Kein Wunder, daß Heine einmal die ironisch-verzweifelte

Frage stellt: »Wo sind endlich unsre großen Dichter selbst? Still, still, das ist eine partie honteuse« (7,577).

Und so entpuppen sich die *Briefe aus Berlin* in ihrem offenen Bekenntnis zur gesellschaftspolitischen Funktion der Kunst als eine der ersten Grundsatzerklärungen Heines überhaupt. Schon hier tritt er für ein unmittelbares Eingreifen des Künstlers in alle wichtigen Fragen des Tages ein, was er selbst in exemplarischer Weise vorexerziert, indem er vom hohen Piedestal des ›Dichters‹ herabsteigt und ›Zeitungsberichte‹ schreibt. Trotz der durch die äußere Form aufgezwungenen Nachrichtenreihe sollte man darum dieses Werk höher stellen als seine beiden Dramen und manche seiner gleichzeitigen Gedichte. Ironie, Witz, Pointe: alles ist schon echter, unverwechselbarer Heine. Dasselbe gilt für die konsequent durchgeführte gesellschaftsbetonte oder kulturpolitische Perspektive, mit der er dieses vielschichtige Panorama an Einzelbeobachtungen zu einer Einheit zusammenfaßt. Obwohl also dieses Werk nur für den Tag bestimmt war, ist es heute noch lesbarer als manches Platen-Gedicht, das in denselben Jahren unter Auslassung aller Wirklichkeitsbezüge für die Ewigkeit geschrieben wurde. Denn schließlich bleibt nur das lebendig, was schon zu seiner Zeit lebendig war. Es wäre deshalb ungerecht, diese *Briefe* als ein bloßes Nebenprodukt zu verwerfen. Genau betrachtet, gehören sie zu den wichtigsten Ansatzpunkten eines qualitätsbetonten Journalismus im 19. Jahrhundert, über den sich nur eine rein esoterische und geistaristokratische Literaturbetrachtung hinwegsetzen darf. Seien wir dankbar, daß hier ein Dichter schon so früh seine gesellschaftliche Verantwortung erkannte, anstatt bloß ›schöne Gedichte‹ zu schreiben und die Welt ansonsten im argen zu lassen.

ÜBER POLEN

(E: Oktober/Dezember 1822)

Weltbürgertum und Nationalstaat

»Es wird eine Zeit kommen, wo Nationalstolz angesehen wird wie Eigenliebe und andere Eitelkeit; und Kriege wie Schlägerei« (Rahel Varnhagen).

Die Schrift *Über Polen*[1], die Heine Ende 1822 verfaßte und die im Januar 1823 in acht Fortsetzungen im Berliner *Gesellschafter* erschien, ist seine erste ›Volkscharakteristik‹ – ein Genre, das sich bereits seit der zweiten Hälfte des 18. Jahrhunderts allgemeiner Beliebtheit erfreute. Durch die Ideen der Aufklärung und dann verstärkt durch die Parolen der Französischen Revolution von 1789 waren Begriffe wie ›Volk‹ oder ›Nation‹ zu Leitzielen eines progressiven Bewußtseins geworden, das in aller Schärfe gegen die absolutistisch-dynastischen Grenzziehungen und Regierungsformen zu Felde zog, in denen sich lediglich der allmächtige Wille eines einzelnen Herrschers verkörperte. Anstatt sich weiterhin einer so willkürlichen, diktatorischen Gewalt zu beugen, pochten die Handwerker, die bürgerlichen Mittelschichten, ja selbst Teile des aufgeklärten niederen Adels immer stärker auf das ›naturgegebene‹ Recht der einzelnen Nationen, sich als *eine* große Familie zu empfinden und sich selbst zu regieren. Begriffe wie vaterländisch, patriotisch oder national wurden daher zeitweise fast identisch mit Begriffen wie demokratisch, freiheitlich oder revolutionär. Zugegeben, es gab auch Kreise, die sich diesem Trend ins Nationalstaatliche nicht anschlossen, sondern über Fürstenwillkür und Nationalstaatlichkeit hinaus den Sprung in ein imaginiertes Weltbürgertum propagierten, wie sich das vor allem im Bereich des deutschen Idealismus beobachten läßt. Doch die Mehrheit der Revolutionäre wählte den Weg in die Nationalstaatlichkeit, um zu wirklichen Resultaten zu kommen und sich nicht in bloßen Abstraktionen zu verlieren.

Welche Gefahren eines noch schlimmeren Absolutismus mit diesem Vertrauen in den ›Volksgeist‹ heraufbeschworen wurden, war den meisten revolutionären Patrioten gar nicht bewußt. Für sie bedeutete das Schlagwort ›nationale Einheit‹ soviel wie ›Abschaffung der Privilegien‹ und damit das gleiche wie ›Demokratie‹. Doch die Obskuranten und Reaktionäre witterten nur allzu schnell, daß in dieser Wendung ins Nationale auch für sie eine politische Chance steckte, falls es ihnen gelingen würde, diese Volksgeistidee soweit zu mystifizieren, bis sie sich im Nebel regressiver Autoritätsvorstellungen verliert. Bereits um 1800 sind daher innerhalb der Romantik die verschiedensten Bestrebungen im Gange, das deutsche Wesen an irgendwelche völkisch-religiösen Konzepte zurückzubinden und damit die Idee des Nationalstaatlichen ihres progressiven Charakters zu berauben. Wie unverschämt man diese Deutschheitsideologie dann in den sogenannten ›Befreiungskriegen‹ für rein dynastische Interessen ausgeschlachtet hat, ist allgemein bekannt. Und damit wurden – mit der Niederwerfung Napoleons – sowohl die naturrechtlichen Vorstellungen vom autonomen Volk als auch die Ideen des Weltbürgertums zu Grabe getragen. Was auf dem Wiener Kongreß von 1815 siegte, war wie eh und je das dynastische Prinzip des Ancien régime. Polen blieb auch in Zukunft geteilt. Italien und Deutschland erhielten nicht die ersehnte Einheit. Die Donaumonarchie durfte sich weiterhin voller Stolz als ›Vielvölkerstaat‹ ausgeben. Ja, man schuf sogar bewußt artifizielle Staatsgebilde wie Belgien, die aus zwei heteronomen nationalen Gruppen, in diesem Falle Flamen und Wallonen bestanden, um so die naturrechtlichen Vorstellungen endgültig ad adsurdum zu führen. Wieviel politischen Zündstoff man dadurch in die Welt setzte, beweist die rasche Folge an Aufständen, die in den zwanziger und dreißiger Jahren in Griechenland, Neapel, Südamerika, Polen und Belgien ausbrachen und die auch durch eine noch so brutale Interventionspolitik nicht ganz unterdrückt werden konnten.

Und in dieser Situation schrieb der junge Heine 1822 seine Schrift *Über Polen*, die bereits im Titel etwas eindeutig Aufrührerisches hat. Schließlich gab es ›Polen‹ damals überhaupt nicht mehr. Was es gab, waren russische, österreichische und preußische Provinzen, in denen eine polnisch sprechende Bevölkerung lebte. Mehr nicht. Schon der Titel dieser Schrift impliziert also ein naturrechtliches und damit nationalstaatliches Denken, das in scharfem Gegensatz zur dynastisch-restaurativen Ideologie der preußischen Regierungskreise steht. Denn als ›Volk‹ existierten ja die Polen gar nicht mehr. In der Perspektive der Preußen gab es damals lediglich das ›Großherzogtum Posen‹, wie es später für die Nazis nur den ›Warthegau‹ gab. Und damit sieht es auf den ersten Blick so aus, als setze sich Heine in dieser Schrift für ein bewußt ›völkisches‹ Denken ein. Ja, in einem gewissen Sinne tut er das auch. Schließlich wird das ›Polnische‹ in diesem Essay – trotz einiger Abstriche – als etwas eindeutig Auszeichnendes und Überlegenes hingestellt. Warum eigentlich?

Für diese mehr oder minder offene Verherrlichung des polnischen Nationalcharakters lassen sich mehrere Gründe anführen. Da wäre erst einmal die Heine empörende Tatsache, daß im Frühjahr 1822 alle in Berlin studierenden Polen wegen burschenschaftlich-nationaler Umtriebe das Consilium abeundi erhalten hatten, worauf er bereits in seinen *Briefen aus Berlin* deutlich genug hinweist (7, 592). Unter diesen von der Universität relegierten Studenten hatte sich auch Heines Freund Eugeniusz Breza befunden, der nach seiner Ausweisung auf das Gut seines Vaters in der Nähe von Gnesen zurückgekehrt war. Und dies ist jener »Liebenswürdigste der Sterblichen« (7, 571), der Heine im Sommer 1822 einlud, ihn doch einmal in ›Polen‹ zu besuchen, was er im August/September dann auch tat.[2] Ein weiterer und wohl noch wichtigerer Grund für Heines Polen-Interesse bestand darin, daß er sich – als deutscher Jude – von vornherein mit jeder unterdrückten Minderheit identifizierte. Die gleichen Sympathiegefühle, die er in dem hier besprochenen Essay für die Polen äußert, überträgt er später auch auf die Iren, Italiener, Neger usw. Außerdem darf man nicht vergessen, daß eine Reihe von Heines Freunden aus dem Berliner »Verein für Kultur und Wissenschaft der Juden«, dem er kurz vor seiner Polen-Reise als Mitglied beigetreten war, aus Polen stammte. Und diese Leute werden ihm sicher ausführlich von den dortigen Mißständen erzählt haben. Heines Sympathie für die Polen war also schon voll entwickelt, bevor er überhaupt polnischen Boden betrat.

Wenn daher Heine die Polen durchweg sympathisch darstellt, so hat das sowohl persönliche als auch ideologische Gründe. Und zwar gibt er sich dabei die größte Mühe, nicht einfach die Topoi der herkömmlichen Völkerpsychologie nachzuplappern.[3] Moralische Pauschalurteile sind ihm ebenso verhaßt wie jene charaktertypologischen Klischees des Stolzen und Edelmütigen, wie sie in der späteren deutschen Polen-Literatur gang und gäbe wurden. Ja, er ereifert sich an einer Stelle ausdrücklich gegen jene »Broschürenskribler, die, wenn sie einen Pariser Tanzmeister hüpfen sehen, aus dem Stegreif die Charakteristik eines Volkes schreiben, und die, wenn sie einen dicken Liverpooler Baumwollnhändler jähnen sehen, auf der Stelle eine Beurteilung jenes Volkes liefern« (7, 198). Heine zieht deshalb zur Erklärung des polnischen Nationalgeistes, soweit es so etwas überhaupt gibt, nicht nur die polnische Geschichte, sondern auch die geographischen und kulturellen Bedingtheiten dieses Landes zur Erklärung gewisser Nationalcharakteristika heran. Obendrein bemüht er sich, sorgfältig zwischen den verschiedenen Bevölkerungsschichten zu differenzieren, wodurch der Leser auch eine kurzgefaßte Soziologie Polens mitgeliefert bekommt. Trotz aller Abgewogenheit des Urteils staunt man dabei immer wieder, warum gerade die Polen, die an Kultur, Bildung und Aufklärung weit hinter den Deutschen zurückgeblieben waren, von Heine, dem Kultur, Bildung und Aufklärung in dieser Zeit noch die höchsten Werte sind, so positiv beurteilt werden.

Eine solche Perspektive kann nur mit der Grundtendenz dieser Schrift zusammenhängen. Genau besehen, ist nämlich dieser Essay gar keine pro-polnische, sondern eher eine antideutsche Schrift. Wie so oft reagiert Heine hier aus einem negativen Affekt heraus, indem er gerade das lobt, was seinen Gegnern als das Verächtlichste erscheint. Das Ganze ist daher alles andere als eine bloße Beschreibung polnischer Verhältnisse. Wie seine *Reise von München nach Genua*, die *Stadt Lucca*, die *Englischen Fragmente*, ja noch die *Französischen Zustände* und die *Lutetia* ist schon diese Schrift ständig mit national-politischen Kontrastvergleichen durchsetzt, in denen das Gastland die Folie für das Heimatland bildet.[4] Vielleicht ist diese Tendenz nirgends so stark wie in seinem Polen-Essay. Heine will hier weniger die Polen loben als den Deutschen eine deutliche Abfuhr erteilen.

Daß Heines Verhältnis allem ›Deutschen‹ gegenüber im Jahre 1822 eine tiefe Krise durchmachte, beweist nicht zuletzt sein Beitritt zum Berliner »Verein für Kultur und Wissenschaft der Juden«, unter dessen Mitgliedern eine Zeitlang der Gedanke einer Auswanderung aller fortschrittlich-gesinnten deutschen Juden nach den Vereinigten Staaten von Nordamerika erwogen wurde.[5] Tief verletzt durch den Rausschmiß aus der Göttinger Burschenschaft, der wohl aus antisemitischen Gründen erfolgt war, und zugleich erbittert über den zunehmenden Judenhaß in Preußen, der im August 1822 zum Erlaß jener beschämenden Bestimmungen führte, nach denen Juden wiederum der Zugang zu allen öffentlichen Ämtern untersagt wurde, steigerte sich Heine gerade in diesen Wochen und Monaten in einen höchst affektgeladenen Deutschenhaß hinein. Und zwar kündigt sich das schon in seinen *Briefen aus Berlin* an. Bereits dort heißt es im Hinblick auf die polnischen Studenten, die ihm Unter den Linden begegnen: »Viele dieser Sarmaten könnten den Söhnen Hermanns und Thusneldas als Muster von Liebenswürdigkeit und edlem Betragen dienen. Es ist wahr. Wenn man so viele Herrlichkeiten bei Fremden sieht, gehört wirklich eine ungeheure Dosis Patriotismus dazu, sich noch immer einzubilden: das Vortrefflichste und Köstlichste, was die Erde trägt, sei ein – Deutscher!« (7,564). An seinen Freund Christian Sethe schreibt er am 14. April 1822 noch deutlicher: »Alles was deutsch ist, ist mir zuwider. Alles Deutsche wirkt auf mich wie ein Brechpulver.« Es gibt daher Briefe aus dieser Zeit, wo Heine mitten im Satz plötzlich ins Französische überwechselt, um sich selbst sprachlich von allem ›Deutschen‹ so weit wie möglich zu distanzieren. Manchmal hat er das Gefühl, im Grunde seiner Seele eher ein Inder, Hebräer oder Franzose als ein Deutscher zu sein. Sein besonderer Zorn richtet sich dabei gegen antisemitische Fanatiker wie Christian Friedrich Rühs und Jakob Friedrich Fries, die dafür eintraten, allen deutschen Juden das Staatsbürgerrecht abzuerkennen. So schreibt Heine in einem Brief an Moses Moser vom 23. August 1823: »Wär ich ein Deutscher – und ich bin kein Deutscher, siehe Rühs, Fries.«

Nur so läßt sich erklären, warum in dieser Schrift Polen und seinen Bewohnern soviel Gutes angedichtet wird. Und dabei gab es dort fast nichts, was Heine sonst in dieser Zeit begeistert: keine attraktiven Landschaften, keinen gebildeten Mittelstand, keinen Fortschritt in Richtung Emanzipation. Doch all das scheint ihn nicht zu irritieren. Was er ins Auge faßt, ist in erster Linie das Gegenbild. Ob nun die Bauern, die Juden, die Adligen, die Frauen oder die Schauspieler: in allen Klassen,

Berufen oder Geschlechtern werden die Polen stets über die Deutschen gestellt.

So heißt es schon auf der zweiten Seite ausdrücklich, daß der »polnische Bauer« trotz seiner Rückständigkeit und Gedrücktheit wesentlich »mehr Verstand und Gefühl« an den Tag lege als der deutsche Bauer, und das, obwohl Heine zugleich auf die maßlose Trunksucht und Servilität dieser Schichten hinweist. Ja, es wird sogar hervorgehoben, daß diese Klasse einen höchst »originellen Witz« besäße, was bei Heine immer eine besondere Auszeichnung bedeutet (7, 190). Von den polnischen Juden heißt es, daß er sie »weit höher schätze als so manchen deutschen Juden«. Aus diesem Grunde wird ihnen sogar ihr »unerquicklicher Aberglauben« und ihre »spitzfindige Scholastik« nachgesehen (7, 195). An den polnischen Adligen gefällt Heine vor allem ihre Gastfreiheit, ihr Stolz und ihre Lebenslust, obwohl er auch hier ehrlich genug ist, zugleich auf jene seltsame »Mischung aus Kultur und Barbarei« hinzuweisen, die man in diesen Kreisen häufig antreffe (7, 196). Ähnliches gilt für seine ausführliche Charakteristik der »polnischen Weiber«, wo an lobenden Metaphern wahrlich nicht gespart wird (7, 200ff.). Während Heine den deutschen Frauen vornehmlich ›häusliche Tugenden‹ zugesteht, findet er bei den Polinnen schon alles, was er später den Französinnen zuschreibt: Heiterkeit, sinnliche Erregbarkeit, Schönheit, Großzügigkeit.[6] Doch auch hier ist Heine einsichtig genug, diesen Gegensatz nicht allein auf den Unterschied zwischen polnischem und deutschem Wesen, sondern auch zwischen adliger Freizügigkeit und bürgerlicher Beschränktheit zurückzuführen, zumal es sich bei den von ihm beschriebenen Polinnen fast ausschließlich um Mitglieder der höheren Gesellschaftsschichten handelt. Ja, gegen Ende seines Essays wird sogar der Vergleich zwischen den polnischen und den deutschen Schauspielern zugunsten der Polen entschieden (7, 212ff.).

Nun, diese auffällige Bevorzugung der Polen ist nach dem Vorhergesagten verständlich. Doch wie rechtfertigt sie Heine eigentlich? Er kann sich doch nicht damit begnügen, einfach ein Pauschalurteil an das andere zu reihen. Um das zu vermeiden, wird gerade die ›Rückständigkeit‹ der Polen, also das ideologisch schwächste Element in Heines Beweisführung, höchst geschickt ins Positive gewendet. Und zwar gelingt das Heine, indem er ihre Unbildung als Naivität, als Charme, als größere Natürlichkeit hinstellt, während er die wesentlich gebildeteren Deutschen als konventionell, als erstarrt, als unnatürlich und damit verbildet charakterisiert. Kein Wunder, daß sich Heine, der eigentlich auf der Seite des Fortschritts steht, dadurch zwangsläufig in eine Reihe seltsamer Widersprüche verwickelt.

So rühmt er etwa an den polnischen Bauern ein geradezu »Ossianisches Naturgefühl«, das sich oft in einem »plötzlichen Hervorbrechen« von Leidenschaftlichkeit äußere (7, 190). Ebenso positiv findet Heine, daß diese Bauern noch immer ihre alte »Nationaltracht«, ihre mit »hellen Schnüren« besetzten »hellblauen oder grünen Oberröcke« trügen, die von den Berliner »Elegants«, das heißt den Affen der Mode, als sogenannte »Polenröcke« geschätzt würden. Obendrein behauptet Heine, daß dem polnischen Bauern nichts ferner liege als irgendwelche »ästhetischen Pustkuchen«, worüber sich die verbildeten Deutschen gar nicht genug erregen könnten. Dieser Mann »erfreue sich seines Daseins«, wie es sich eben ergebe – und sei glücklich dabei (7, 190).

Noch aufschlußreicher sind die Bemerkungen über die polnischen Juden. In der »schroffen Abgeschlossenheit« Polens, lesen wir, habe der Charakter dieser Menschen etwas imponierend »Ganzes« behalten. Trotz aller Niedrigkeit und Unbildung stellt daher Heine den polnischen Juden wesentlich höher als den ›westlichen‹ Kulturjuden, der den Verlust seiner nationalen Identität mit einem angelernten Buchwissen oder materiellen Besitztümern zu kompensieren versuche. So heißt es mit geradezu selbstverletzender Offenheit: »Der innere Mensch wurde [in diesem Lande] kein quodlibetartiges Kompositum heterogener Gefühle und verkümmerte nicht durch die Einzwängung Frankfurter Judengaßmauern, hochweiser Stadtverordnungen und liebreicher Gesetzbeschränkungen. Der polnische Jude mit seinem schmutzigen Pelze, mit seinem bevölkerten Barte und Knoblauchgeruch und Gemauschel ist mir immer noch lieber als mancher [deutsche Jude] in all seiner staatspapiernen Herrlichkeit«, der »seinen Bolivar auf dem Kopf und seinen Jean Paul im Kopfe trägt« (7, 195). Selbst auf diesem Gebiet wird damit das Unverfälschte gegen das Polierte, das ›Echte‹ gegen das bloß Ästhetisierende ausgespielt.

Ähnliche Beobachtungen lassen sich anhand seiner Charakterisierung des polnischen Adels machen. Auch auf diesem

Sektor versucht Heine die größere ›Echtheit‹ dieser Schichten aus ihrer größeren Naturverbundenheit abzuleiten. Als »Haupteinfluß« wird dabei immer wieder die segensreiche Wirkung des »Landlebens« hervorgehoben, das den Menschen vor Steifheit und Verbildung bewahre (7,197). So hören wir von den »adligen Weibern« in Polen, daß sie im Gegensatz zu den deutschen Frauen überhaupt keine »stereotypen Grundsätze« hätten, sondern sich völlig von ihren spontanen Launen und Stimmungen lenken ließen (7,201). Anstatt jene »dicke, schuppige Charakterhornhaut« auszubilden, wie sie bei deutschen Frauen, vor allem mittleren Alters, so häufig anzutreffen sei, gehe die Polin jeder übertriebenen Tugendpusselei von vornherein aus dem Wege (7,202). Sie richte sich nicht nach irgendwelchen eingebildeten kategorischen Imperativen oder anderen »Verstandes-Abstraktionslaternen«, wie wir hören, sondern folge lediglich ihrer Natur. Während in den deutschen Frauen – wie in allen Spießerseelen – die »Willensfreiheit« völlig untergegangen sei, lebe sie in »leichter, anmutiger Unbefangenheit« dahin, frei und natürlich wie ein »heiteres Kind« (7,203). Kein Wunder also, daß diese Frauen auf Heine viel attraktiver wirken als jene langweiligen Damen der höheren Gesellschaft in Berlin, wie er überhaupt die »Wogen der Weichsel« wesentlich interessanter findet »als die stillen Wasser der seichten Spree« (7,202).

Die gleiche Konfrontation wiederholt sich noch einmal beim Vergleich der polnischen mit den deutschen Schauspielern. Auch hier wird durchaus zugegeben, daß die Polen keinen rechten »Anstand« hätten. Doch anstatt ihnen daraus einen Strick zu drehen, macht Heine aus dieser Untugend sofort eine Tugend, indem er sie als Symptom größerer Natürlichkeit interpretiert. Die »traditionelle Theateretikette« und die »pompöse, preziöse und graziöse Gravität deutscher Komödianten« wird dagegen rein negativ gesehen (7,212). Selbst das »sonst so rohe Polnisch« erscheint Heine geradezu italienisch-melodiös, als er es zum erstenmal aus dem Munde solcher Schauspieler hört, wodurch auch in diesem Abschnitt das Heitere und Natürliche über das Verbildete und Ernsthafte einen leichten Sieg davonträgt.

Wie man sieht, hat Heines Polen-Charakteristik durchaus Methode. Was auf den ersten Blick den Eindruck des hoffnungslos Rückständigen erwecken könnte, wird à la Rousseau und Herder Punkt für Punkt ins ›Natürliche‹ und damit Positive umgewertet. Was hingegen in Deutschland so ›fortgeschritten‹ wirkt, erweist sich bei näherem Zusehen meist als rein äußerliche Politesse, erotische Frustrierung oder ästhetische Verblasenheit. Als guter Taktiker läßt sich deshalb Heine in diesem Essay keine Chance entgehen, immer wieder auf die Vorteile des Organischen, Abseitigen oder Naturverbundenen hinzuweisen, was ihn streckenweise in eine deutliche Nähe zur aufklärerischen Idyllentradition des 18. Jahrhunderts (Voss, Seume) bringt. Anstatt das »ländliche Stilleben« als lähmende ›Idiotie‹ zu denunzieren, wird es in dieser Schrift noch durchweg positiv bewertet (7, 207). Das Stadtleben erscheint dagegen stets in negativer Beleuchtung, da es den Geist »durch Mannigfaltigkeit versplittere und durch Überreiz abstumpfe«. Nach Heines Meinung hat gerade das »frische, freie Landleben« am »meisten dazu beigetragen«, den Polen einen »großen starken Charakter zu verleihen« (7, 207). Eine Erziehung, wie man sie dagegen in Berlin den Töchtern höherer Stände angedeihen lasse, führe notgedrungen zu »kaleidoskopartiger Phantasterei und neudramatischer Wassersuppen-Sentimentalität« (7, 208). Die Produkte solcher Bildungsbemühungen seien jene »Pensio-Närrinnen«, mit denen man dann im ausgewachsenen Zustande die allbekannten ästhetischen Teesalons bevölkere, in denen eine absolute Un-Natur herrsche. Der Drang nach Bildung wird so als etwas recht Fragwürdiges hingestellt, da er uns zwangsläufig von Natur und Freiheit entfremde. In welche Widersprüche sich Heine dabei verstrickt, wird ihm manchmal gar nicht bewußt. Denn letztlich ist ja auch er ein typischer Vertreter jener bürgerlich-liberalen Bildungskonzepte, die von der Überzeugung ausgehen, daß sich Fortschritt und Emanzipation nur durch eine größere ›Vernünftigkeit‹ erreichen lassen.

Diese Widersprüchlichkeit äußert sich besonders deutlich in jenen Abschnitten, wo Heine auf die Bemühungen um eine polnische Nationalliteratur zu sprechen kommt, die gerade in diesen Jahren in Warschau ihren Anfang nahmen. In diesem Funktionszusammenhang werden plötzlich die kurz zuvor gepriesenen Formen eines ›adligen‹ Lebensverhaltens, das sich vor allem in militärischen Heldentaten und der Verwaltung großer Güter ausdrückt, mit einem deutlich negativen Akzent versehen, während das wachsende Interesse der gleichen Schichten an Poesie und Wissenschaft höchst positiv bewertet wird. Schließlich stehen Heine Dichtung und Philosophie doch wesentlich näher als jenes Adels- und Offizierswesen, wie es ihm in Polen entgegentritt, und mag sich dieses auch noch so freiheitlich und edelmütig äußern. Besonders hervorgehoben wird in diesem Zusammenhang die Wißbegier jener polnischen Studenten, die sich in Berlin um das Verständnis der Hegelschen Philosophie bemüht hätten, aber von den Behörden kurzerhand des Landes verwiesen worden seien. Und an dieser Stelle wird Hegel, bedeutsam genug, zum erstenmal in Heines Oeuvre als der »tiefsinnigste deutsche Philosoph« gerühmt. Ja, Heine deutet sogar schon indirekt an, daß Hegel die »Wissenschaft« als der höchste »Ausdruck unserer Zeit« wichtiger erscheine als die Poesie (7,205). Aus diesem Grunde findet er es geradezu regressiv, daß sich in Warschau eine »Gelehrtengesellschaft« zusammengetan habe, um an der Herausbildung einer polnischen Nationalliteratur zu »arbeiten«. Derlei lasse sich nicht fabrizieren, behauptet er, sondern müsse »etwas aus dem ganzen Volke organisch Hervorgegangenes sein«. Das klingt auf Anhieb, als huldige Heine hier noch immer der Volksgeistidee Herders oder allgemein-romantischen Vorstellungen vom Organisch-Schöpferischen. Und eine solche Vermutung ist durchaus berechtigt. Doch andererseits steckt in diesen Äußerungen zugleich eine spezifisch hegelianische Pointe, vielleicht die erste in Heines Werk, nämlich die, daß die Kunst, jedenfalls im Sinne ästhetischer Vollkommenheit oder nationaler Originalität, bereits ein Ding der Vergangenheit sei und die Zukunft eindeutig der Wissenschaft, der Philosophie, dem kritisch-reflektierenden Denken gehöre.

Ganz so deutlich wird das natürlich nicht gesagt. Denn auch für Heine ist um 1822 das Problem der Priorität von Kunst oder Idee noch immer eine ungelöste Frage. Schließlich betrachtet er sich selbst in dieser Zeit noch einerseits als ›Dichter‹, das heißt, er schreibt Tragödien und lyrische Gedichte, betätigt sich jedoch andererseits als moderner Zeitungskorrespondent, der sich ganz in den Dienst progressiver Ideen stellt. Dazu kommt, daß er durch den Beitritt zum Berliner »Verein für Kultur und Wissenschaft der Juden« obendrein zur Schaffung einer ›neu-jüdischen‹ Literatur angeregt wurde, wie wir aus einem Brief von Moses Moser vom 23. Mai 1823 wissen – was dieses Problem noch zusätzlich kompliziert. Es nimmt daher nicht wunder, daß er sein mit größtem Einsatz begonnenes *Rabbi*-Projekt, das aufs engste mit diesen Plänen zusammenhängt, schließlich einfach unvollendet liegenließ. Wie ungelöst Heine diese Widersprüche in sich selbst empfand, geht wohl am deutlichsten daraus hervor, daß er in seinem Polen-Essay den jungen Warschauer Dichtern empfiehlt, sich bei ihren Bemühungen lieber in den »Geist der deutschen Romantik« zu versenken als sich weiterhin der »französischen« Philosophie, das heißt den Enzyklopädisten anzuschließen. Heine gibt zwar selber zu, daß auch er ein »Kind« der französischen Geisteswelt des 18. Jahrhunderts sei und die Vernünftigkeit noch immer sehr hoch einschätze, aber inzwischen eingesehen habe, daß die »Liebe« doch höher stehe als alles andere (7, 199).

Und damit gerät sein ganzer Aufsatz ideologisch leicht ins Schleudern. Ist es nun die Tendenz ins Wissenschaftlich-Aufklärerische oder die Tendenz ins Poetisch-Nationale, die er unterstützen will? Wo steckt hier eigentlich die große Linie? Will Heine die Vervollkommnungsbemühungen der Aufklärung, den Fortschritt der Wissenschaften oder die Entwicklung ins Regressiv-Organische, die romantisch-biedermeierliche Liebesethik befördern? Wahrscheinlich will er weder das eine noch das andere. So simplifizierend stellt sich für Heine diese Frage gar nicht. All das ist für ihn auf dieselbe dialektische Weise miteinander verflochten wie schon bei Rousseau oder in der Idyllendichtung eines Johann Heinrich Voss, den Heine besonders hoch schätzte. Ähnliche Gedanken und zugleich Verschränkungen finden sich in seinen Werken immer wieder: ob nun in der *Harzreise*, in *Nordsee III* oder der *Reise von München nach Genua*, nämlich immer dann, wenn Heine im Sinne des 18. Jahrhunderts das Ländliche gegen das Städtische, das Natürliche gegen das Verbildete, die archaische Vertraulichkeit gegen die moderne Einsamkeit auszuspielen sucht, wobei sich allerdings der wertende Akzent im Laufe der Jahre immer stärker auf die Notwendigkeit der fortschreitenden Emanzipation verschiebt.

Und zwar hängt diese ideologische Unsicherheit aufs engste mit Heines höchst ambivalenter Einstellung jenem Phänomen gegenüber, das man damals und später mit dem Begriff des ›natürlich-organischen Volksverbandes‹ umschrieb. Als Deutscher *und* Jude mußte er in dieser Frage notwendig zwischen den Konzepten ›Weltbürgertum‹ und ›Nationalstaat‹ unschlüssig hin und her pendeln. In Bonn und Göttingen hatte er sich als junger Burschenschafter erst einmal der radikal ›deutsch-nationalen‹ Linie angeschlossen. Diese Richtung galt um 1820 als die einzig progressive an den deutschen Universitäten und mußte einen gesellschaftspolitisch aufgeweckten Studenten wie den jungen Heine notwendig anziehen. Doch seit dem Debakel in Göttingen, das zu seinem Ausschluß aus der Burschenschaft führte, und seit den preußischen Judenedikten vom Herbst 1822 erschien ihm eine Anpassung an den ›deutsch-nationalen‹ Kurs immer schwieriger, ja geradezu unmöglich.

Heines Haltung bleibt daher in allen Fragen, die das Problem der nationalen ›Verbundenheit‹ berühren, höchst widersprüchlich oder zumindest schillernd. So behält er einerseits ein starkes Interesse an allem ›Altdeutschen‹, das in seinen Bonner Semestern durch Ernst Moritz Arndt, August Wilhelm Schlegel und Helfrich Bernhard Hundeshagen in ihm geweckt worden war. Das beweist der längere Abschnitt in seinem Polen-Essay über den deutschen Privatgelehrten, Handschriftensammler und Mittelalterfanatiker Maximilian Schottky, der damals am Mariengymnasium in Posen unterrichtete und mit dem Heine persönliche Kontakte aufnahm. Daß ein Mann mit solchen Interessen in einem fremden Lande leben müsse, fand Heine höchst bedauerlich. Das Studium des Mittelalters mache ein »gänzliches Versenken in den deutschen Geist und deutsches Wesen notwendig«, heißt es an einer Stelle mit geradezu burschenschaftlich-romantischer Tendenz. Ja, Heine schreibt sogar noch apodiktischer: »Den deutschen Altertumsforscher müssen deutsche Eichen umrauschen« (7, 216). Schließlich hatte er sich selbst noch kurz zuvor der Hoffnung hingegeben, eines Tages als altgermanistischer Professor der deutschen Jugend das *Nibelungenlied* erklären zu dürfen. Und dieses Interesse am deutschen Mittelalter, am deutschen Volkslied, am deutschen Volksaberglauben bewahrte sich Heine auch später – eine Tatsache, die selbst durch *Deutschland. Ein Wintermärchen* nicht widerlegt, sondern eher ex negativo bestätigt wird. Das ›Deutsche‹ war für ihn nun einmal ein Phänomen, mit dem er sich unlösbar verbunden fühlte. Noch in den vierziger und fünfziger Jahren wird daher Heine immer wieder von ›den‹ Deutschen sprechen, und zwar im gleichen Sinne wie er von ›den‹ Polen, ›den‹ Italienern, ›den‹ Franzosen, ›den‹ Engländern oder ›den‹ Nordamerikanern reden wird. Von solchen Nationalklischees hat sich Heine trotz seiner höchst differenzierten soziologischen Sehweise nie ganz befreien können, schon weil der antithetische Vergleich, die ständige Kontrastierung eine seiner rhetorischen Grundfiguren ist. Warum die ›Deutschen‹ dabei mal gut, mal weniger gut abschneiden, läßt sich nur anhand des jeweiligen Funktionszusammenhanges interpretieren.

Doch mit diesen nationalstaatlichen Vorstellungen verbindet Heine als Erbe der Aufklärung, als Verehrer von Lessings *Nathan* und als deutscher Jude von Anfang an die ihn ebenso faszinierende Idee eines allgemeinen Weltbürgertums. Und dieses Nebeneinander, ja zum Teil innige Verquicktsein nationaler und kosmopolitischer Konzepte war es wohl auch, was Heine am Berliner »Verein für Kultur und Wissenschaft der Juden« so anzog, der seine Hauptaufgabe darin sah, die bildungsmäßig zurückgebliebenen Juden mit dem breiten Strom des europäischen Aufklärungsdenkens vertraut zu machen, ohne sie dabei völlig von ihrer jüdischen Tradition zu entfremden. Eduard Gans, der Vorsitzende dieses Vereins, kleidete das einmal in folgende, stark an Hegel anklingende Worte: »*Aufgeben ist nicht untergehen*. Nur die störende und bloß auf sich selbst reflektierende Selbständigkeit soll vernichtet werden, nicht die dem Ganzen untergeordnete; der Totalität dienend, soll es sein Substantielles nicht zu verlieren brauchen. Das worin es [das Judentum] aufgeht, soll reicher werden um das Aufgegangene, nicht bloß ärmer um den verlorenen Gegensatz.«[7] Mit anderen Worten: die Juden sollen sich politisch eingliedern, jedoch ihre kulturelle Identität behalten – ein Vorgang, den Hegel mit dem Begriff des ›Aufgehobenseins‹ umschrieben hätte.

Und dies ist genau die gleiche Haltung, die Heine in seinem Polen-Essay – trotz mancher Widersprüche und Digressionen – auch den Polen empfiehlt. Er neigt zwar durch seine momentanen Affekte gegen alles ›Deutsche‹ stellenweise zu einer leichten Überbewertung des polnischen Nationalgeistes. Doch diese mehr ins ›Nationale‹ zielenden Äußerungen werden, wenn man genauer hinsieht, immer wieder durch Ideenschübe aufgehoben, in denen das Kosmopolitische im Vordergrund steht.

Und so wird letztlich doch die große ›aufklärerische‹ Linie durchgehalten und eine Regression in eine falschverstandene Volksromantik vermieden. Vorbildlich bleibt auch für diese Schrift der aufklärerische Gedanke der *perfectibilité*, wie ihn Lessing in seiner *Erziehung des Menschengeschlechts* vertreten hatte – und nicht die verbohrte Volkstumsideologie eines Turnvater Jahn. Der Verlust der polnischen Nationalstaatlichkeit wird daher zwar bedauert, aber zugleich unter einer progressiven Perspektive gesehen. Er wird beklagt, weil er das Resultat imperialistischer Machinationen von seiten der Österreicher, Russen und Preußen ist, wodurch sich bei den unterdrückten Polen als Gegenreaktion ein verhängnisvoller Nationalismus, ja Chauvinismus entwickelt habe. Und er wird zugleich progressiv gesehen, weil durch diesen Verlust an Nationalstaatlichkeit – wenn auch nur in der Idee – bereits die Möglichkeit eines zukünftigen Weltbürgertums vorweggenommen werde. Heine, der damals erst fünfundzwanzig Jahre alt war, schreibt darum an einer Stelle höchst einsichtsvoll: »Fast bis zur Lächerlichkeit ehren jetzt die Polen alles, was vaterländisch ist. Wie ein Sterbender, der sich in krampfhafter Angst gegen den Tod sträubt, so empört und sträubt sich ihr Gemüt gegen die Idee der Vernichtung ihrer Nationalität. Dieses Todeszucken des polnischen Volkskörpers ist ein entsetzlicher Anblick! Aber alle Völker Europas und der ganzen Erde werden diesen Todeskampf überstehen müssen, damit aus dem Tode das Leben, aus der heidnischen Nationalität die christliche Fraternität hervorgehe. Ich meine hier nicht alles Aufgeben schöner Besonderheiten, worin sich die Liebe am liebsten abspiegelt, sondern jene von uns Deutschen am meisten erstrebte und von unseren edelsten Volkssprechern Lessing, Herder, Schiller u.s.w. am schönsten ausgesprochene allgemeine Menschenverbrüderung, das Urchristentum« (7, 199). Inwieweit bei der Idee der religiösen »Fraternität« auf das Herdersche Konzept der christlichen Völkerfamilie angespielt werden soll oder ob diese forcierte Verbrüderungsethik, die man auch als ein Zugeständnis an die Parolen der ›Heiligen Allianz‹ lesen könnte, auf Zusätze des Herausgebers Gubitz zurückgeht, dem dieser Aufsatz viel zu kühn erschien und der deshalb an dem Ganzen einige Änderungen vorgenommen hat[8], läßt sich heute nicht mehr ermitteln.

Doch die große Linie dürfte klar sein. Heines Ziel ist letzten Endes – bei aller Polen-Verklärung – doch die »allgemeine Menschenverbrüderung«, die Gleichheit und Freiheit für jedermann (7, 199). Den polnischen Adligen wird daher ausdrücklich verübelt, daß sie nur für ihre eigene »Freiheit«, aber nicht für die Freiheit ihrer Bauern und Leibeigenen kämpften. »Freiheiten müssen untergehen«, heißt es an einer Stelle geradezu emphatisch, »wo die allgemeine gesetzliche Freiheit gedeihen soll« (7, 200). Und genau das gleiche meint Heine auch im Hinblick auf die Völker: Nationen müssen untergehen, damit endlich die allgemeine Menschheit entstehen kann. Als die wirkliche Freiheit wird daher jene »washingtonsche Freiheit« hingestellt, die auf einer übernationalen Basis beruhe und deshalb jedem Einwanderer gleichermaßen zugute komme (7, 199).

Was sich also in Heines Polen-Essay als Grundtendenz behauptet, ist letztlich doch die Idee des Europäischen, des Kosmopolitischen, des Menschheitlichen – und nicht die des ›Völkischen‹. Das Nationale wird im Rahmen dieses Konzepts nur als schöne Besonderheit geduldet, die es zwar zu pflegen gelte, die aber aus dem Kulturellen nie ins Politische übergreifen dürfe. Und damit knüpft Heine – wie Gans – an die nobelsten Ideen der allgemein-europäischen Aufklärung an und reflektiert zugleich seine Situation als Deutscher und Jude, der sowohl an der Menschheit als auch am deutschen Wesen und an der jüdischen Tradition Anteil haben will. Eins dieser drei Elemente völlig zu verleugnen, wäre ihm wie ein Verrat an seinem eigenen Wesen und Herkommen erschienen. Getreu den Zielen des Berliner Kultur- und Wissenschaftsvereins betont er deshalb neben der kulturellen Besonderheit bestimmter Völker stets die überkulturelle Vereinigung aller Nationen im Rahmen eines vereinigten Europas oder – noch besser – einer Weltnation[9], was für ihn als liberal eingestellten Juden natürlich leichter war als für die noch völlig im Deutschtumswahn befangenen Romantiker oder Burschenschafter, ganz zu schweigen von den knechtsseligen, dynastisch-orientierten Biedermeiern, die überhaupt keine Alternative zu den bestehenden Verhältnissen entwickelten. Für seinen Polen-Aufsatz gelten daher die gleichen Worte, mit denen Heine in den *Briefen aus Berlin* einem bornierten Burschenschafter entgegentritt, als ihn dieser auf einem Maskenball in »urteutonischem Bierbaß« als einen »welschen« Laffen herausgefordert hatte: »O deutscher Jüngling, wie finde ich dich und deine Worte sündlich und läppisch in solchen Momenten, wo meine Seele die ganze Welt mit Liebe umfaßt, wo ich Russen und Türken jauchzend umarmen würde, und wo ich weinend hinsinken möchte an die Bruderbrust des gefesselten Afrikaners! Ich liebe Deutschland und die Deutschen; aber ich liebe nicht minder die Bewohner des übrigen Teils der Erde, deren Zahl vierzigmal größer ist als die der Deutschen [...]. Gottlob! ich bin also vierzigmal mehr wert als jene, die sich nicht aus dem Sumpfe der Nationalselbstsucht hervorwinden können, und die nur Deutschland und Deutsche lieben« (7, 183).

Heine schreibt daher wenige Jahre später in seiner *Reise von München nach Genua* mit wesentlich verschärfter Akzentsetzung: »Täglich verschwinden mehr und mehr die törichten Nationalvorurteile, alle schroffen Besonderheiten gehen unter in der Allgemeinheit der europäischen Zivilisation, es gibt jetzt in Europa keine Nationen mehr, sondern nur Parteien« (3, 274f.). Doch selbst das war nicht sein letztes Wort in diesen Dingen. Diese Frage hat auch den späteren Heine immer wieder beschäftigt, ohne daß er mit ihr völlig ins Reine gekommen wäre. Aber er hat wenigstens eine Richtung angedeutet. Das Problem selbst ist noch heute so ungelöst wie je zuvor.

DIE HARZREISE

(E: Oktober/November 1824 – Februar/März 1826)

Unmut gegen Goethe

> »Daß Freiheit in deutscher Kunst und Wissenschaft sich erhalte, mußte der literarische Ostrazismus gegen Goethe endlich verhängt werden. Ihn tadeln, heißt ihn achten« (Ludwig Börne).

Man hat oft bedauert, daß Heines *Harzreise* ein Fragment geblieben ist. Als Grund dafür wird meist seine jugendliche Unrast oder sein überspitzter Subjektivismus angeführt. Doch ist dieses Reisebild wirklich nur ein Studentenstreich in Prosa, scheinbar mutwillig angefangen und dann ebenso burschikos wieder abgebrochen? Jeder, der sich etwas genauer mit der Entstehungs- und Druckgeschichte der *Harzreise* beschäftigt hat, weiß, daß der Begriff des ›Skizzenhaften‹ hier völlig fehl am Platze wäre. Schließlich existiert das Ganze in vier verschiedenen Versionen: erst einmal in der Zeitschriftenform des Gubitzschen *Gesellschafters* von 1826 und dann in drei erweiterten Buchfassungen (1826, 1830, 1840), die zum Teil erheblich voneinander abweichen. Von einem ›Studentenstreich in Prosa‹ kann also gar keine Rede sein. Man hat sich in diesem Punkt wohl zu eng an Heines eigene Worte gehalten, der einmal beiläufig bemerkt: »Die ›Harzreise‹ ist und bleibt Fragment« (3,74). Und so ließen sich selbst bedeutende Heine-Forscher wie Erich Loewenthal und Ernst Elster dazu verführen, den Hauptakzent ihrer Interpretationen auf die »impressionistischen Details«[1] oder »reizvollen Einzelheiten«[2] zu legen, die lediglich durch die Persönlichkeit des Verfassers zusammengehalten würden. Erst neuerdings scheint sich hier eine Änderung anzubahnen, die – im Gegensatz zu früheren Deutungen – gerade das Formstimmige an der *Harzreise* hervorzuheben versucht. Dafür spricht, daß Joachim Müller den Nachdruck mehr auf den »novellistischen Charakter« dieses Werkes legt[3], während

Jeffrey L. Sammons aus dem Ganzen ein »pattern« herauspräpariert, »which has almost the quality of a fugue«.[4]

Geht man beim Nachweis solcher Formstimmigkeiten nicht etwas zu weit? Denn bei aller Geschlossenheit der sorgfältig ineinander verzahnten Erzählstruktur, die auf einem geschickten Wandel von wanderhaft erlebten Tagen und nächtlichen Traumszenen beruht, sind uns schließlich doch einige Fortsetzungsfragmente überliefert[5], die ein Fortspinnen des epischen Fadens nicht ganz unwahrscheinlich machen. Die Frage ›Fragment oder nicht?‹ ist daher nicht nur strukturanalytisch zu lösen, sondern muß auch vom Inhaltlichen her gesehen werden. Hatte Heine wirklich schon alles gesagt, als er kurz nach dem Abstieg vom Brocken und der Liebeserklärung an die muntere Ilse einfach abbrach? Schließlich war sein Ziel nicht der Brokken, sondern Weimar gewesen. Warum wird also gerade das ausgespart, was man logischerweise als den Höhepunkt des Ganzen erwartet: sein Besuch bei Goethe? Schreckte er hier bloß vor dem Klischee zurück, seinen Goethe-Besuch als das übliche Touristenerlebnis hinzustellen, oder hat diese Scheu auch andere, tiefere Gründe? Man könnte daher durchaus die Frage stellen, ob nicht das Fragmentarische der *Harzreise* mit dieser bewußten Verschweigung seines eigentlichen Reiseziels zusammenhängt. Doch das ist eine Frage, die sich nur vor dem Hintergrund von Heines Gesamtverhältnis zu Goethe beantworten läßt.

Was wir über diesen Besuch an reinen Fakten wissen, ist leider herzlich wenig. Heine hat ihn auch sonst so stark ›verdrängt‹ oder mystifiziert, daß ein gründlicher Forscher wie Karl Goedeke noch 1881 die These vertreten konnte, Heines Besuch bei Goethe sei lediglich eine »poetische Fiktion«.[6] Daß dieses Zusammentreffen wirklich stattgefunden hat, und zwar am 2. Oktober 1824, läßt sich heute nicht mehr bezweifeln. Die Anregung dazu empfing Heine wohl durch seinen Göttinger Studienfreund Eduard Wedekind, der am 17. September 1823 bei Goethe vorgesprochen hatte und der Heine im Sommersemester 1824 ausführlich davon erzählt haben muß. Wie fast alle Fremden führte sich Heine mit einem kurzen Brief bei Goethe ein, in dem er ihn an seine beiden ersten Bücher, an Varnhagen und den »seligen« Friedrich August Wolf erinnerte, um einen Anknüpfungspunkt zu haben.[7] Die Audienz selbst kann nur sehr kurz gewesen sein. Goethes Tagebuch verzeichnet lediglich »Heine von Göttingen«.[8] Sonst scheint dieser Besuch bei Goethe keine Spur hinterlassen zu haben. Auch Heine schweigt sich anfangs völlig darüber aus. Nur in einem Brief an Moses Moser vom 25. Oktober schreibt er einmal lakonisch: »Ich war in Weimar; es gibt dort auch guten Gänsebraten« und »Das Bier in Weimar ist wirklich gut, mündlich mehr darüber«. Daß sich dahinter eine ähnliche Ironie verbirgt wie in der Zusammenstellung der Göttinger Würste mit der Göttinger Universität (3, 15), liegt auf der Hand. Etwas konkreter wird Heine erst in einem Brief vom 26. Mai 1825 an Rudolf Christiani, wo es unter anderem heißt: »Über Goethes Aussehen erschrak ich bis in tiefster Seele, das Gesicht gelb und mumienhaft, der zahnlose Mund in ängstlicher Bewegung, die ganze Gestalt ein Bild menschlicher Hinfälligkeit. Vielleicht Folge seiner letzten Krankheit. Nur sein Auge klar und glänzend. Dieses Auge ist die einzige Merkwürdigkeit, die Weimar jetzt besitzt. Rührend war mir Goethes tiefmenschliche Besorgnis wegen meiner Gesundheit. Der selige Wolf hatte ihm davon gesprochen.« Wie ganz anders liest sich dagegen Heines Bericht über diese Höflichkeitsvisite in seiner *Romantischen Schule* (1836), wo von dieser »Hinfälligkeit« überhaupt keine Rede ist, sondern Goethe ganz als Olympier hingestellt wird. Hier heißt es: »Ich war nahe daran, ihn griechisch anzureden; da ich aber merkte, daß er Deutsch verstand, so erzählte ich ihm auf deutsch: daß die Pflaumen auf dem Wege zwischen Jena und Weimar sehr gut schmeckten« (5, 265). Noch stilisierter wirkt die Darstellung, die Heines Bruder Maximilian in seinen *Erinnerungen an Heinrich Heine und seine Familie* (1886) von diesem geheimnisvollen Zusammentreffen gibt: »Goethe empfing Heine mit der ihm eigenen graziösen Herablassung. Die Unterhaltung, wenn auch nicht gerade über das Wetter, bewegte sich auf sehr gewöhnlichem Boden, selbst über die Pappelallee zwischen Jena und Weimar wurde gesprochen. Da richtete plötzlich Goethe die Frage an Heine: ›Womit beschäftigen Sie sich jetzt?‹ Rasch antwortete der junge Dichter: ›Mit meinem Faust.‹ Goethe, dessen zweiter Teil des ›Faust‹ damals noch nicht erschienen war, stutzte ein wenig und fragte in spitzigem Tone: ›Haben Sie weiter keine Geschäfte in Weimar, Herr Heine?‹ Heine erwiderte schnell: ›Mit einem Fuß über die Schwelle Ew. Exzellenz sind alle meine Geschäfte in Weimar beendet‹ und empfahl sich.«[9]

All das sind selbstverständlich zur Pointe geschürzte Halbwahrheiten, vor allem das mit dem *Faust*, obwohl sich Heine damals wirklich mit *Faust*-Plänen trug.[10] Die Realität wird wohl viel prosaischer gewesen sein. Vielleicht haben die beiden lediglich Banalitäten ausgetauscht, wie es auch Willibald Alexis fünf Wochen vorher bei seinem Goethe-Besuch ergangen war.[11] Goethe sprach überhaupt mit Fremden ungern über Literatur, sondern bediente sich meist einer »kühl-konventionellen Art« der Gesprächsführung, die für junge Gemüter etwas leicht Fröstelndes hatte.[12] Die Tagebucheintragung »Heine von Göttingen« deutet darauf hin, daß von der dortigen Universität die Rede gewesen sein muß. Dazu paßt, daß Chamisso noch am 21. November 1828 schreibt, daß Goethe von Heine gern als dem »Göttinger Studenten« spreche.[13] Vielleicht hat sich Heine im Laufe des Gesprächs auf Empfehlungen seines Lehrers Sartorius berufen, mit dem Goethe relativ eng befreundet war. Denn er schreibt am 26. Mai 1825 in einem Brief an Christiani, in dem er auf das Ehepaar Sartorius zu sprechen kommt: »Ich brachte ihnen Grüße von Goethe, und seitdem bin ich ihnen doppelt lieb.«[14] Außerdem wird man wohl auch von Heines Gesundheit gesprochen haben. Vielleicht auch von den Pappel- oder Pflaumenbäumen. Aber von Literatur?

Warum sich Goethe so abweisend verhielt, läßt sich nur mit einiger Mühe erschließen. Man weiß, daß er im November 1823 sehr krank gewesen ist und auch in der Folgezeit häufig unter Mißmut zu leiden hatte. Obendrein war 1823 die Marienbader *Elegie* entstanden, an die sich der endgültige Verzicht auf Jugend und Erneuung knüpft. Goethe reagierte daher auf alles, was zum »jungen Blut« gehörte, in dieser Zeit besonders ressentimentgeladen.[15] Das beweist eine Reihe von Gedichten und Maximen, die in diesem Zeitraum entstanden sind und sich mit dem Gegensatz von Jugend und Alter oder der Originalitätssucht der jungen Generation auseinandersetzen. Man denke an Zeilen wie: »Kein Mensch will etwas werden, / Ein jeder will schon etwas sein« oder »Ich neide nichts, ich laß es gehn / Und kann mich immer manchem gleich erhalten; / Zahnreihen aber, junge, neidlos anzusehn, / Das ist die größte Prüfung mein, des Alten«.[16] Aus demselben Grunde lobte er lieber mittelmäßige, bescheidenere Talente, als auf jene jungen ›aufstrebenden Adler‹ der Literatur hinzuweisen, zu denen Heine sich rechnete. Ob bei diesem Zusammentreffen auch ein antisemitischer

Affekt mitgeschwungen hat, ist äußerst hypothetisch.[17] Heine vermutet solche Dinge gern, wo er auf menschliche Kühle stößt. Obendrein war Goethe in diesem Punkt etwas ambivalent. So verehrte er zwar das *Alte Testament* und auch einzelne große Juden wie Spinoza und Moses Mendelssohn, war aber nicht unbedingt für eine allgemeine »jüdische Emanzipation«.[18] Börne schreibt einmal, daß sich Goethe sehr über jene »Humanitätssalbader« geärgert habe, die sogar den »Frankfurter Juden« das Bürgerrecht einräumen wollten.[19] Doch selbst ein Nazi wie Franz Koch bringt in seinem Buch *Goethe und die Juden* (1937) zu diesen Problemen nur wenig überzeugendes Beweismaterial.[20]

Eins steht jedoch fest: daß Heine von dieser Begegnung einen tiefgehenden Schock davongetragen hat. Immer dann, wenn er etwas verschweigt oder mit zynischen Witzen umspielt, verbirgt sich dahinter eine echte Enttäuschung. Obendrein war er in diesen Monaten in besonders reizbarer Stimmung: das Examen drohte, seine Zukunftsaussichten waren durch das neue preußische Judenedikt von 1822 schlechter denn eh und je, und auch andere Dichter, wie Uhland und Tieck, hatten seine Buch- und Briefsendungen unbeantwortet gelassen. Kein Wunder also, daß er sich von allen mißverstanden und verkannt fühlte. Wohin er auch kam, sah er sich arroganten Aristokraten und widerwärtigen Antisemiten gegenüber, stieß er auf Schwierigkeiten oder Mißachtung und mußte schließlich erleben, daß ihn Goethe wie einen dummen Jungen, wie einen ›Studenten‹ behandelte, obwohl er sich über diese Phase seines Lebens längst erhaben fühlte. Wie mißgestimmt er deshalb nach Göttingen zurückkehrte, erfahren wir aus einer kurzen Mitteilung Ludwig Spittas in einem Brief an Adolf Peters: »Als er [Heine] die hernach von ihm beschriebene Harzreise im Sommer 1824 machte, besuchte er auch Goethe in Weimar und ließ hernach bei seiner Rückkehr nach Göttingen den ihn einholenden Kommilitonen gegenüber ganz unverhohlen seinen Verdruß darüber freien Lauf, daß Se. Exzellenz ihn eigentlich ungebührlich kalt empfangen habe. Er fühlte sich eben in seinem Dichterstolz gekränkt und hatte mehr erwartet.«[21]

Es ist eigentlich kaum zu verstehen, wie man bei einem solchen Tatsachenmaterial noch heute behaupten kann, daß Heine von Jugend an ein bedingungsloser Goethe-Verehrer gewesen sei. Doch Legenden erweisen sich oft als besonders zäh. Und zwar geht diese Vorstellung zum größten Teil auf das späte

19. Jahrhundert zurück, als man das *Buch der Lieder* noch direkt neben Goethes Erlebnislyrik legte. Schließlich galt in den Augen des wilhelminischen Bürgertums nur das als ›bedeutend‹, was sich mit den Leistungen des großen Weimaraners vergleichen ließ. Also tat man auf heinefreundlicher Seite alles, Goethe und Heine so nah wie möglich aneinander zu rücken. So bezeichnet etwa Walter Robert-tornow 1883 den jungen Heine als einen ausgesprochenen »Goethe-Schwärmer«.[22] Ernst Elster stellt 1887 die These auf, daß Heine schon früh »Goethes Größe« bewundert habe und dieser Gesinnung »im wesentlichen treu geblieben« sei.[23] Gustav Karpeles schreibt 1888, daß Heine seine »Goethe-Reife« vor allem Rahel verdanke.[24] Eduard Grisebach behauptet 1891: »Seiner Verehrung Goethes ist Heine immer treu geblieben.«[25] Ähnliche Anschauungen herrschten in England, wie Sol Liptzin in seinem Aufsatz »Heine, the Continuator of Goethe. A Mid-Victorian Legend« nachgewiesen hat.[26] Bei Oskar Kanehl heißt es 1913: »Heine liebt Goethe, daran zu zweifeln ist unerlaubt.«[27] Dieselbe Überzeugung findet sich bei Erich Loewenthal, der 1922 schreibt: »Eine so umfassende Goethe-Kenntnis, wie Heine sie besaß, war damals nicht alltäglich. Wie sollte sie andere Wurzeln haben als aufrichtigste und innigste Liebe.«[28] Ja, Fritz Strich wiederholt 1947 noch einmal die Behauptung, daß Heine schon durch Rahel zu Goethe »bekehrt« worden sei.[29]

Dagegen sind jüngst einige Stimmen laut geworden, die eher das Ambivalente oder Negative in der Haltung des jungen Heine dem alten Goethe gegenüber betonen. Man lese etwa nach, was Wolfgang Kuttenkeuler über dieses Verhältnis schreibt, der den Akzent sowohl auf die »Verehrung« als auch die »Verachtung« legt.[30] Wohl die differenziertesten Studien zu diesem Thema haben Christoph Trilse[31] und Fritz Mende[32] vorgelegt, die jedoch beide den jugendlichen Unmut Heines gegen Goethe letztlich doch wieder bagatellisieren, um so die »Kontinuität der großen klassischen Periode der deutschen bürgerlichen Dichtung« nicht unnötig in Frage zu ziehen.[33] Walter Wadepuhl hat sich dagegen 1956 ganz offen über den Goethe-Haß des jungen Heine ausgelassen, wobei er sich allerdings auf eine etwas fragwürdige Briefstelle von Maximilian Heine stützt, der auch sonst kein guter Gewährsmann ist.[34] Wichtiger erscheint mir ein Aufsatz von Ulrich Maché, der das Verhältnis Heines zu Rahel in einem höchst kritischen Licht erscheinen läßt.[35] Bei genauerem Zusehen ist nämlich Heines Rahel-Jüngerschaft in Fragen ›Goethe‹ kaum zu belegen. Heine hat Goethe weder durch Rahel kennen noch schätzen gelernt. Schon seine Briefe und Schriften der ›vorberliner‹ Zeit verraten eine recht intime Vertrautheit mit den Werken Goethes, was sich leicht bei Robert-tornow nachschlagen läßt.[36] Und auch seine Kritik an Goethe, vor allem an seinem Aristokratismus und seinem kalten Kunstverstand, wird durch den Einfluß Rahels nicht milder. So heißt es in den *Briefen aus Berlin*, die er in jener Zeit verfaßte, als er bereits im Salon Rahels verkehrte: »Hand aufs Herz, mag das feine, weltkluge Betragen unseres Goethe nicht das meiste dazu beigetragen haben, daß seine äußere Stellung so glänzend ist und daß er in so hohem Maße die Affektion unserer Großen genießt? Fern sei mir, den alten Herrn eines kleinlichen Charakters zu zeihen. Goethe ist ein großer Mann in einem seidnen Rock« (7,577). Ja, ein paar Seiten später nennt er ihn den »Ali Pascha unserer Literatur« (7,593), was sich auf einen alten, bösen, skrupellosen Tyrannen bezieht, der im Februar 1822 gerade das Zeitliche gesegnet hatte.[37]

Dazu paßt, daß Heine den Namen Goethe jedesmal ausläßt, wenn er von seinen literarischen Vorbildern oder Sternen spricht. »Lessing, Herder, Schiller« tauchen dagegen in den Jahren 1822 und 1823 zweimal als leuchtendes Dreiergestirn auf.[38] In einem Brief an Immermann vom 24. Dezember 1822 heißt es geradezu vernichtend: »Goethe ist tot«, als Heine auf die moderne Dramatik zu sprechen kommt. Ebenso abschätzig äußert er sich in einem Brief an Christiani vom 26. Januar 1824 über die »echte großherzogliche Weimarsche Hofprosa«. Alles in allem kommt darin eine Gesinnung zum Ausdruck, die den alten Goethe als unzeitgemäß und aristokratisch empfindet. Einmal ganz grob gesprochen, ist er für den jungen Heine – trotz mancher erfrischend unmoralisch-antiklerikalen Züge und einiger unvergleichlich schönen Gedichte – ein typischer Vertreter des Ancien régime, den der ›Weltgeist‹ bereits hinter sich gelassen hat.

Aber warum scheut Heine davor zurück, solche Anschauungen auch öffentlich zu vertreten? Heine ist doch sonst so ›satirisch‹ und läßt sich immer wieder zu Namensnennungen hinreißen, selbst wenn sich dadurch die unliebsamsten Folgen für ihn ergeben. Wie rücksichtslos ist er später mit August

Wilhelm von Schlegel und dem Grafen Platen umgesprungen! Zudem betonte er im Sommer 1824 in einem Gespräch mit Wedekind ausdrücklich: »Ich möchte wünschen, daß die persönliche Satire bei uns wieder eingeführt wäre.«[39] Man fragt sich darum unwillkürlich, warum er sich gerade dem alten Goethe gegenüber solche Hemmungen auferlegt, dessen öffentliche Wertschätzung damals einen unleugbaren Tiefpunkt erreicht hatte.[40] Wahrscheinlich kamen hier mehrere Gründe zusammen. Erstens wollte er keinen Beifall von der falschen Seite haben und mit Goethe-Gegnern verwechselt werden, die ihn von christlich-moralischen oder burschenschaftlich-nationalen Standpunkten her angriffen. Was diese Leute an Goethe verdammten, war gerade das, was er an dem ›alten Heiden‹ ganz passabel fand. Zweitens werden hier auch persönliche Gründe mitgespielt haben. Schließlich sollte man nicht vergessen, daß fast alle seine Freunde, Gönner und Professoren ausgesprochene Goethe-Verehrer waren. Was hätten Christiani, Sartorius, Hugo, Varnhagen, Hegel und Rahel zu einer solchen Kritik gesagt? Vor allem in Berlin war Heine geradezu in das Zentrum des damaligen Goethe-Kults geraten. Und mit diesen Kreisen durfte er es nicht verderben, wenn er kein absoluter Einzelgänger bleiben wollte.

Von entscheidender Bedeutung war dabei sein Verhältnis zu Varnhagen von Ense, der zu den wenigen gehörte, die seine Frühwerke mit vorteilhaften Rezensionen begrüßt hatten und die ihm auch karrieremäßig von großem Nutzen sein konnten. In diesem Punkte fühlte sich Heine geradezu gezwungen, Konzessionen zu machen, was bei der inneren Erregtheit seines Wesens nicht ohne Spannungen abgehen konnte. Besonders peinlich war ihm Varnhagens Aufforderung, zu dem von ihm herausgegebenen Sammelband *Goethe in den Zeugnissen der Mitlebenden*, der im Herbst 1823 zum 74. Geburtstag des großen Weimaraners erscheinen sollte, einen lobenden, wenn auch kurzen Beitrag zu schreiben. Heine druckste lange herum, brachte schließlich ein paar nichtssagende Zeilen aufs Papier und schickte das Ganze obendrein viel zu spät ab. In seinem entschuldigenden Begleitbrief vom 17. Juni 1823 nennt er dieses Produkt seiner prostituierten Muse einen »dumpfen, breiten Bilder- und Ideenwirrwarr«. Leider hat sich dieser Aufsatz nicht erhalten, da er Varnhagen wohl zu schlecht erschien und vielleicht auch wirklich zu spät gekommen ist. Kurze Zeit darauf kam es zwischen Heine und Varnhagen zum offenen Bruch, da sich beide etwas zu stark in die Rollen Tassos und Antonios hineingesteigert hatten. Doch Heine knüpfte sofort wieder an, da ihm dieses Verhältnis einfach zu wichtig war. So schreibt er am 27. November 1823 mit diplomatischer Liebenswürdigkeit und zugleich kaum verhohlener Ironie an Rahels Bruder in Berlin: »Lieber Robert, Sie können kaum glauben, wie artig ich mich jetzt gegen Frau von Varnhagen betrage – ich habe jetzt, bis auf eine Kleinigkeit, den ganzen Goethe gelesen!!! Ich bin jetzt kein blinder Heide mehr, sondern ein sehender. Goethe gefällt mir sehr gut.« Ebenso deutlich drückt er sich Christiani gegenüber aus, dem er am 29. Februar 1824 von seiner Absicht berichtet, über kurz oder lang nach Berlin zu fahren. »Ich muß einigen Menschen, von denen meine künftige Stellung abhängt, wieder mal den Hof machen«, heißt es hier mit wünschenswerter Deutlichkeit. Heine führte diesen Plan auch aus, reist in den Osterferien 1824 nach Berlin und versöhnte sich dort mit den beiden Varnhagen.

Sein Verhältnis zu Goethe wurde so von Monat zu Monat immer ambivalenter. Abgestoßen durch den Berliner Goethe-Kult, beleidigt durch Goethes Schweigen auf seine Briefe, zutiefst erbittert durch den kühlen Empfang in Weimar – mußte er dennoch schweigen. Es war ihm einfach verwehrt, seine »Berliner Gönner« durch eine verräterische Herabsetzung ihres Idols zu enttäuschen oder gar zu »beleidigen«, wie Victor Hehn scharfsichtig erkennt.[41] Nach außen hin bekommt deshalb Heines Verhältnis zu Goethe fast heuchlerische Züge. Daß er privat wiederholt gegen diese Frustrierung aufbegehrte, beweist eine mokante Äußerung Rahels an Varnhagen vom 11. März 1829: »Er [Heine] wollte gegen Goethe sprechen: ich mußte lächeln, es ging nicht.«[42] Seine Wut auf Berlin und das ästhetische Teegewäsch seiner ›Salons‹ wurde daher immer stärker. »Meine äußere Abhängigkeit von dieser Gegenwart ist mir noch das Unangenehmste«, schreibt er am 1. April 1825 an Moses Moser. Sieben Wochen später heißt es in einem Brief an Christiani, daß er sich geradezu im Kriege mit Goethe befinde, doch daß sich dieser Kriegszustand »nie äußerlich zeigen« werde.[43] Wie gern Heine in dieser Zeit einmal richtig vom Leder gezogen hätte, geht aus einer bisher übersehenen Tagebuchnotiz des westfälischen Freiherrn Ludwig von Diepenbrock-Grüter hervor, mit dem Heine 1825 in Lüneburg verkehrte. Hier heißt es höchst aufschlußreich: »Er, Heine, brenne, sich gegen ihn [Goethe] zu erklären, indes halte ihn seine Stellung in der schriftstellerischen Welt davon ab. Goethe sollte Gott danken, wenn er manche der Ideen hätte, die Walter Scott äußere.«[44]

Und damit kommen wir zu unserer anfänglichen Fragestellung zurück: Warum ist die *Harzreise* ein Fragment geblieben? Hängt das nicht doch – wenigstens zum Teil – mit dem Unmut gegen Goethe zusammen? Heißt es nicht an der Stelle, wo Heine auf das Fragmentarische dieses Werkes zu sprechen kommt: »Was jetzt kärglich verschwiegen ist, wird alsdann vollauf gesagt« (3,74)? Bisher hat man immer das Gegenteil behauptet. In der *Harzreise* wird »nicht nur jeder Ausfall vermieden«, schreibt Robert-tornow, »sondern Goethes mehrfach anerkennend gedacht«.[45] Loewenthal bemerkt: »Aus seiner Verehrung [für Goethe] macht er auch in den ›Reisebildern‹ kein Hehl.«[46] Auch Fritz Friedländer kann in der *Harzreise* nirgends einen »Nachklang des Unmuts über das vorangegangene Ereignis«, das heißt den Besuch in Weimar, entdecken.[47] Doch wie kommt es dann, daß sich die Jungdeutschen in ihren antigoetheschen Schriften immer wieder auf den befreienden Impuls von Heines *Reisebildern* berufen?[48] Ja, hat nicht Georg Herwegh noch 1840 geschrieben: »Die neue Literatur datiert von der Reise Börnes nach Frankreich, von Heinrich Heines Reisebildern. Sie datiert von der Opposition gegen Goethe.«[49]

Um diesen Dingen wirklich auf den Grund zu gehen, kommt man nicht umhin, sich den Text der *Harzreise* etwas genauer anzusehen. Wo wird hier – offen oder versteckt – auf Goethe angespielt? Eigentlich schon im Titel, aber der war bereits seit langem ein Allgemeingut geworden. Daß der seltsame Schneidergeselle das »wunderbare« Volkslied »Ein Käfer auf dem Zaune saß, summ, summ!« singt (3,24), könnte man als eine Parodie auf Georgs Lied »Es fing ein Knab ein Vögelein; – Hm, hm!« im 16. Auftritt des *Götz* interpretieren. Jedenfalls heißt es kurze Zeit später, das Goethesche Wort sei – wenn auch korrumpiert – bereits tief ins Volk gedrungen. Als weiterer Beweis dafür dient das Lied »Leidvoll und freudvoll, Gedanken sind frei!« (3,24), das sich der muntere Geselle aus dem *Egmont* und einem Volkslied zusammengeschneidert hat. Nicht weniger ironisch ist die Szene, wo er das Lied »Lotte bei Werthers Grab« anstimmt und vor Wertherschmerz fast zerfließt (3,24). Auch das Alter und die Verfallenheit Goslars erinnern den Erzähler an Goethe. »So geht es den weitberühmten Männern, wenn man sie in der Nähe besieht«, heißt es hier anspielungsreich in der *Gesellschafter*-Fassung (3,513). In den Buchversionen ist dieser Satz getilgt. Ebenso anzüglich wirken manche Partien der *Bergidylle*, wo ihm das auf seinem Schoß sitzende Mädchen die scheinbar unschuldige Gretchenfrage stellt: »Glaubst wohl nicht an Gott den Vater, / An den Sohn und heil'gen Geist?« (3,45). Im Bereich des Harzes werden die Goethe-Anspielungen immer zahlreicher. Die »Walpurgisnacht« wird erwähnt (3,51) und eine ironische Bemerkung über die »große, mystische deutsche National-Tragödie vom Doktor Faust« gemacht (3,52). Ebenso assoziativ verfährt Heine in der Szene mit den beiden Damen auf dem Brockenturm, deren Urbilder aus Frankfurt stammten, Lindheimer hießen und mit Goethe verwandt waren.[50] Zuerst ist hier von Sonnenuntergängen die Rede, deren Eindruck sich bei wiederholter Betrachtung allmählich abschwäche, wie die Tochter meint. Doch die Mutter berichtigte diese »falsche Meinung«, wie es heißt, »durch eine Stelle aus Goethes Reisebriefen« (3,57). Anschließend wird der *Werther* erwähnt. In der ersten *Reisebilder*-Fassung steht an dieser Stelle: »Keiner meiner ästhetischen Kollegen würde sich hier die Gelegenheit rauben lassen, über letztere [Goethes Werke] ein lang und breites Gespräch einzuflechten. Aber ich schreibe nicht gern, was unwahr ist, und wir haben wirklich nicht lange über Goethe gesprochen« (3,517). In der zweiten Fassung heißt es nach der *Werther*-Erwähnung wesentlich kürzer, aber fast noch ironischer: »Ich glaube wir sprachen auch von Angorakatzen, etruskischen Vasen, türkischen Shawls, Makkaroni und Lord Byron« (3,57), was an die bereits erwähnte Goethe- und Gänsebraten-Kombination erinnert. Als sich anschließend die Mehrzahl der Studenten dem Suff ergibt, wimmert der eine Schweizer unentwegt »O Bäbeli! O Bäbeli!« (3,63), worin sich eine Parodie auf Goethes Lob eines anonymen Babely-Gedichts in der Jenaischen *Allgemeinen Literaturzeitung* von 1806 verbergen könnte, wo dieser Ausdruck als »köstlicher Abdruck des schweizer-bäurischen Zustands und des höchsten Ereignisses dort zwischen zwei Liebenden« gedeutet wird.[51] Dieselbe Goethe-Nähe kommt in der Szene mit den beiden total betrunkenen Seraphikern aus Halle zum Ausdruck, die ständig von der »Lore« jammern, eine gelblederne Hose für den Mond halten und dabei Ossian-Passagen rezitieren, die Heine direkt aus dem *Werther* übernommen hat (3,63 ff.). Wenige Seiten später wird auf den Palast des Prinzen von Pallagonia in Goethes *Italienischer Reise* angespielt (3,68), das Parzen-Motiv aus Goethes *Harzreise im Winter* aufgegriffen (3,75) und in der Schlußszene mit ihrem ausbleibenden Pistolenschuß noch einmal auf den *Werther* hingewiesen (3,78). Ja, in den Fortsetzungsfragmenten findet sich noch eine Stelle, die sich als eine höchst ironische Anspielung auf Goethes Schrift *Von deutscher Baukunst* interpretieren läßt.[52]

Schon dieser kurze Überblick beweist zur Genüge, daß Heine im Hinblick auf Goethe nicht nur von Verehrung und Anerkennung trieft. Interessanterweise wird dabei eine recht bunte Reihe von Goethe-Werken erwähnt. Was jedoch besonders ins Auge sticht, sind die häufigen Bezugnahmen auf den *Werther*. Doch das sollte einen Kenner dieser Ära kaum verwundern, in der Goethe noch weitgehend als Dichter seines *Werther* galt, der von all seinen Werken die größte Popularität besaß und 1825 in einer weithin beachteten Jubiläumsausgabe erschien. Es empfiehlt sich daher, einmal nachzuprüfen, wieviel sich an Heines *Harzreise* als eine mehr oder minder geschickte *Werther*-Paraphrase oder *Werther*-Parodie erweist.[53] Schließlich ist eines von Heines dichterischen Grundmotiven auch in diesen Jahren noch immer das sogenannte ›Amalien-Erlebnis‹, dem die Abweisung durch die Tochter seines Onkels Salomon zugrunde liegt. Man hat dieses Erlebnis in Anlehnung an Elster oft überinterpretiert; doch man sollte es ebensowenig unterschätzen. Goethes *Werther* muß daher für Heine von Anfang an ein höchst erregendes Buch gewesen sein. Daß er sich im Sommer 1824, also wenige Wochen vor seiner Harzreise, nachdrücklich mit dem *Werther* auseinandergesetzt hat, ist durch Aufzeichnungen in Wedekinds Tagebuch belegt.[54] Wie stark Heine mit den selbstmörderischen Konsequenzen seines jugendlichen Liebeskummers zu kämpfen hatte, beweist noch das *Buch Le Grand*, wo neben dem Lebensverlangen eines Egmont und des Prinzen von Homburg (3,136) auch der gefährliche Schatten Werthers durch das Erzählgewebe geistert. So gesehen, spielt Goethes *Werther* für Heine fast die Rolle eines Katalysators, durch den er endlich mit sich selber ins reine kommt, anstatt sich weiterhin dem fatalen Sog des Liebeskummers hinzugeben und ewig in der Wunde seines eigenen Schmerzes herumzubohren. Seine *Harzreise* ist daher – neben manchen anderen

Dingen – auch ein Versuch, sich am eigenen Schopfe aus der seelischen Malaise herauszuziehen. Bewußt oder unbewußt äußert sich so in einigen Partien dieses Werkes ein gewisses Umkehr-Schema, das so vielen literarischen ›Gegenentwürfen‹ zugrunde liegt. Die *Werther*-Stimmung wird häufig als gegeben vorausgesetzt und dann von innen her allmählich überwunden.

Die Anfangssituation ist in beiden Werken erst einmal dieselbe. Werther und der anonyme Erzähler der *Harzreise* sind Juristen, die sich von Beruf und Wissenschaft angeekelt fühlen und die Enge des städtischen Lebens mit Natur und Freiheit vertauschen wollen. Daher fliehen sie wie in Gessners *Idyllen* in »einsame Gegenden«[55], um sich ganz der Fluchtutopie des Ländlich-Homerischen oder Ländlich-Malerischen hingeben zu können. »Die Stadt selbst ist unangenehm«, heißt es im *Werther*, »dagegen rings umher eine unaussprechliche Schönheit der Natur.«[56] Für den jungen V. mit seiner Büchergelehrsamkeit und seinem Universitätswissen hat daher Werther nur Spott übrig. Ebenso unausstehlich findet er die bürgerliche Gesellschaft mit ihren kalt berechnenden »Philistern«.[57] Was ihn lockt, ist ein Dorf wie Wahlheim, wo noch patriarchalisch-idyllische Zustände herrschen, wo die Mädchen das Wasser noch aus dem Brunnen holen und wo die Kinder noch wirklich Kinder sind, anstatt wie in der Stadt zu kleinen Erwachsenen verbildet zu werden. Und in diesem Milieu lernt er ein Mädchen wie Lotte schätzen, die in völligem Einklang mit der Natur im Kreise ihrer kleinen »Rotznäschen« steht und wie in Urväterzeiten das Brot verteilt.[58]

Erinnert das nicht fast alles an die *Harzreise*? Auch hier begegnet man gleich auf den ersten Seiten dem üblichen Topos der Antigelehrsamkeit und der Philisterverachtung, der in der ›idyllischen‹ Dichtung des 18. und 19. Jahrhunderts so verbreitet ist. Wieviel wahrer erscheint dem Erzähler dagegen das ›Landleben‹ oder die ›Natur‹ mit all ihrer Wärme, ihrem Vogelgezwitscher und Blättergerausche, wo sich die in der Stadt eingezwängte Seele wieder ins Offene wenden darf. Statt sich wie in Göttingen auf steifen Tee-Dansants zu langweilen, wird er hier von jedem Stein, jeder Blume in lange Konversationen verwickelt, so daß es ihm nie an unterhaltsamen Gesprächspartnern mangelt. Wie ›idyllisch‹ das Ganze dadurch wird, beweist vor allem die Szene in der Hütte des alten Bergmanns und das Zusammentreffen mit dem Hirtenknaben am nächsten

Morgen, die auch einen Werther enthusiastisch gestimmt hätten. Ja, selbst das patriarchalische Milieu und die zutraulichen Kinder werden nicht vergessen. Bis hierhin scheint also alles identisch zu sein.

Doch dann kommt die Brechung und damit die Umkehr. Jedermann kennt die Szene, wo Lotte und Werther am Fenster stehen, in den Gewitterregen hinausschauen und sich Lottens Gefühl schließlich in den Ausruf »Klopstock« entlädt.[59] Die Gegenszene bildet bei Heine jene Stelle, wo er mit den beiden Damen auf dem Brockenturm steht, den Anblick der überwältigenden Natur genießt – und ihm die Ältere anschließend im schnödesten Gesellschaftstone die Frage stellt, ob er den *Werther* kenne (3,57). Was bei Goethe von einem überwältigenden Empfindungsstrom getragen wird, der sich in »wonnevollsten Tränen« ausdrückt, erscheint bei Heine lediglich als ironischer Mißklang. Hier gibt es kein affirmierendes Einstimmen, kein Verschmelzen der Seelen. Heine läßt sich nicht auf den gefährlichen Schleichweg einer martervollen Liebe hinreißen, sondern spricht lieber von Angorakatzen, Makkaroni und etruskischen Vasen, um der ständig lauernden Lockung ins ›Abwegige‹ eine ironische Distanz entgegenzusetzen.

Das gleiche gilt für die folgenden Szenen. Vor allem das große Besäufnis, wo das Schwimmen im Gefühl zu einem Schwimmen im Weine wird, ist mit vielen parodistischen Zügen durchsetzt. Man erinnere sich an den Schweizer, der ihm zärtlich die Hand küßt und vom Bäbeli vorjammert. Ebenso empfindsam-begeistert umarmt ihn ein Student aus Greifswald, der ihm von den vollen Brüsten, dem weißen Kleid und dem Klavierspiel seiner Angebeteten vorschwärmt. Doch im Zentrum dieser *Werther*-Parodie stehen die beiden Studenten aus Halle, die trotz ihrer rührend-homosexuellen Neigungen ständig von irgendeiner »Lore« wimmern. Obendrein wird ein Kanarienvogel erwähnt, der auch im *Werther* eine wichtige Rolle spielt, wo er der erste Vermittler zwischen den Lippen der beiden schicksalhaft Verstrickten ist. Was folgt, sind im *Werther* die düsteren »Ossian«-Partien und schließlich Werthers Zusammenbruch. Dem entspricht in der *Harzreise* die groteske Szene, in der die beiden völlig benebelten seraphischen Jünglinge solange aus dem »Ossian« deklamieren, bis sie von einem wuchtigen Rindfleisch-Jüngling in einen Schrank geschubst werden und dort langsam im Rotwein verbluten (3,65).

Nun gut, könnte man sagen, sind das nicht bloße Witze oder ironische Marginalien? Wo steckt da der eigentliche ›Gegenentwurf‹? Wahrscheinlich gerade in dieser Lore-Episode, in der Heine eine Erzählhaltung einnimmt, die jeden Umschlag ins Sentimentale oder Tragische unmöglich macht. Wer einmal so weit gegangen ist, kann sich nicht mehr in herbstliche Verlorenheit hineinsteigern, sondern muß zu echter oder forcierter Lustigkeit übergehen. Im Gegensatz zu der wirklichen Harzreise, die im September/Oktober 1824 stattgefunden hat, wird daher der Leser in dieser Geschichte nach fünftägiger Wanderung plötzlich wieder in den Frühling zurückversetzt. »Es ist der erste Mai«, heißt es mit einem Male unvermittelt, »überall sehe ich die grüne Farbe, die Farbe der Hoffnung« (3,77). Noch deutlicher kann man den *Werther* eigentlich gar nicht umkehren, denn gerade der Jahreszeitenwechsel spielt ja auch dort eine entscheidende Rolle. Während im *Werther* alles auf den Dezember hindrängt, erwacht der Erzähler der *Harzreise* auf den letzten Seiten plötzlich in Hamburg und fühlt sich auf den maienhaft glänzenden Jungfernstieg versetzt, wo ihm bunt geschmückte Vierländerinnen mit ihren Blumensträußen entgegenkommen. Alles vorher Erlebte wird dadurch zum bösen Traum einer wirren Walpurgisnacht (30. April), aus der er zu neuer Lebenslust erwacht. Ja, zu allem Überfluß heißt es sogar noch: »Hörst Du plötzlich den Schuß – Mädchen, erschrick nicht! ich hab' mich nicht totgeschossen, sondern meine Liebe sprengt ihre Knospe und schießt empor in strahlenden Liedern, in ewigen Dithyramben, in freudigster Sangesfülle« (3,78). Damit sind wohl alle Zweifel beseitigt. Während der *Werther* in absoluter Aussichtslosigkeit endet, wird hier der Liebeskummer so weit sublimiert, bis er schließlich in Dichtung übergeht.

Im Rahmen solcher Zusammenhänge gesehen, ist der Schluß der *Harzreise* gar nicht so unerwartet oder fragmentarisch, wie man oft angenommen hat. Denn im Gegensatz zu Goethes *Werther*, wo der Sog der Leidenschaft gegen Ende immer unaufhaltsamer wird, schiebt Heine in das Motivgeflecht der *Harzreise* von Anfang an so viele Vorausdeutungen, Reflexionen und aufhellende Momente ein, daß man den »ersten Mai« am Schluß als durchaus zwingend empfindet. Das beweisen vor allem die geschickt verteilten kleinen Liebesepisoden, die nie in Schwärmerei übergehen, sondern stets mit einer zärtlichen oder ironischen Pointe enden. Man denke an die kurze Begegnung mit dem Mädchen in Goslar, der er abends unter dem Torbogen einen Kuß raubt. Auch die Szene mit dem kleinen Mädchen in der *Bergidylle* sollte ursprünglich auf einen Kuß hinauslaufen.[60] Was folgt, ist das elegante Geplänkel mit den beiden Damen auf dem Brockenturm und schließlich die jubelnde Dithyrambe auf die Flußmädchen Ilse, Selke und Bode, die er wie ein neuer ›Paris‹ betrachtet, der zwischen den Schönsten der Welt nur zu wählen braucht (3,76). Das Schlußglied dieser Motivkette bildet das stolze Bild von seinem Herzen, das er mit einer exotischen Blume vergleicht, die nur alle hundert Jahre blüht, dann jedoch so hochschießt, daß man nur von oben in sie hineinsehen kann.[61] Er will damit sagen, daß er es endlich satt hat, vor jeder hübschen Larve niederzuknieen und um Liebe zu betteln. Von nun an will er die Reize seines Blumenherzens nur noch jenen Mädchen offenbaren, die sich auch um ihn bemühen. »Ist dir aber diese Liebe zu hoch, Mädchen«, heißt es selbstsicher und ironisch zugleich, »so mach es dir bequem und besteige die hölzerne Treppe und schaue von dieser hinab in mein blühendes Herz« (3,78).

Und damit wird die geschilderte Brockenwanderung zu einem Aufstieg aus dem Dumpfen und Wirren ins Brusterweiternde und Befreiende, was sich mit liebenswürdiger Bosheit als ›Werthers Harzreise‹ oder ›Werthers Gesundung‹ umschreiben ließe. Nicht der ossianische Trübsinn behält hier das letzte Wort, sondern mitten im Oktober erblüht auf einmal wieder der Mai. Indem sich Heine nicht der Schwärmerei überläßt, entgeht er der Gefahr, selber ein Werther zu werden und wird wieder Herr über sein eigenes Herz. Er ›beherrscht‹ sich. Man könnte das mit Goethes *Briefen aus der Schweiz* (1796) vergleichen, denen ein ähnliches Strukturprinzip zugrunde liegt und von denen es bezeichnenderweise heißt, daß man sie »unter Werthers Papieren« gefunden habe.[62] So betrachtet, läßt sich die *Harzreise* kaum als Fragment bezeichnen. Denn auf diese Weise wird dem verschwiegenen Goethe-Besuch, der nur unter negativer Perspektive hätte erscheinen können, doch noch ein positives Gegenbild abgerungen.

Und zu dieser These passen auch jene Äußerungen, die Heine sonst über den *Werther* gemacht hat. Immer dann, wenn er auf ihn zu sprechen kommt, stellt er die soziale Konfrontation von Adel und Bürgertum in den Vordergrund, während er den fatalen Entschluß, sich für ein Mädchen totzuschießen, als

Dummheit bezeichnet. So heißt es in seiner Rezension von Beers *Struensee* (1828): »Man las das Buch wegen des Totschießens. [...] Es liegt aber noch ein Element im ›Werther‹, welches nur eine kleinere Menge angezogen hat, ich meine nämlich die Erzählung, wie der junge Werther aus der hochadligen Gesellschaft höflichst hinausgewiesen wird. Wäre der ›Werther‹ in unseren Tagen erschienen, so hätte diese Partie des Buches weit bedeutsamer die Gemüter aufgeregt als der ganze Pistolenknalleffekt« (7,226). In der *Romantischen Schule* (1836) spricht er einmal von den Narren, die beim Erscheinen des *Werthers* auf die schnurrige Idee kamen, sich »ebenfalls totzuschießen« (5,231). Noch schärfer drückt sich Heine in seiner *Geschichte der Religion und Philosophie in Deutschland* (1834) aus, wo er es durchaus begrüßt, daß sich Lessing und Nicolai gegen die »unfruchtbare Sentimentalität« des *Werther* gewandt hätten (4,235). Auch in der *Lutetia* (1854) äußert er sich höchst abschätzig über die »unmännliche Werther-Periode« (6,282). Ebenso unmißverständlich heißt es in den *Zeitgedichten* (1844): »Girre nicht mehr wie ein Werther, / Welcher nur für Lotten glüht« (1,311). Zöge man noch Heines ›Gespräche‹ hinzu, ließe sich diese Reihe mühelos verlängern. Mit dem »Jammerschrei eines schwärmerischen Tränensacks über den Abstand zwischen der bürgerlichen Wirklichkeit und seinen nicht minder bürgerlichen Illusionen über diese Wirklichkeit«, wie Friedrich Engels einmal den *Werther* charakterisiert[63], wollte sich selbst der junge, schwerleidende und liebeskranke Heine nicht identifizieren.

Unter einer solchen Perspektive betrachtet, ist der Schluß der *Harzreise* weniger eine Parodie als eine Umfunktionierung des Goetheschen *Werthers*, indem er den kuriosen Pistolenknalleffekt mit einem anderen Knalleffekt vertauscht, dem der selbstbewußten Persönlichkeit, die sich über allen Liebeskummer weit ›erhaben‹ fühlt. Sich aus bloßer Verliebtheit totzuschießen, findet Heine nach der *Harzreise* und dem *Buch Le Grand* nicht nur egoistisch, sondern geradezu dumm. So schreibt er in einem der Gedichte seines *Heimkehr*-Zyklus, der voller ironisierender *Werther*-Motive steckt: »Glaub nicht, daß ich mich erschieße, / Wie schlimm auch die Sachen stehn! / Das alles, meine Süße, / Ist mir schon einmal geschehn« (1,120). Damit wird zwar sein Liebeskummer nicht endgültig aus der Welt geschafft, aber als bewußter und unbewußter Hegelianer will sich Heine endlich ›höhere Ziele‹ setzen als solche subjektiv begrenzten, die ganz im Dunstkreis des Privaten verhaftet bleiben.

Daß ihm dabei gerade manche Aspekte von Goethes Existenz als der absolute Gegenpol seines eigenen Wesens erscheinen, beweist, wie hoch Heine hinauswill. Mit bloßer Eitelkeit läßt sich das nicht erklären. Es geht hier schon um mehr. Und zwar wird Heine diese diametrale Verschiedenheit – neben seiner *Werther*-Lektüre – vor allem bei seinem Besuch in Weimar klar geworden sein. Seine Briefe aus den Jahren 1825 und 1826 setzen sich daher ständig mit diesem Problemkreis auseinander. So schreibt er am 1. Juli 1825 an Moses Moser: »Im Grunde aber sind Ich und Goethe zwei Naturen, die sich in ihrer Heterogenität abstoßen müssen.« In einem Brief an Rudolf Christiani vom 26. Mai desselben Jahres heißt es: »Ich liege also im wahrhaften Kriege mit Goethe und seinen Schriften«, die ihn im Grunde seiner Seele immer »abgestoßen« hätten. Und zwar wendet sich Heine vor allem gegen Goethes ästhetisierenden Indifferentismus, dem jeder Sinn für irgendwelche überindividuellen Faktoren abgehe. Was er also Goethe und seinen Anhängern zum Hauptvorwurf macht, ist ihre maßlose Ichbezogenheit und damit ihre Neigung, die Angelegenheiten des eigenen Herzens zum Hauptgeschäft des Lebens und der Kunst zu erheben. Wer einem solchen Individualismus huldigt und den ›Lebensgenuß‹ als das Höchste betrachtet, was es auf Erden zu erringen gilt, wird deshalb von Heine in diesen Jahren unbarmherzig als Schmarotzer, Weichling und damit am ›Weltgeist‹ Unbeteiligter angeprangert. Manche dieser Anschauungen laufen durchaus mit jenen parallel, wie sie Pustkuchen in seinen falschen *Wanderjahren* (1821 ff.) vertritt, wenn sich auch Heine von allen moralisierenden Affekten weitgehend freizuhalten versucht. Denn auch Pustkuchen, der gar nicht so trivial argumentiert, wie sein Name vermuten läßt, vermißt bei Goethe jene altruistische »Begeisterung«, die man bei Schiller, Klopstock und Herder finde.[64] Goethe »verneint« nach seiner Meinung all jene »großen Ideen«, deren ein »bedeutendes« Kunstwerk ebenso bedürfe wie einer schönen Form.[65]

Im gleichen Sinne tritt auch Heine in seiner *Reisebilder*-Phase für alles Überpersönliche ein, das aus einer ›Idee‹ abgeleitet ist und somit das eigene Ich in ein größeres gesellschaftliches Beziehungsfeld stellt. Lessing, Herder und Schiller sind seine Idole, die sich in ihren Werken mit historischen oder ideellen

Problemen auseinandergesetzt hätten, statt sich in genüßlicher Selbstgenügsamkeit auf die Erlebnisse ihres eigenen Ich zu beschränken. Als bedeutsame Dichtung erscheint daher Heine in diesen Jahren nur das, was auf eine neue ›Befreiungsphase der Menschheit‹ hinzielt. Gerade in diesem Punkt hält er sich eng an Hegel, der in seinen *Vorlesungen über die Philosophie der Geschichte* die wahrhaft großen Männer als die »Geschäftsführer des Weltgeistes« bezeichnet hatte, die nie zum »ruhigen Genusse« ihrer selbst kamen, weil ihnen das Bedürfnis nach Veränderung als das Höchste erschienen sei.[66] Und so fühlt sich auch Heine in der Zeit der *Harzreise* als ein »Ritter von dem heil'gen Geist« (3,46), »bis zur Aufopferung begeistert für die Idee«, wie er am 1. Juli 1825 an Moser schreibt. Was sollte ihm da noch der *Werther* mit seinem endlosen Liebespalaver?

Heines Äußerungen gegen Goethe nehmen daher in den nächsten Jahren oft recht scharfe Formen an. Mit steigender Berühmtheit wächst auch in diesem Punkte sein Selbstgefühl, weshalb er manche seiner bisherigen Skrupel beiseiteschiebt. Dazu kam, daß ihm im Herbst 1827 hinterbracht wurde, daß sich Goethe im Gespräch höchst ungnädig über ihn geäußert habe. Er schrieb daher am 30. Oktober spontan an Moser: »Daß ich dem Aristokratenknecht Goethe mißfalle, ist natürlich. Sein Tadel ist ehrend, seitdem er alles Schwächliche lobt. Er fürchtet die anwachsenden Titanen. Er ist jetzt ein abgelebter Gott, den es verdrießt, daß er nichts mehr erschaffen kann. Raumer kann bezeugen, daß ich ihn schon vor drei Jahren nicht mehr geliebt.« Nur Varnhagen gegenüber drückt er sich auch weiterhin beschwichtigend aus und schreibt im Hinblick auf den ›großen Heiden‹: »Gehöre ich auch zu den Unzufriedenen, so werde ich doch nie zu den Rebellen übergehen.«[67] Doch schon ein Jahr später nennt er Goethe in seiner Menzel-Rezension öffentlich einen Spießer, der »unter den Honoratioren seines Provinzstädtchens ein ehrsam bürgerliches Leben führt, bis aufs Kleinlichste alle Philistertugenden zu erfüllen strebt« (7,256). Im »Schlußwort« zum 4. Band der *Reisebilder* heißt es 1831 noch schärfer: »Minister und wohlhabend – armes deutsches Volk! das ist dein größter Mann!« (3,503). In einem Brouillon zum Vorwort der *Kahldorf*-Schrift stehen sogar die abschätzigen Worte: »Großminister, Großhändler, Goethe«.[68] Doch in diesem Falle übte Heine lieber Selbstzensur. Um so offener drückte er sich dagegen in seinen *Französischen Malern* aus, wo Heine den Vertretern der Goetheschen Kunstschule vorwirft, ein »egoistisch isoliertes Kunstleben zu führen«, das heißt, sich einer »kümmerlichen Privatbegeisterung« hinzugeben und sich ansonsten gegen die »Freuden und Schmerzen der Zeit« hermetisch zu verschließen (4,72).

Doch trotz dieser aggressiven Sticheleien wollte Heine nicht mit grobschlächtigen Goethe-Gegnern wie Müllner, Menzel, Börne oder Spaun verwechselt werden, die an Goethe fast alles in Grund und Boden verdammten. Solche Pauschalurteile waren Heine viel zu undifferenziert und undialektisch. Und so spielt er auch im Falle Goethe stets das Pro gegen das Contra aus, um jeden Aspekt des Goetheschen Wesens und Werkes in der richtigen Perspektive zu sehen. Sein Urteil über den großen ›Weimaraner‹ ist daher höchst facettenreich. So wird etwa Goethes Lyrik, selbst in diesen Jahren, nur positiv erwähnt. Auch das Heidnisch-Klerikale erscheint stets unter zustimmender Perspektive. All das, was mit dem Phänomen ›Kunstperiode‹ zusammenhängt, wird dagegen als recht problematisch hingestellt. In diesem Punkte wollte er es lieber auf einen Bruch ankommen lassen, als dem Leser eine falsche Kontinuität vorzuspiegeln.[69] Was er dabei am schärfsten angreift, ist Goethes indifferenter Ästhetizismus, den Heine in einem Brief an Varnhagen vom 28. Februar 1830 mit der merkwürdigen Kühle dieses »großen Zeitablehnungsgenies« zu erklären versucht. »Es ist noch immer meine fixe Idee«, heißt es in dem gleichen Schreiben, »daß mit der Endschaft der Kunstperiode auch das Goethentum zu Ende geht; nur unsre ästhetisierende, philosophierende Kunstsinnzeit war dem Aufkommen Goethes günstig; eine Zeit der Begeistrung und der Tat kann ihn nicht brauchen.«

Diese Einstellung läßt sich zum Teil bis zur Niederschrift der *Romantischen Schule* verfolgen, obwohl Heine unter dem Einfluß der saint-simonistischen Schönheits- und Genußmoral seit der Mitte der dreißiger Jahre allmählich ein positiveres Verhältnis zu Goethe gewinnt. Auch seine Gegnerschaft zu Börne und die mit ihr verbundene Verteidigung des ›Poetischen‹ in der Poesie haben zu dieser Umorientierung beigetragen. Doch selbst in der *Romantischen Schule* ›reift‹ Heine noch nicht voll zu Goethe heran, wie man oft behauptet hat. So wird zwar die Kritik an Goethe mehr und mehr unter Blumen versteckt, verliert jedoch nicht völlig ihren Stachel. Anderes ist von einer Liebenswürdigkeit, die in ihrer Übertreibung fast etwas Beleidigendes hat. Nur in einem Punkte kämpft Heine nach wie vor ohne jedes Visier, nämlich in der Forderung, sich auch im Bereich des Dichterischen stets der »wirklichen Welt« zuzuwenden, anstatt sich wie Goethe mit nonchalanter Indifferenz in »individuelle Gefühle«, in »Natur« oder »Kunst« zu versenken (5,252). Während sich Schiller unentwegt für die »gesellschaftlichen Fortschritte der Menschheit« eingesetzt habe, lesen wir auf der gleichen Seite, habe sich Goethe lediglich als der bedeutendste Vertreter jener »Kunstperiode« hervorgetan, deren Werke man heute als »schöne«, aber zutiefst »unfruchtbare« Statuen bewundere und von denen sich kaum noch jemand zu entscheidenden »Taten« begeistern lasse (5,254). Statt also wie die Goetheaner den Fehler zu machen, die »Kunst selbst als das Höchste zu proklamieren«, ja sie als eine »unabhängige zweite Welt« zu betrachten, pocht Heine immer wieder auf die »Ansprüche jener ersten wirklichen Welt«, der nun einmal – selbst in ästhetischen Fragen – stets der »Vorrang« gebühre (5,251f.).

Diese Einstellung ist Heine oft als persönliche Ruhmsucht oder Eitelkeit ausgelegt worden. So hat schon Rahel gespottet, daß es Heine nicht lassen könne, sich mit Goethe zu verwechseln.[70] Doch was sollen uns solche rein psychologischen Urteile, die den wahren Sachverhalt eher verschleiern als ergründen. Wäre es nicht richtiger, auch in diesen Dingen das Private einmal beiseite zu lassen und von einer Betrachtungsweise auszugehen, die auch im Literarischen stets die dahinterstehenden politischen, sozialen und ökonomischen Faktoren mitzusehen versucht? Leider hat sich dieser Standpunkt im Hinblick auf Heine und Goethe nie recht durchsetzen können. Und so sieht man im 19. Jahrhundert, wie Goethes Ruhmeskurve im Laufe der Zeit genau in dem Verhältnis steigt, wie die von Heine sinkt. Vor allem das indifferente Bildungsbürgertum der zweiten Jahrhunderthälfte, das sich über das irdisch-politische Getriebe weit erhaben fühlte und sich daher dem Ideal der großen, saturierten Einzelseele verschwor, mußte in dieser Frage eher zu Goethe als zu Heine neigen. Goethe, der in den zwanziger bis vierziger Jahren noch im scharfen Kreuzfeuer zwischen rechts und links gestanden hatte, stieg so nach der gescheiterten Achtundvierziger Revolution zu einem alles überstrahlenden Leitbild, zum Halbgott, zum Olympier auf, wie ihn dann die Gründerzeit verehrte, während Heine mehr und mehr Schimpfwörter wie die vom gewissenlosen Journalisten, vom Französling, vom zersetzenden Intellektuellen oder gar knoblauchstinkenden Judenjüngling angehängt wurden.[71] Indem man Heine so stark aus dem deutschen Bewußtsein verdrängte, wie Fritz Strich im Jahre 1947 schrieb, konnte es schließlich zu der fatalen Fehlentwicklung kommen, »daß Goethes ungeheure Wirkung den nachteiligsten Einfluß auf die politische und soziale Entwicklung des deutschen Völkes hatte«.[72] Das mag leicht übertrieben sein – und ist doch nicht völlig aus der Luft gegriffen.

NORDSEE III

(E: Oktober/November 1826)

Zur Dialektik des Fortschritts

»Ein geflickter Strumpf ist besser als ein zerrissener; nicht so das Selbstbewußtsein«
(Georg Wilhelm Friedrich Hegel).

Heines *Nordsee III* galt lange Zeit als ein zusammenhangloses Geschreibsel, das im Rahmen des zweiten *Reisebilder*-Bandes eine Art Lückenbüßer bilde. So behauptet Ernst Elster, einer der *Grand Old Men* der Heine-Forschung: »Plan und Ordnung sucht man hier vergebens. Dinge, die zusammen gehören, sind weit auseinandergerissen, und vieles erscheint in dem jeweiligen Zusammenhange überhaupt entbehrlich.«[1] Und zwar stützt man sich bei solchen Behauptungen meist auf Heine selbst, der sich im Spätherbst 1826, in der Entstehungszeit dieses Werkes, noch recht unsicher über den Wert dieses essayartigen Gebildes war. Gedrängt durch seinen Verleger Campe, doch endlich das Manuskript zum zweiten *Reisebilder*-Band abzuliefern, sah sich Heine damals in der Tat nach sogenannten ›Lückenbüßern‹ um, um die berüchtigte Zwanzigbogengrenze zu erreichen und somit die Vorzensur zu umgehen. Er warf deshalb in die Gußmasse dieses Bandes nicht nur reines Silber, sondern auch manches Zinn und Blei, wie er später entschuldigend schreibt.[2] Doch mit diesen »zinnernen« Bruchstücken sind wohl vor allem die *Briefe aus Berlin* gemeint, die Heine bereits in der zweiten Auflage wieder entfernte. Die »Nordseereisebriefe«, wie er sie in einem Schreiben vom 14. Oktober 1826 an Moses Moser nennt, wurden dagegen in den weiteren vier Auflagen unverändert beibehalten. In ihnen hatte Heine offenbar doch eine Form gefunden, die ihm sehr zusagte. Er selbst charakterisiert sie als eine Schreibart, »worin ich ›von allen Dingen und von noch einigen‹ sprechen kann«, um noch einmal den Brief an Moser zu zitieren.

Und diese verschiedenen Dinge werden dann in *Nordsee III* allerdings recht bunt aneinandergereiht: die Norderneyer Insulaner, der Typ des Intellektuellen, Macht und Verfall der katholischen Kirche, der ›zersetzende‹ Einfluß der Badegäste auf die Mores der Insulaner, Bemerkungen über Münzsorten, der durch Pustkuchens falsche *Wanderjahre* ausgelöste Streit um Goethe, Tugendpöbel und erotische Freizügigkeit, die Sagen und Märchen des Meeres, Seelenwanderung, germanische Vorgeschichte, badende Damen und ihre Wirkung auf die Männerwelt, die Arroganz des hannoverschen Adels, die mediatisierten deutschen Fürsten, die neueste Napoleon-Literatur, Walter Scott und Lord Byron, Segurs Napoleon-Epos und die deutsche Bagatell-Literatur nach dem fragwürdig-glorreichen Ende der sogenannten ›Befreiungskriege‹.

Das wirkt auf den ersten Blick ziemlich zusammenhanglos, ja geradezu chaotisch. Doch schon beim zweiten Lesen merkt man, wie geschickt die einzelnen Teilelemente durch raffinierte Ideenassoziationen und Kontrastvergleiche miteinander verwoben sind.[3] Überall wird durch dialektische Antithesen oder auch starre Antinomien auf die Widersprüche zwischen Einst und Jetzt, Arm und Reich, Oben und Unten, Deutschland und Frankreich oder Naiv und Zerrissen hingewiesen, wodurch zwar der Eindruck des absolut Zersplitterten entsteht – jedoch in dieser absoluten Zersplitterung zugleich eine strikt durchgeführte Methode, eine gleichbleibende Sehweise, ein Gesamtimpetus erkennbar bleibt, der in seiner konsequenten Fragmentierung durchaus einheitsstiftend wirkt.

Dazu kommt, daß man im Hintergrund dieses Werkes die ›ewige Melodie‹ des Meeres zu vernehmen scheint. Die Gedankenschübe folgen aufeinander wie die Wellen, die sich am Ufer überstürzen und dann wieder ins Meer zurückgenommen werden. »Wenn einem beständig das Meergeräusch in die Ohren dröhnt und den Geist nach Belieben stimmt«, schreibt Heine an einer Stelle, wie lassen sich da »Abschweifungen« vermeiden (3, 100). Ja, zwei Seiten später heißt es noch emphatischer: »Oft wird mir sogar zu Mute, als sei das Meer eigentlich meine Seele selbst.« In diesem Sinne könnte man die *Nordsee III* als ein ›Seestück‹ interpretieren: ein Werk von beunruhigender, fast revolutionärer Dynamik, wechselhaft wie das Meer, ständig in

Bewegung und daher nie völlig zur Ruhe kommend. Das Ganze wirkt wie der Ausdruck einer flackernden Unruhe, einer Veränderungssucht, die immer wieder gegen dieselben Ufermauern anzubranden scheint, schmerzlich zurückgeworfen wird und dennoch weiter stürmt. Es ist das Werk eines Reisenden, dessen Stimmungen unentwegt wechseln, der ortlos umhergetrieben wird und jeden Tag voller Sehnsucht nach neuen Zielen Ausschau hält.[4]

All das kennt man aus den Werken Byrons und der sogenannten ›byronistischen‹ Schule auf dem Kontinent, die in der Stickluft der Restauration nach dem Wiener Kongreß von 1815 zu den wenigen Ventilen eines frustrierten Lebensverlangens gehörte und damit – bewußt oder unbewußt – zum Ausdruck politischer Unzufriedenheit wurde. So flieht auch der Held von *Berthold's Tagebuch* (1826), das Heine damals las, aus Welt- und Liebeskummer an die Nordsee und erlebt dort das Meer als das »Bild eines nie verlöschenden Schmerzes mit seinen vergeblichen Träumen und Wünschen«.[5] In der Germanistik hat sich dafür der etwas bläßliche und zudem geistesgeschichtlich vorbelastete Terminus »Weltschmerz« eingebürgert[6], der meist rein individualpsychologisch oder existentiell ausgelegt wird. Wie bei all solchen Stilisierungen ins ›Allgemein-Menschliche‹ müßte man auch hier in Zukunft politisch etwas genauer differenzieren. So ist zwar Heines *Nordsee III* durchaus ein ›weltschmerzliches Seestück‹, aber doch zugleich ein typisches ›Werk der Bewegung‹, das recht ungebärdig gegen alles Festgefahrene, Ideologisch-Fixierte und Status-quo-Verhaftete zu Felde zieht. Seinem Autor ist immer dann am wohlsten, wenn sich das Meer von seiner stürmischen Seite zeigt, »wenn es tobt«, wie es in einem Brief vom 14. Oktober 1826 an Karl Immermann heißt. An solchen Tagen fühlt sich Heine ganz in seinem »Element«. Hier kann er sich miterregen, mittoben, als sei er selber vom Wirbel der Winde erfaßt. Bezeichnenderweise bleibt es jedoch nicht bei diesen atmosphärischen Reizen. Eine bloße Stimmung, und mag sie noch so überwältigend sein, ist für Heine kein ideologisches Bindeglied. Wie überhaupt ›Bewegung‹ für ihn nie etwas Naturhaftes, sondern stets etwas Geschichtliches bedeutet. Statt wie die Philister und andere Status-quo-Vertreter das Immergleiche zu preisen, pocht er auf Veränderung. Das Meer liefert nur die Poesie oder besser die Musik zu diesem Credo.

Was daher dieses Werk im Innersten zusammenhält, ist letztlich doch etwas Tieferes als eine von der Wellenbewegung inspirierte Ideenassoziation. Ähnlich der versunkenen Stadt Vineta, auf die an einer Stelle angespielt wird (3,102), zeichnet sich unter der Oberfläche des Ganzen ein genau durchdachtes geschichtsphilosophisches Grundkonzept ab, das jeden Wandel aus sozialhistorischen Entwicklungsgesetzen abzuleiten versucht.[7] Genau betrachtet, geht es Heine überhaupt nicht um Wellen, sondern um Epochen. Statt sich dem ziel- und sinnlosen Wechsel hinzugeben, deutet er ständig auf klar erkennbare Etappen der geschichtlichen Veränderung hin. Dieses ›epochale‹ Denken verbindet Heine mit dem breiten Strom jener französischen und deutschen Aufklärungstradition (Voltaire, den Enzyklopädisten, Lessing, Herder), deren Hauptideen er sich schon auf dem Düsseldorfer Lyceum angeeignet hatte, die er jedoch jetzt – unter dem Eindruck seines Studiums in Berlin – immer stärker mit den geschichtsphilosophischen Intentionen Hegels verbindet.[8] Seit dem Wintersemester 1822/23, in dem er bei Hegel die »Philosophie der Weltgeschichte« hörte, und seit seiner Freundschaft mit Eduard Gans und Moses Moser, mit denen er sich ständig über Hegel unterhielt und stritt, sieht Heine in der Geschichte immer stärker einen klar erkennbaren »Stufengang«[9], das heißt einen »Fortschritt im Bewußtsein der Freiheit«[10], der im Laufe der Entwicklung einmal in der Selbstrealisierung der Menschheit kulminieren wird. Die ersten Symptome für diese hegelianische Wende seines Denkens finden sich in der Schrift *Über Polen* von 1823 (7,205) und dann in der *Bergidylle* seiner *Harzreise* von 1826, wo er in Anlehnung an Hegels Weltgeist-Spekulationen von den »Rittern von dem heil'gen Geist« und zugleich von den drei Stufen der Entwicklung zur Freiheit spricht (3,45 f.), die jedoch in der *Harzreise* noch in die Formen des Vaters, des Sohnes und des heiligen Geistes eingekleidet werden.

In *Nordsee III* werden solche Anklänge an Hegel wesentlich konkreter. Statt bloß geistesgeschichtlich zu spekulieren, wird hier direkt von der sozialhistorischen Anschauung ausgegangen. Und als solche präsentiert sich ihm auf Norderney ein Klassensystem, das aus drei Komponenten besteht: den armen Insulanern, den aristokratischen Badegästen und einem bürgerlichen Intellektuellen, namens Heine. Damit wird von vornherein eine gesellschaftliche Ausnahmesituation anvisiert, die sich bei Heine sonst in dieser Schärfe nirgends wiederfindet. Doch gerade im Exzeptionellen lassen sich die Signaturen einer bestimmten Epoche manchmal um so deutlicher erkennen.

Bei den Insulanern wird vor allem der ›kindliche Naturzustand‹ hervorgehoben. Durch ihre geographische Isolierung weit hinter der allgemeinen Entwicklung zurückgeblieben, stellen sie fast noch ein Stück lebendes Mittelalter dar. Obwohl sie weitgehend Fischer und Matrosen sind und ihnen daher die ganze Welt offensteht, ist ihnen daheim »am wohlsten zu Mute« (3,91). Wohin sie auch Wind und Wellen verschlagen, selbst in »jenen südlichen Ländern, wo die Sonne blühender und der Mond romantischer leuchtet«, haben sie stets Sehnsucht »nach ihrer Sandinsel, nach ihren kleinen Hütten« (3,91). Was sie zu Hause so »fest und genügsam« zusammenschmiegt, sind vor allem die »Gewohnheit, das naturgemäße Ineinander-Hinüberleben, die gemeinschaftliche Unmittelbarkeit« (3,91). Hegel spricht im Hinblick auf solche archaischen Verhältnisse gern von der »Einheit des Gefühls, der Liebe und des Zutrauens gegeneinander«.[11] Weil sie alle die »gleiche Geistesniedrigkeit«, die »gleichen Bedürfnisse«, die »gleichen Erfahrungen und Gesinnungen« haben, wie Heine schreibt, herrscht bei ihnen ein »leichtes Verständnis untereinander« (3,92). Im Winter sitzen sie »verträglich am Feuer in ihren kleinen Hütten«, hören wir weiter, »rücken zusammen, wenn es kalt wird«, und »an den Augen sehen sie sich ab, was sie denken, die Worte lesen sie sich von den Lippen, ehe sie gesprochen sind, alle gemeinsamen Lebensbeziehungen sind ihnen im Gedächtnisse, und durch einen einzigen Laut, eine einzige Miene, eine einzige stumme Bewegung erregen sie untereinander so viel Lachen und Weinen oder Andacht, wie wir bei unseresgleichen erst durch lange Expositionen, Expektorationen und Deklamationen hervorbringen können« (3,92). Trotz aller Sympathie für die Lebensweise dieser Menschen wird damit keine rousseauistische Verklärung angestrebt. Heine sieht diese Insulaner völlig realistisch: als Vertreter einer Menschheitsstufe, deren Naivität aufs engste mit ihrem undifferenzierten Sozialgefüge zusammenhängt. Wie schon bei den Zellerfelder Bergleuten in der *Harzreise* handelt es sich hier um eine Gesellschaftsschicht, deren kindlicher Charme keine besondere Tugend darstellt, sondern der sich nur aus ihrer sozialen und ökonomischen Rückständigkeit erklären läßt.

Ihnen gegenüber steht in extremster Gegenposition der einsame Intellektuelle mit seinem fortgeschrittenen Bewußtsein. Während die Insulaner als die ›Naiven‹ charakterisiert werden, die sich aufgrund ihrer unterentwickelten Geistigkeit noch kindlich freuen können, erscheint er als der melancholische, in sich gespaltene Hypochonder, der mit sich und der Welt in Disharmonie lebt. Ob sich darin ein Einfluß von Schillers Schrift *Über naive und sentimentalische Dichtung* verbirgt, läßt sich nur vermuten, da Heine weder direkt noch indirekt darauf anspielt. Jedenfalls steht auf der einen Seite eine archaische, auf der anderen eine avancierte Lebensart, zwischen denen offenbar keine Vermittlung möglich ist. Was hier an Gegensätzen aufklafft, läßt sich weder psychologisch noch geistig überbrücken, da die Gesinnung und das Sozialverhalten dieser beiden Gruppen auf zwei Weltzeitalter zurückgehen, die durch absolut verschiedene Bewußtseinsgrade voneinander getrennt sind.

Und doch wird diese Gegensätzlichkeit in einer höchst paradoxen (oder dialektischen) Weise miteinander verschränkt: das Alte erscheint als primitive Zufriedenheit, das Neue als beseligende Unzufriedenheit, wodurch die von Heine bereits auf den ersten Seiten so leidenschaftlich proklamierte Idee des Fortschritts einen höchst fragwürdigen Charakter bekommt. Zerstört hier das Böse-Neue das Gute-Alte? Wird hier das Glück der Bewußtlosigkeit gegen das unglückliche Bewußtsein ausgespielt? Zweifelt hier der Geist an sich selbst? Zum Teil schon – aber doch nicht ganz! Denn es ist ja nicht der einsame Intellektuelle, der den Norderneyer Insulanern auf diabolisch ›zersetzende‹ Weise das Bewußtsein neuer Bedürfnisse und damit gesteigerter Lebenserwartungen suggeriert; es sind die aristokratischen Badegäste, die diese kulturauflösende Rolle spielen. Heine geht auch in diesem Punkt von rein materialistischen Gesichtspunkten aus, indem er die gesellschaftlichen Veränderungen als Teil des allgemeinen Kapitalisierungsprozesses in Europa begreift und damit in größere sozio-ökonomische Zusammenhänge rückt. Es ist die neue Geldgesellschaft adlig-großbürgerlicher Provenienz mit ihrem Egoismus und ihren neuen Mores, die sich in Norderney inmitten der alten Insulanerkultur einnistet und dort wie ein Krebs zu wuchern beginnt. Doch Heine hat zugleich den Mut, auch sich selbst – wenigstens zum Teil – in diese Clique einzubeziehen. Denn auch er ist ja ein Vertreter der ortsfremden Badegesellschaft.

Auch er spielt, jagt und flirtet. Auch er ist – trotz seiner relativ kleinen Barschaft – im Vergleich zu den armen Insulanern immer noch ein Krösus.

Die Gesellschaft, wie sie Heine auf Norderney schildert, ist daher letztlich nicht in drei, sondern nur in zwei verschiedene Gruppen – die Insulaner und die Badegäste – gespalten. Doch selbst diese Klassifizierung stimmt nur zum Teil. An sich ist hier bereits die gesamte Gesellschaftsordnung in Umwandlung, Auflösung und Veränderung begriffen. Obwohl die Badegäste ein relativ neues Phänomen darstellen, das heißt erst seit 1800, ja eigentlich erst seit 1815 nach Norderney kommen[12], scheint die ursprüngliche Naivität der Insulaner schon merklich im Schwinden zu sein. Durch den Geldimport, die Zeitungen, die vom Festland angeheuerte Prostituierte[13], das Roulettespiel, das Flirten und Spazierengehen der Badegäste sind die Norderneyer in ihren eigenen Verhaltensweisen bereits recht unsicher geworden. Sie haben plötzlich Wünsche und Erwartungen, die ihnen in den Jahrhunderten ihrer Isolierung überhaupt nicht in den Sinn gekommen wären. Sie »stehen an der Grenze einer neuen Zeit«, schreibt Heine mit der Objektivität eines Soziologen, »und ihre alte Sinneseinheit und Einfalt wird gestört durch das Gedeihen des hiesigen Seebades, indem sie dessen Gästen täglich etwas Neues ablauschen, was sie nicht mit ihrer altherkömmlichen Lebensweise zu vereinbaren wissen« (3,93f.). Heine fühlt sich dabei deutlich an seine eigene Kindheit erinnert, wo ihn ähnliche Gefühle übermannten, wenn er sich plötzlich »schön gebackenen Torten« oder »modisch entblößten Damen« gegenübersah. Die gleichen Regungen konstatiert er jetzt bei den Norderneyer Insulanern, die »noch immer in einem Kindheitszustande leben«, wie er behauptet, und daher die »Gelegenheit zu ähnlichen Empfindungen« haben (3,94), wenn sie das Schmausen, Spielen und Poussieren der Badegäste mitansehen müssen.

Doch nicht genug damit. Die Erkenntnis vom notwendigen Verlust der kindlichen Naivität im Zuge der geschichtlichen Entwicklung wird in späteren Abschnitten von *Nordsee III* zu einer allgemeinen Klage über den Verlust aller früheren National- und Kultureigentümlichkeiten ausgeweitet. Es geht hier nicht nur um das Leben der Norderneyer Insulaner, es geht hier um die Bedrohung aller älteren Kulturen, was dieser Schrift erst ihre eigentliche Relevanz verleiht. So schreibt Heine anläßlich der Romane Walter Scotts, daß es weniger »ihre poetische Kraft« als ihr »Thema« sei, dem sie ihre ungewöhnliche Popularität verdankten (3,115). Und dies Thema ist für ihn nicht bloß die »elegische Klage über Schottlands volkstümliche Herrlichkeit, die allmählich verdrängt wurde von fremder Sitte, Herrschaft und Denkweise; sondern es ist der große Schmerz über den Verlust der National-Besonderheiten, die in der Allgemeinheit neuerer Kultur verloren gehen, ein Schmerz, der jetzt durch die Herzen aller Völker zuckt« (3,115). Denn nicht allein im lange isolierten schottischen Hochland, überall werde heute die »behaglich enge Weise der Altvordern durch weite, unerfreuliche Modernität« verdrängt (3,116). Überall flöhen die Gläubigen aus den katholischen Domen, den jüdischen Synagogen und indischen Tempeln. Überall legten die Völker ihre alten Kostüme ab, gäben ihre hergebrachten Sitten und Gebräuche auf und verlören den Bezug zu ihren Märchen, Sagen und heroischen Epen. Heine sieht darin nichts Partikulares, auf einen bestimmten Ort Beschränktes. In diesem Prozeß manifestiert sich für ihn die konsequente Zersetzung jener »uralten Weltordnung« (3,116), in der alle Kulturen noch auf einer totalitären Harmonie von Politik, Religion und Sozialleben beruhten, die noch keine Individuation zuließ und die daher etwas imponierend Geschlossenes hatte.

Die Frage ist nur: Stimmt Heine in diese Klage ein? Wie stellt er sich zu diesem weltweiten Prozeß? Wird er aufgrund der beobachteten Vorgänge zum Scott-Anhänger, zum vergangenheitssüchtigen Romantiker, zum Vertreter einer allgemeinen Nostalgie? Teils ja, teils nein. Er bedauert zwar, daß die alten kulturellen Zusammenhänge unbarmherzig auseinandergerissen würden. Aber er blickt ihnen nach, wie man seiner entschwundenen Kindheit nachblickt: mit leiser Trauer und doch mit der Einsicht in die Unwiederbringlichkeit solcher Lebens- und Menschheitsstadien. Jeder Versuch, das moderne ›Bewußtsein‹ einfach abzuschütteln und wieder zu früheren Entwicklungsstadien zurückkehren zu wollen, erscheint ihm dagegen von vornherein als reaktionär.[14]

Und zwar macht es sich Heine nicht leicht in seiner Analyse jener ideologischen Haltungen, die angesichts der »unerfreulichen Modernität« einen Regreß zum Guten-Alten propagieren. Da wäre erst einmal seine Kritik an dem rousseauistischen Bemühen, der sogenannten ›Sittenverderbnis‹ innerhalb der modernen Zivilisationen die Tugendidylle des ›edlen Wilden‹ oder geistig Zurückgebliebenen als Vorbild entgegenzuhalten. Während Heine in der *Harzreise* die naive Unschuld der kindlichen Bergleute noch im Sinne von Gessner und Voss leicht verklärt hatte, hält er sich jetzt bei der Beurteilung des Idyllischen eher an Hegel und verzichtet auf alle falschen Sentimentalitäten. In Hegels *Ästhetik* wird das Idyllische einfach mit »langweilig« identifiziert.[15] Eine »in dieser Weise beschränkte Lebensart« setzt für ihn stets »einen Mangel in der Entwicklung des Geistes voraus«.[16] Ja, Hegel behauptet ausdrücklich, daß Idyllisches nie ohne eine »Armut geistiger Interessen« denkbar sei.[17] Und so verwirft auch Heine das Festkleben am Idyll als blinden Rousseauismus. Er verfällt nicht noch einmal der Illusion, die verlorengegangene Totalität älterer Kulturzusammenhänge wenigstens im Idyll beibehalten zu wollen und sich in der Ausmalung einer abseitigen Kleinwelt zu gefallen. Welch ausgesprochen reaktionäre Tendenz dieser idyllisierende Zug in der Biedermeierliteratur inzwischen angenommen hatte, sieht auch Heine nur allzu genau. Heimeliges und Provinzlerisches wird daher in steigendem Maße mit negativen Akzenten versehen. Man denke an die *Reise von München nach Genua*, wo es einmal in polemischer Überspitzung gegen alles Idyllische heißt: »Die Tiroler sind schön, heiter, ehrlich, brav und von unergründlicher Geistesbeschränktheit. Sie sind eine gesunde Menschenrasse, vielleicht weil sie zu dumm sind, um krank zu sein« (3,235).

Ebenso radikal verurteilt Heine alle Versuche, längst ›historisch‹ gewordene Epochen zu ideologischen Leitbildern der gegenwärtigen oder gar zukünftigen Situation zu erheben. So wendet er sich in *Nordsee III* mit unmißverständlichen Worten gegen die burschenschaftliche Germanenschwärmerei (3,106), der er als Schüler Ernst Moritz Arndts einmal selber gehuldigt hatte, die ihm jedoch jetzt als kindliche Marotte erscheint. Die Tacitus-Germanen zu Vorbildern neuer Einfachheit zu stilisieren, kommt ihm ebenso absurd vor, als wolle man die alten germanischen Götterbilder wieder aus dem Staub der Vergangenheit hervorholen. Noch gefährlicher als solche Studenteneseleien empfindet er natürlich die offizielle Verhimmelung des Ancien régime, mit der man nach der Französischen Revolution und den Napoleonischen Kriegen wieder die Heilige Allianz von Thron und Altar zu stützen versuchte. Überhaupt erscheint Heine jeder Regreß zum Mittelalter, ob nun in künstlerischer, religiöser oder politischer Hinsicht von vornherein als Unmöglichkeit. Dinge, die im Mittelalter – aufgrund relativ unentwickelter Geistesverfassung – noch eine geschichtliche Rechtfertigung gehabt hätten, können sich nach seiner Meinung bei fortgeschrittenem ›Bewußtsein‹ nur noch als Unterdrückung, als nackte Gewalt äußern. »Es läßt sich nicht leugnen«, schreibt Heine an einer Stelle mit hegelianischer Einsicht in die Unwiederholbarkeit solcher Prozesse, »daß [durch die katholische Kirche im Mittelalter] viel ruhiges Glück gegründet ward und das Leben warm-inniger blühte, und die Künste, wie still hervorwachsende Blumen, jene Herrlichkeit entfalteten, die wir jetzt noch anstaunen« (3,92). Doch wie Hegel betrachtet er diese ›goldene Zeit des Mittelalters‹ als etwas endgültig Vergangenes. Selbst in der Kunst wird daher jeder Versuch, wieder zur Gotik zurückkehren zu wollen, wie er damals von den Neogotikern und Nazarenern propagiert wurde, als ideologische Hochstapelei zurückgewiesen. Denn eine solche Kunst setzt nach Heines Meinung jene »Gedanken- und Gefühlsgleichheit« totalitärer Art voraus, wie man sie heute – beispielsweise – nur noch bei den Norderneyer Insulanern finde (3,92). Als noch vergeblicher empfindet er alle Bemühungen, die Menschen sogar im Geistigen und Moralischen wieder an das »Gängelband« einer Religion zu nehmen, die durch den Gang der historischen Entwicklung längst zur Lüge geworden sei. »Gott weiß«, heißt es einmal zynisch, »daß ich ein guter Christ bin, und oft sogar im Begriffe stehe, sein Haus zu besuchen, aber ich werde immer wieder fatalerweise daran verhindert« (3,95). Wer noch an solche Organisationen glaubt, entlarvt sich nach Heines Meinung als Vertreter jenes regressiven »Tugendpöbels«, für den jede Art von Fortschritt von vornherein ein Werk des Teufels ist (3,96).

Als ebenso antiquiert, ja geradezu anachronistisch wird der Adel hingestellt, jene der Jagd frönende Klasse, die sich wieder jene »Zeiten zurückwünsche, wo auch die Menschen zur hohen Jagd gehörten« (3,103). Heine meint damit in *Nordsee III* vor allem die hannoverschen Junker mit ihrem blinden»Adelsstolz« und ihren »andressierten Formen« (3,108f.), die lediglich auf die Erhaltung ihrer alten Privilegien bedacht seien. In ihnen sieht er die unverblümtesten Exponenten der Metternichschen Restauration, die mit ihren religiösen Ganzheitskonzepten und ihrer patriarchalischen Gesellschaftsordnung direkt an die Ideologie des Ancien régime anzuknüpfen versuche.

Nicht ganz so kritisch (und doch ablehnend) verhält sich Heine dem ›neutralistischen‹ Objektivitätsbegriff des alten Goethe gegenüber, hinter dem er eine bewußt reaktionäre Tendenz vermutet. Dieser Mann ist für ihn der »Wolfgang Apollo« (3,97), der sich um das kleinliche, ›politische‹ Treiben der übrigen Erdbewohner überhaupt nicht mehr bekümmere. Goethe erscheint daher in *Nordsee III* wie ein Halbgott, der in schöner Objektivität seine Kunst kultiviert und sich mit derselben schönen Objektivität in die Natur versenkt. Nicht die Fakten der Geschichte interessierten dieses große »Zeitablehnungsgenie«, sondern einzig die Naturformen der Kunst und die Kunstformen der Natur. So schildere er etwa die verschiedenen Teile Italiens, wie Heine behauptet, lediglich in jenen »Umrissen und Farben, womit sie Gott umkleidet« (3,99). Statt sich für irgend etwas zu begeistern oder es nötigenfalls zu kritisieren, betrachte er alles mit seinem »klaren Griechenauge«, als wäre es eben erst geschaffen. Daher wirkten seine Werke so »gesund«, so »einheitlich«, so »plastisch«, so »unmittelbar«. Und zwar sei diese sinnliche Objektivität so stark, daß sich Goethe überhaupt nicht ›bewußt‹ werde, wie »plastisch« er die Welt eigentlich darstelle. In seiner »naiven Unbewußtheit« wundere er sich dann, heißt es an einer Stelle ironisch, »wenn man ihm ein ›gegenständliches Denken‹ zuschreibt«.[18] Damit ist indirekt angedeutet, daß Goethe als ›gesunder‹ Egoist stets an der Oberfläche bleibe, statt sich in den geschichtlichen Wandel einzulassen oder sich gar politisch zu engagieren – also gerade das meidet, was Heine, dem »Schwärmer der Idee«, als das Wichtigste im Leben erscheint.[19] Denn Heine ist in diesen Jahren mit Hegel davon überzeugt, daß der Gedanke der Progressivität sowohl die schöne Kunst als auch die schöne Natur längst überflügelt hat und damit die objektive ›Form‹ nicht mehr zu den »höchsten Bedürfnissen des Geistes« gehört.[20] Und damit scheidet für Heine auch der alte Goethe als ideologisches Leitbild eines zutiefst ›historischen‹ Verständnisses der Allgemeinverhältnisse aus.

Um also solchen Rückfällen ins Idyllische, Rousseauistische, Germanische, Mittelalterliche, Romantische, Restaurative oder Objektivistische von vornherein aus dem Wege zu gehen, gibt sich Heine in *Nordsee III* bei der Betrachtung des Weltgeschehens so offen und formlos wie nur möglich. Das Ganze ist weder ein objektiver Reisebericht noch eine literarische Satire, weder ein wissenschaftlicher Aufsatz noch ein politischer Traktat. Es ist alles von allem, da nach strikt ›historischer‹ Sicht alles mit allem zusammenhängt. Heine verzichtet daher ganz bewußt auf das ästhetisch Abgerundete und stellt einen Komplex sich widerstreitender Ideen dar, in dem sich die dialektische Gespaltenheit des allgemeinen Weltzustandes widerspiegeln soll. Er hat mit Hegel verstanden, daß selbst die literarische Gattung mit der jeweiligen Entwicklungsstufe des Weltgeistes korrespondieren muß. Und so ist Heines *Nordsee III* der absolut adäquate Ausdruck einer ortlosen, kritisch-reflektierenden und ständig relativierenden Gesinnung, die sich nur in Kontrasten, Antithesen und Ideenassoziationen ausdrücken kann. Vielleicht sollte man dafür in Zukunft Gattungsbezeichnungen wie Mémoire oder Melange einführen.

Denn in diesem Werk ist alles subjektiv fragmentiert und in unentwegter Entwicklung begriffen. Nirgends finden sich Fixpunkte, an denen sich eine Status-quo-Ideologie festhaken könnte. Nirgends schließt sich etwas zu einem restaurativ-biedermeierlichen Ganzheitskonzept zusammen, um der Welt wieder ein metaphysisches Notdach zu geben. Hier wird radikal mit der Erkenntnis ernst gemacht, daß sich in der Weltgeschichte nichts wiederholt, sondern alles in unablässiger Bewegung ist und daher jeder Rückkehrversuch zwangsläufig ins Reaktionäre tendiert.[21] ›Wahrheit‹ wird somit zu dem, was nach Hegel erst am Ende der Weltgeschichte wirklich zu sich selber kommt. Bis dahin ist für Heine alles steigende Bewußtwerdung, steigende Individualisierung, und zwar in ständiger Auseinandersetzung des noch Unbewußten mit dem Bewußten, des Alten mit dem Neuen. Es liegt deshalb Heine nichts ferner, als auf dem Schleichweg über das Idyllische, Ganzheitliche oder Geschlossene den Eindruck einer abgerundeten Weltanschauung erwecken zu wollen. Er gibt lediglich Impulse, Anregungen, Intentionen, Reflexionen, Gedanken, Ideen. Im Gegensatz zu den Spätromantikern oder Biedermeierdichtern posiert er nicht mit einer geheuchelten Totalität, da er überzeugt ist, daß der Zustand der »Allwissenheit« nur in Epochen mit beschränkteren Bewußtseinsformen möglich war (3,153). Heine fühlt zwar, wie in seinem Unterbewußtsein aus der »Tiefe eines Jahrtausends« manchmal noch Fetzen »uralter

Weisheiten« ans Tageslicht drängen, aber er sieht zugleich ein, daß sich diese prähistorischen Vorerinnerungen nicht mehr zu einem ›Ganzen‹ zusammenfügen lassen. Er bekennt daher offen, daß ihm »all unser kluges Wissen, Streben und Hervorbringen« angesichts eines allumfassenden Weltgeistes notwendig »klein und nichtig« vorkomme (3,153). Dennoch sieht er in dieser Tatsache keinen Grund zum Verzweifeln. Wirkliche Fortgeschrittenheit besteht nun einmal für Heine darin, der Welt mit kritischer Offenheit gegenüberzutreten, anstatt sich wie die biedermeierlichen Status-quo-Vertreter nach alter Tradition ›geschlossene‹ Weltbilder aufschwatzen zu lassen, in denen sich lediglich die Autoritätsansprüche des Establishments manifestieren. Dumme glauben nach seiner Meinung alles zu wissen, während die Klugen aufgrund ihrer größeren Aufgeschlossenheit allem Neuen gegenüber zu der notwendigen Erkenntnis kommen, daß sie nur über ein fragmentarisches Teilwissen verfügen. Widersprüchlichkeit, Entfremdung und Subjektivierung sind daher für Heine die objektiven Elemente eines über den totalitär verfestigten Zustand der Welt hinausgewachsenen freiheitlichen Bewußtseins.

Das ideologische Schlagwort, daß er dafür gebraucht, ist der Begriff ›Zerrissenheit‹, der durch ihn zu einem Modewort der gesamten jungdeutschen Bewegung wurde.[22] Obwohl dieser Terminus schon im Sturm und Drang, bei Jean Paul, Hölderlin, Kleist und in Goethes *Wahlverwandtschaften* eine gewisse Rolle spielt, hat er bei Heine eher den Charakter, wie ihn Hegel in seiner *Phänomenologie des Geistes* (1807) gebraucht. Bereits Hegel versteht den Begriff ›Zerrissenheit‹ nicht individualpsychologisch, sondern bezieht ihn auf den allgemeinen Weltzustand. So heißt es in der Einleitung zur *Phänomenologie*, daß der Geist seine »Wahrheit« nur dann gewinne, »indem er in der absoluten Zerrissenheit sich selbst finde«.[23] An anderen Stellen ist von dem »zerrissenen Selbst der Welt der Bildung«[24] oder von der dialektischen Gewalt der Geistesentwicklung die Rede, durch welche die »*schöne* Einheit des *Vertrauens* und der unmittelbaren Gewißheit« unbarmherzig »auseinandergerissen« werde.[25]

Fast die gleichen Äußerungen finden sich in *Nordsee III*. Statt von privaten Liebesschmerzen zu reden, wird hier die ›Zerrissenheit‹ stets auf grundsätzlich ideologische Probleme bezogen. So heißt es an einer Stelle geradezu programmatisch:

»Der Meinungszwiespalt in mir selbst gibt mir wieder ein Bild von der Zerrissenheit der Denkweise unserer Zeit« (3,93). Noch deutlicher heißt es ein paar Jahre später in den *Bädern von Lucca*: »Ach, teurer Leser, wenn du über jene Zerrissenheit klagen willst, so beklage lieber, daß die Welt selbst mitten entzweigerissen ist. Denn da das Herz des Dichters der Mittelpunkt der Welt ist, so muß es wohl in jetziger Zeit jämmerlich zerrissen werden. Wer von seinem Herzen rühmt, es sei ganz geblieben, der gesteht nur, daß er ein prosaisches weitabgelegenes Winkelherz hat. Durch das meinige aber ging der große Weltriß« (3,304). Was Heine im konkreten Fall unter dieser dialektischen Gespaltenheit versteht, zeigt sich bei seiner Beurteilung Napoleons, dessen Handeln er als eine seltsame Mischung aus progressiven und regressiven Elementen charakterisiert. Wie überhaupt für Heine der »Geist der Zeit« nie bloß »revolutionär« ist, sondern stets »durch den Zusammenstoß beider Ansichten, der revolutionären und der konterrevolutionären, gebildet wird« (3,114). Eine solche Sicht der Geschichte bewahrt ihn sowohl davor, in ältere Geisteshaltungen zurückzufallen als auch einer blinden Fortschrittsgläubigkeit zu huldigen. Er bemüht sich zu erkennen, woher er kommt, wo er steht und wohin er will. Heines Weltbild hat daher stets etwas Prozeßhaftes. Um nicht hinter den Forderungen der Gegenwart zurückzubleiben, sieht er sich ständig zu ideologischen Reorientierungen verpflichtet. So erscheinen ihm Napoleon und Lord Byron erst als Heroen des Fortschritts, bis er aufgrund geschärfter politischer Bewußtheit erkennt, daß ihrer liberalen Gesinnung letztlich doch ein geheimer ›Aristokratismus‹ zugrunde gelegen habe. Und er zögert nicht, sie deshalb öffentlich anzuprangern. »Was wir gestern bewundert«, heißt es in *Nordsee III*, »hassen wir heute, und morgen vielleicht verspotten wir es mit Gleichgültigkeit« (3,93). Bei einem zynischen Statusquo-Vertreter wäre das bloßer Opportunismus. Wer dagegen zu lernen und fortzuschreiten gewillt ist, ist zu solchen Selbstkorrekturen nicht nur berechtigt, sondern geradezu verpflichtet.

Aufgrund dieser dialektischen Sehweise kennt Heine weder in der Geschichte noch im Einzelleben irgendwelche absoluten Wertvorstellungen – jedenfalls nicht im idealistischen Sinne. Selbst der Fortschritt gilt ihm nur als ein relativer Wert. Denn wo etwas fortschreitet, wird ja nicht nur Neues gewonnen, sondern zugleich Altes zerstört. Und so sieht Heine den Fortschritt innerhalb der individuellen oder gesamtmenschlichen Bewußtwerdung stets vor dem Hintergrund eines graduellen Verlustes an unmittelbarer Naivität, kindlichem Vertrauen und natürlichem Gemeinschaftssinn. Er hat manchmal sogar Bedenken, ob bei dieser Entwicklung nicht zuviel geopfert wird, ob sich ein solcher ›Fortschritt‹ überhaupt lohnt. »Die alten Zweifel sind mächtig geworden in unserer Seele«, heißt es anläßlich des Vergleichs der Insulaner mit den Badegästen, »ist jetzt mehr Glück darin als ehemals?« (3,92). Aufgrund dieser Zweifel beschränkt sich Heine darauf, die Vor- und Nachteile dieser Entwicklung in *Nordsee III* so klar wie möglich herauszustellen – und dem Leser das Urteil selbst zu überlassen.

Als einen der spürbarsten Nachteile dieses halb beseligenden, halb krankhaft-unnormalen Zustandes der fortschreitenden Bewußtwerdung empfindet er die wachsende Einsamkeit, das heißt Fragmentierung der bürgerlichen Gesellschaft und damit Entfremdung der Menschen voneinander. Gerade auf Norderney – gleichweit distanziert von den aristokratischen Badegästen und den armen Insulanern – wird sich Heine in aller Schärfe bewußt, welch eine ›problematische Natur‹ der moderne Intellektuelle ist, der aufgrund seiner Bildung, seiner Geistigkeit, seiner Bewußtseinshöhe eine geradezu seiltänzerische Einzelexistenz zwischen den Klassen führt. Mit beiden Schichten hat er keinen wirklichen Kontakt: die einen sind ihm zu primitiv-ungebildet, die anderen sind ihm zu primitiv-hochnäsig. Als Intellektueller ist man in dieser Gesellschaft ganz auf sich selbst zurückgeworfen und entbehrt jeder Form an Sozialisation. »Durch eine besondere Erziehungsmethode oder zufällig gewählte, besondere Lektüre hat jeder von uns eine verschiedene Charakterrichtung empfangen«, schreibt Heine im Hinblick auf sich selbst und seinesgleichen, »jeder von uns, geistig verlarvt, denkt, fühlt und strebt anders als die Andern, und des Mißverständnisses wird so viel, und selbst in den weiten Häusern wird das Zusammenleben so schwer, und wir sind überall beengt, überall fremd und überall in der Fremde« (3,92). Heine spürt also genau, daß sich nur die Gleichen nicht miteinander langweilen, während die Ungleichen, die stärker Individualisierten höchst reizbar aufeinander reagieren. Die armen Insulaner in ihrer Gemüts- und Geistesgleichheit werden daher von ihm als ebenso ›glücklich‹ hingestellt wie die zwar hochstehenden, aber geistig beschränkten Aristo-

kraten, die ihre Tage mit Glücksspielen, Schmausen, Baden und Flirten verbringen. Wirklich unglücklich ist auf dieser Insel nur er, nur Heine, da nur er mit einem höheren Bewußsein ausgezeichnet ist.

Doch trotz dieser Erkenntnis ist Heine weit davon entfernt, sich seines Geistes zu entledigen oder gar zu Kreuze zu kriechen, um an dieser vertraulichen Gemeinsamkeit teilzuhaben. Es wird ihm klar, daß sich solche Prozesse nicht wieder rückgängig machen lassen, daß man mit seinem fortgeschrittenen Bewußtsein leben muß und daß jeder bewußte Neoprimitivismus notwendig eine Lüge wäre. Er sieht daher ein, daß er seinen »kranken, zerrissenen« Gefühlen, die er sich »in allen Ländern und Zeitaltern zusammengelesen« hat, treu bleiben muß (3,99). Es gibt für ihn als Intellektuellen nicht mehr den Weg zurück, den Weg zum »Traumglück der blöden Menge« (3,93). Denn wer einmal von den Früchten der Erkenntnis gegessen hat, kann nach Heines Meinung diesen Vorgang nie wieder ungeschehen machen, sondern muß immer neue Früchte der Erkenntnis essen, und zwar solange, bis er die letzte Erinnerung an seine paradiesische Herkunft verloren hat.

Doch dieser dialektisch-operierende Fortschritt hat auch seine Kompensationen. Selbstverständlich ist es einem als liberalem Bürgerlichen nicht mehr vergönnt, so »heiter, ehrlich, brav und von unergründlicher Geistesbeschränktheit« wie ein Tiroler Bergbauer zu sein (3,235). Aber hat man dafür nicht das Gefühl einer höheren Geisteswürde, einer Dignitas der Einzelpersönlichkeit gewonnen? Und Heine läßt uns nicht im Zweifel darüber, wie er zu dieser Frage steht. So schreibt er einmal im Hinblick auf die christlich-reaktionären Kreise der frühen Restaurationsepoche, die ihren Schäfchen einen idyllisch anmutenden Patriarchalismus anzupreisen versuchten: »Wir wissen auch, daß ein Glück, das wir der Lüge verdanken, kein wahres Glück ist, und daß wir, in den einzelnen zerrissenen Momenten eines gottgleicheren Zustandes, einer höheren Geisteswürde, mehr Glück empfinden können, als in den lang hinvegetierten Jahren eines dumpfen Köhlerglaubens« (3,93). Ja, er empfindet es durchaus als einen unschätzbaren Gewinn, am großen Zug der Weltgeschichte teilzuhaben und ein Gefühl des Triumphes darüber zu empfinden, daß die Zeit der mittelalterlichen »Geistesknechtschaft« endgültig vorüber sei (3,93). »Nie war mir ein Dom groß genug«, heißt es an anderer Stelle,

»meine Seele mit ihrem alten Titanengebet strebte immer höher als die gotischen Pfeiler und wollte immer hinausbrechen durch das Dach« (3, 104).

Und zwar wird dieser Empörungsakt, dieses beseligende Gefühl eines Höherhinauswollens ausdrücklich mit einer Berufung auf die unaufhaltsamen Fortschritte des menschlichen Bewußtseins gerechtfertigt. Heine schreibt: »Der Geist hat seine ewigen Rechte, er läßt sich nicht eindämmen durch Satzungen und nicht einlullen durch Glockengeläute; er zerbrach seinen Kerker und zerriß das eiserne Gängelband, woran ihn die Mutterkirche leitete, und er jagte im Befreiungstaumel über die ganze Erde, erstieg die höchsten Gipfel der Berge, jauchzte vor Übermut, gedachte wieder uralter Zweifel, grübelte über die Wunder des Tages und zählte die Sterne der Nacht« (3, 92). Solche Freuden sind ihm schließlich doch wichtiger als das primitive Glück der Selbstgenügsamkeit. »Denn es ist noch die große Frage«, schreibt er am 1. Juli 1825 an Moses Moser, »ob der Schwärmer, der selbst sein Leben für die Idee hingibt, nicht in einem [zerrissenen] Momente mehr und glücklicher lebt als Hr. von Göthe während seines ganzen 76jährigen behäglichen Lebens.« Heine teilt in diesem Punkte durchaus Hegels Überzeugung, daß die »Perioden des Glücks« in der Weltgeschichte und im Einzelleben weitgehend »leere Blätter« seien, da sie als »Perioden der Zusammenstimmung« des »fehlenden Gegensatzes« entbehrten.[26] Es ist noch nicht das sinnliche Glück, das Heine in diesen Jahren fasziniert, sondern das Gefühl der geistigen Überlegenheit und höchsten Individualität, mit dem nur ein zerrissenes Bewußtsein »begnadigt« wird, wie es in den *Bädern von Lucca* heißt (3, 304).

Was läßt sich daraus an ideologischen Folgerungen ziehen? Ganz grob gesprochen, bricht zwar in *Nordsee III* ein gewaltiger emanzipatorischer Elan durch, der jedoch reichlich abstrakt bleibt. Wie im ersten Teil von Hegels Einleitung in die *Vorlesungen über die Philosophie der Geschichte* geht es einzig und allein um die Selbstrealisierung der Freiheit, während der Schritt zum Ideal des vollkommenen Staates, den Hegel anschließend postuliert, nicht mehr mitvollzogen wird. In diesen Staatsspekulationen sieht Heine lediglich eine Rechtfertigung der bestehenden Gesellschaft und damit einen Rückfall in den Status quo, wie ihm überhaupt alle von der konkreten Individualität abstrahierenden Konzepte von vornherein verdächtig sind. Er übernimmt daher von Hegel nur die subjektiv-aktivistischen und aufklärerisch-emanzipatorischen Elemente und verbindet diese mit seinem allgemeinen Glauben an einen Fortschritt zu immer größerer Geistesfreiheit und Geisteswürde, während er Hegels Vorstellung von der Selbsterzeugung des Menschen durch Arbeit und der schließlichen Auflösung der menschlichen Entfremdung im idealen Staat nicht rezipiert.[27]

Seine in *Nordsee III* ausgedrückten Empfindungen und Reflexionen erweisen sich damit als weitgehend subjektiv-bürgerlicher Natur. Heine denkt zwar schon in Epochen, in stufenweise aufeinander folgenden Menschheitsetappen, geht aber dabei stets von privat-idealistischer Basis aus. Es gibt für ihn in diesen Jahren einfach noch keine Klasse, keine Organisation, keine Partei, mit der er sich identifizieren oder gar solidarisieren könnte. Er bleibt daher ein radikal-liberaler Einzelgänger, der das durchschnittliche Bürgertum, wie es ihm vor allem in Gestalt der Hamburger Kaufmanns- und Bankkreise vertraut war, als ebenso hassenswert empfindet wie den Adel. Kein Wunder also, daß Heine in dieser Schrift lediglich seine eigenen Interessen, aber nicht die Interessen seiner Klasse vertritt. Er wirft sich zum freischwebenden Intellektuellen auf, der in manchen Zügen fast an den Fliegenden Holländer erinnert, auf den an einer Stelle ausdrücklich hingewiesen wird (3, 101). Auf diese Weise bleibt er eine ›problematische Natur‹ zwischen den Klassen, ein »Zaungast« des Geschehens, der einen Standpunkt »über den Parteien« einzunehmen versucht.[28]

So gesehen, hat Heines Fortschrittselan durchaus einen Zug ins Aristokratische. Es bereitet ihm eine innerliche Genugtuung, an der Spitze des Weltgeistes zu marschieren und den anderen eine Nasenlänge voraus zu sein. Nicht der ›Bürger‹ Heine marschiert in dieser Schrift, sondern Heine der Intellektuelle, der Poet, der originelle Kopf, der seine in vielen Farben schillernde Subjektivität als die höchste Entwicklungsstufe innerhalb der gegenwärtigen Selbstrealisierung der Freiheit empfindet. Im Gegensatz zu späteren, wesentlich extravaganteren Formen einer solchen Gesinnung, die entweder ins Kauzige oder Bohemienhafte tendieren, versteht sich jedoch Heine in dieser Sonderlingsexistenz noch als durchaus progressiv, da er in dieser gesteigerten Subjektivität eine ›Forderung des Tages‹ erblickt, hinter der sich eine von höheren Gesichtspunkten gerechtfertigte Entwicklung verbirgt.

Heine wendet sich daher schon in diesen Jahren nicht nur gegen alle Formen des älteren Totalitarismus, mögen sie nun von seiten des Staates oder der Kirche ausgeübt werden, sondern auch gegen jenen repressiven Konformismus, wie er sich innerhalb der saturierten Bourgeoisie zu verbreiten begann. Während die Gefühlsgleichheit früherer Epochen wenigstens den Reiz des Kindlichen und Idyllischen für sich gehabt hätte, wie Heine behauptet, habe der Konformismus des Bürgertums überhaupt keine kompensatorischen Züge mehr. Noch unfähig, darin die Auswirkungen des allgemein-europäischen Kapitalisierungsprozesses zu sehen, prangert Heine diesen Totalitarismus meist als Spießergesinnung oder Muckertum an. In einer solchen Enge, mag sie sich nun politisch oder moralisch äußern, sieht er lediglich den schmählichen Triumph des Niedrigen, Materiellen oder Gleichmacherischen, der auf jede Geistigkeit, jedes ästhetische Feingefühl verzichte. Man weiß, wie ihn ein Jahr später die kolossale Einförmigkeit des bereits bürgerlich-kapitalisierten Englands erschreckte. Diese Art an ›Gemeinschaftlichkeit‹, die ihre Freiheiten überhaupt nicht mehr zu realisieren verstehe und aufgrund ihrer geistigen Einfallslosigkeit in dummen Konventionen ersticke, erschien ihm geradezu wie eine Pest.

Um also diesen beiden Kräften – der älteren und der neueren Tendenz zum Konformismus – wenigstens auf literarischem Wege entgegenzuwirken, kultiviert Heine ganz bewußt das, was er als seine ›besondere Note‹ versteht. Ja, er tut nicht nur das. Er tut wesentlich mehr: er erhebt seine intellektuelle und poetische Originalität zur ›Signatur der Zeit‹ und macht sich damit zum exemplarischen Fall der bürgerlichen Liberalität. Er stellt sich als ein Autor hin, der aufgrund seiner freiheitlich-emanzipatorischen Gesinnung an sich ein leitbildlicher Idealfall der bürgerlichen Gesellschaft sein müßte, jedoch von eben dieser Bourgeoisie, dieser philisterhaften Canaille lediglich als Aufrührer verdächtigt wird. Bewußt oder unbewußt, weist Heine damit auf den tiefsten Widerspruch seiner Zeit hin: nämlich daß das Bürgertum, indem es sich gegen Heine wendet, seine eigenen emanzipatorischen Traditionen verrät und dem bürgerlichen Dichter nur noch die Rolle eines Salonnarren zugesteht. Es erlaubt ihm zwar noch einige poetische und politische Extravaganzen, die er als Schockelementchen vermarkten darf – mehr aber auch nicht.

Und diese Rolle nimmt Heine – wenn auch mit Zögern – notgedrungen an. Schließlich blieb ihm in einer solchen Situation kaum etwas anderes übrig. Da er sich von seiner eigenen Klasse verraten fühlt, jedoch seine Hoffnung weiterhin auf den Fortschritt setzt, um seinen ›Genossen Verrätern‹ das politische Rückgrat zu stärken, bleibt er bis 1830, bis zum Durchbruch der durch die Pariser Julirevolution auch in Deutschland ausgelösten bürgerlichen Freiheitshoffnungen, auf relativ verlorenem Posten. Was tut man in einer solchen Situation, um nicht zu verzweifeln? Heine verfällt wie Hegel dem Kult des großen Individuums, wofür sich beide Napoleon aussuchen. Napoleon wird daher in *Nordsee III* – in gewisser Inkonsequenz zu dem Vorhergesagten – als der Mann hingestellt, der in einer Welt des zerstückelten Teilwissens als einziger einen Sinn für ›Einheit‹ besessen habe (3,114). Während »kleine analytische Geister« in den meisten Fällen nur zu »verwickelten, langsamen Intrigen« fähig seien, habe sich Napoleon durch eine »synthetisch-intuitive« Geistesart ausgezeichnet, wie Heine behauptet, die in die Zukunft ziele (3,114). Selbst in den »partikulären Zwecken« seines Handelns sei stets jenes »Substantielle« enthalten gewesen, schreibt Hegel, »welches der Wille des Weltgeistes ist«. In »welthistorischen Individuen« dieser Art sieht Hegel darum jene berühmten »Geschäftsführer des Weltgeistes«, die das, »was an der Zeit ist«, durchführen und so die Menschheit auf die »nächste Stufe« heben.[29] Im gleichen Sinne stellt auch Heine in *Nordsee III* Napoleon als ein zwar eigennütziges, aber doch großes Individuum hin, das sich als Instrument des Weltgeistes gefühlt habe.[30]

Und als ein so großes, wenn auch nicht ganz so welthistorisch bedeutsames Individuum möchte sich auch Heine selbst verstanden wissen. Auch seine Subjektivität soll zugleich ein geschichtlich vorantreibendes Element enthalten und damit zum Spiegelbild der eigenen Zeit werden. Das Subjektive wird daher immer wieder mit dem Epochalen gleichgesetzt, um es aus seiner ›partikulären‹ Besonderheit herauszunehmen und historisch zu objektivieren. Wolfgang Heise sieht darin zu Recht die »Dialektik des Geltenmachens der Subjektivität und deren radikaler historisch-sozialer Relativierung«.[31] Das gleiche könnte man von Heines Schreibart sagen. Auch sie lebt aus der »Dialektik von Subjektivität und dokumentarischer Authentizität«, die für diese Jahre einmalig ist.[32] Indem er sein Herz zum

Mittelpunkt der entscheidenden historischen Entwicklungsprozesse erklärt und zugleich sein soziales Milieu so realistisch wie nur möglich abzuschildern versucht, verschafft sich Heine in *Nordsee III*, wie überhaupt in den *Reisebildern*, einen Kommunikationsraum, in dem die alte Subjekt-Objekt-Polarität keine Gültigkeit mehr hat. Hier ist das Ich zur Welt – und die Welt zum Ich geworden.

Und zwar muß Heine dabei – schon um der geschichtlichen Relevanz willen – immer wieder über Deutschland hinausgreifen, da er in seinem eigenen Lande lediglich den biedermeierlichen Status quo, aber keine liberalen Fortschrittstendenzen findet. Seine Verehrung Napoleons stellt daher nicht nur einen historisch objektivierten Personenkult dar, sondern ist zugleich ein Affront gegen Deutschland, als dessen größten Helden man damals Blücher, den ›Marschall Vorwärts‹ pries. Ebenso provozierend ist sein überschwengliches Lob des Segurschen Napoleon-Buches am Schluß von *Nordsee III* gemeint. Dieses Buch erschien ihm letztlich doch wichtiger als die weithin angehimmelten Romane Walter Scotts, da es, wie Heine schreibt, »in unseren Herzen nicht die Liebe zu längst verschollenen Tagen der Vorzeit« erweckt, sondern einen »Ton« anschlägt, »der uns für die Gegenwart begeistert« (3, 120). Was die Deutschen dagegen aufzubieten hätten, wird höchst sarkastisch als »Bagatell-Literatur« abgewertet (3, 121). Und zwar wird diese Mediokrität nicht auf mangelnde Talente, sondern auf mangelnde nationale Themen, auf mangelnde Progressivität zurückgeführt. Wo es keinen Ideenfortschritt gibt, kann sich nach Heine auch keine bedeutsame Literatur entwickeln, sondern sich lediglich die Stickluft der Restauration verbreiten. Die *Nordsee III* schließt daher zwangsläufig mit einem etwas mißvergnügten, wenn auch nicht resignierenden Ton. Da es in Deutschland – weiß Gott oder besser: weiß der Weltgeist – wegen der provinziellen Enge nichts zu verherrlichen gibt, tröstet sich Heine wohl oder übel mit jenem Licht der Hoffnung, das er jenseits des Rheines zu sehen glaubt. Er läßt daher den Schluß einfach offen, anstatt in eine einheitlich-optimistische oder einheitlich-pessimistische Stimmung auszuweichen. Und damit bleibt auch sein Selbstbewußtsein so zerrissen, so offen, so zukunftszugewandt, wie sich das Hegel von allen echten Hegelianern erhoffte.

IDEEN. DAS BUCH LE GRAND

(E: Oktober 1826/Januar 1827)

Das Wahre ist das Ganze

> »Mit der Verbreitung der Ideen, wie etwas sein soll, wird die Indolenz der gesetzten Leute, ewig alles zu nehmen, wie es ist, verschwinden«
> (Georg Wilhelm Friedrich Hegel).

Von wenigen Ausnahmen – wie den Interpretationen von Jeffrey L. Sammons[1] und Albrecht Betz[2] – einmal abgesehen, ist die bisherige Sekundärliteratur zu Heines *Buch Le Grand* von erschreckender Dürftigkeit. Wie die Quiz-Teilnehmer einer schlechten Krimi-Sendung rätselten hier ernsthafte Germanisten jahrzehntelang an der Frage herum, wer sich hinter der mysteriösen »Evelina« und der ebenso mysteriösen »Madame« verberge, mit denen der Autor dieses Werkes auf recht vertrautem Fuße zu stehen scheint.[3] Für Evelina wurden meist Heines Kusinen Amalie und Therese, für Madame die Frau von Heines Onkel Salomon, die schöne Friederike Robert oder eine seltsam verschleierte »Madame Evelina«[4] herangezogen und auf peinlich exakte Weise mit Heines Liebeslauf in Beziehung gesetzt. Kein Wunder, daß manchen Germanisten schließlich der Kragen platzte und sie diesen Problemkomplex aus den dumpfen Bereichen positivistischer Unterrocksschnüffeleien lieber in die dünne Luft der Spekulation transponierten, wodurch von den realen Urbildern im Verlauf der Interpretation lediglich subjektive ›Persona‹-Vorstellungen übrigblieben.[5] Doch hierüber braucht wohl in Zukunft kein Wort mehr verloren zu werden. Die Zeiten bürgerlicher Klatschsucht, wo man seine eigene Frustriertheit mit imaginierten ›Weibergeschichten‹ zu kompensieren suchte, sollten auch in der Literaturwissenschaft endgültig vorbei sein. (Wer es ganz genau wissen will: Evelina ist Amalie, Madame ist die schöne Friederike – und damit Punktum.)[6]

Der zweite Zentralpunkt der bisherigen *Le Grand*-Forschung war selbstverständlich die alle Germanisten seit altersher ›erregende‹ Frage nach der gattungstheoretischen Klassifizierung dieses Werkes. Hatte man es hier mit einer echten Novelle oder einer bloßen Skizze, einem genau durchstrukturierten ›Text‹ oder einem journalistischen Zufallsprodukt zu tun? Auch auf diesem Gebiet hat die *Le Grand*-Forschung bisher lediglich verwirrende Widersprüche produziert. Ernst Elster sieht in dem Ganzen bloß ein »Tohuwabohu von bunten Einfällen«[7]; Hermann J. Weigand charakterisiert es als »intellectual fireworks«[8] und bedauert den Mangel an »aesthetic unity«[9]; Eberhard Galley reduziert es auf »novellistisch ausgeschmückte Erlebnisse«, die mit einem lockeren »Geplauder über Gott und Welt« verbunden seien[10]; Wolfgang Preisendanz nennt es einen »Nachzügler romantischer Arabeskenkunst«, der überhaupt »keine leitende Thematik« besitze.[11] In schärfstem Gegensatz dazu haben andere Heine-Forscher das *Buch Le Grand* als eine konsequente Stufenfolge im Sinne Hegelscher Dreischrittkonzeptionen interpretiert[12] oder seine »absolute éénheid« hervorgehoben.[13] Ja, Jürgen Jacobs[14] und Jeffrey L. Sammons[15] gehen soweit, von einem »Motivgeflecht« zu sprechen, bei dem kein einziger Faden in der Luft hängenbleibe und hinter dem sich bei aller Regellosigkeit doch ein klares »Baugesetz« erkennen lasse.

Heine selbst, der sich nur sehr spärlich über das *Buch Le Grand* geäußert hat, charakterisiert es im Spätherbst 1826, als er daran zu schreiben begann, einmal als ein »selbstbiographisches Fragment«[16] oder »Fragment aus meinem Leben«[17], ein anderesmal als »Ideen zur Geschichte«[18]. Damit werden von Anfang an zwei Ansatzpunkte deutlich: das Autobiographische und das Geschichtliche. Daß sich Heine schon seit langem mit Memoirenplänen beschäftigte, ist durch vier Briefstellen zwischen November 1823 und März 1825 belegt, wo er von »Bekenntnissen«, »Memoiren« und einer »Art ›Wahrheit und Dichtung‹« berichtet, an denen er gerade arbeite.[19] Wieviel davon bei der Niederschrift des *Le Grand* schon in Manuskriptform vorgelegen hat, läßt sich heute nicht mehr ermitteln. Doch vielleicht ist diese Frage ebenso irrelevant wie die Frage nach dem spezifisch ›Autobiographischen‹. Schließlich sind alle

Prosawerke des frühen Heine mehr oder minder autobiographisch gefärbt, was mit seiner Abneigung gegen die poetischfixierten Genres der damaligen »Almanachliteratur« zusammenhängt.[20] Auch die *Harzreise* und die *Nordsee III*, in denen Heine den klischeehaften Metaphern und fiktionalen Situationen der üblichen Novellen aus dem Wege zu gehen versucht und dafür wirklich Erschautes und Erlebtes (nebst den dazugehörigen Reflexionen) bietet, sind ›Fragmente aus seinem Leben‹. Die Frage nach der inneren und äußeren Einheit des *Le Grand* – die Kernfrage aller Formalisten – erscheint mir daher höchst nebensächlich. Heine bemüht sich hier nicht um jene ominöse ›Stimmigkeit‹, die den Epigonen und Kleintalenten oft so spielend gelingt, sondern will das Dynamische, den Prozeßcharakter des menschlichen Lebens zum Ausdruck bringen. Statt selig in sich selber zu kreiseln, konzentriert er sich auf jene Elemente, wo sich das Subjektive mit dem allgemeinen Gang der Geschichte berührt und damit einen objektiv-repräsentativen Charakter bekommt.

Dafür spricht, daß Heine im Oktober/November 1826 erst einmal das Kapitel mit den Schulerlebnissen und den Napoleon-Abschnitt niederschreibt, um das »Fragment aus meinem Leben« von vornherein mit den »Ideen zur Geschichte« zu verbinden. Und zwar nimmt er sich dabei der Geschichte gegenüber ruhig ein paar Freiheiten heraus, die eindeutig ins Typisierende und Symbolisierende zielen. So verknüpft er etwa seine Lyceumserfahrungen, die höchstwahrscheinlich erst 1808 einsetzen, mit dem 1806 erfolgten Einzug Joachim Murats in Düsseldorf und verlegt den Besuch Napoleons aus dem November in den Frühling 1811, um dem Ganzen mehr Dynamik, mehr Folgerichtigkeit, mehr historische ›Objektivität‹ zu geben.

Das zeigt sich am deutlichsten, wenn man Szenen dieser Art mit ähnlichen in Goethes zwischen 1811 und 1822 erschienenem Lebensbericht *Wahrheit und Dichtung* vergleicht, auf den sich Heine in einem der erwähnten Briefe zu den Vorstudien des *Le Grand* ja ausdrücklich bezieht. Während der siebzigjährige Goethe – in der Retrospektive des Alters – den Hauptakzent darauf legt, seiner recht ziellosen und ›dämonischen‹ Jugend nachträglich den Charakter einer konsequenten Entelechie, ja geradezu ›Metamorphose des Menschen‹ zu geben, steht der dreißigjährige Heine noch mitten im Strom der Ereignisse. Für ihn verklärt sich noch nichts zum Idyll, zu besonnter Vergangenheit oder guter, alter Zeit. Im *Buch Le Grand* ist alles noch unmittelbares Erleben, bedrängende Gegenwart, gerade erfahrener Schmerz. Manche Episode dieses Werks nimmt daher fast zwangsläufig den Charakter eines ›Gegenentwurfs‹ im Brechtschen Sinne an, was sich drei Jahre zuvor schon am Verhältnis der *Harzreise* zum *Werther* beobachten läßt.

So ist etwa die Figur des Tambour Le Grand sicher ein aus dem Bereich des Fiktionalen stammender Gegenentwurf zu jenem berühmten Königsleutnant, der im Siebenjährigen Krieg bei Goethes Quartier bezog.[21] Während der junge Goethe unter dem Einfluß des Grafen Thoranc sein Verständnis für Malerei, Theater und französische Literatur vertieft, wird der junge Heine durch Le Grand so lange und so eindringlich über Politik belehrt, bis ihm sogar der Sinn des roten Guillotinenmarsches und der Marseillaise aufzugehen beginnt. In dieser Konfrontation steckt eigentlich schon alles, was Heine später in der *Romantischen Schule* als die Ablösung der »Kunstperiode« vom Zeitalter der politischen Aktion charakterisierte. Auch die Verherrlichung Napoleons läßt sich durchaus als ein Gegenentwurf zu der in *Wahrheit und Dichtung* ausführlich und ehrerbietigst geschilderten Zeremonie des 1764 erfolgten Eintritts Josephs II. in Frankfurt und seiner anschließenden Krönung zum deutsch-römischen König interpretieren.[22] Jedenfalls wird dieser öffentliche Staatsakt von beiden als politisches ›Urerlebnis‹ hingestellt: Goethe in seiner partikularistisch-altfränkischen, Heine in seiner kosmopolitisch-liberalen Gesinnung bestärkend.

Doch der grundsätzliche Unterschied, der Goethes Verhältnis des Privaten zum Historischen von dem Heines trennt, geht weit über diese beiden Episoden hinaus. Bei Goethe spielen sich alle geschichtlichen Ereignisse – ob nun der Siebenjährige Krieg, eine Königskrönung oder später selbst die Französische Revolution – noch weitgehend in einer Sphäre ab, deren erste Bürgerpflicht die ›Ruhe‹ ist. Für diese Lebenssphäre ist noch der Ausspruch typisch: »Der König hat eine Bataille verloren«, falls dem eigenen Landesherrn einmal ein militärisches Desaster passieren sollte. Goethes Autobiographie hat daher trotz mancher verallgemeinernden Elemente, die auch dem jungen Heine nicht entgangen sind,[23] einen durchaus privatistischen Grundzug. Hier dominieren Bildung, Kunst, Wachstumsschwierigkeiten, Liebeswirren – aber nicht Politik oder gar Revolution. Statt sich in das im weiteren Sinne ›historische‹ Geschehen einzulassen, bleibt der Groß- und Altbürger Goethe stets im Bereich der ›machtgeschützten Innerlichkeit‹. Wer sich gegen diesen Status quo von Besitz und Bildung aufzulehnen versucht, wird von ihm mit dem mokanten Lächeln aller Privilegierten als politischer Hitzkopf, als »Aufgeregter« ironisiert. Je älter Goethe wird, desto mehr erstarrt er in dieser unverbindlichen Servilität dem und den ›Oberen‹ gegenüber. Bei schweigender Anerkennung aller staatlichen Autorität, und mag diese noch so repressiv sein, zieht er sich immer stärker in den Bereich des Privaten zurück. Vor allem nach dem Tode Schillers will Goethe die großen Probleme und Widersprüche seiner Zeit einfach nicht mehr sehen, nicht mehr miterleben oder miterleiden, sondern verkriecht sich ›behäglich‹ in sein Weimarer Winkelglück – ein Vorgang, den er mit dem Begriff ›Entsagung‹ zu tarnen versucht. Sich in den Dienst einer ›Idee‹ zu stellen und um ihrer Verwirklichung willen auch einige Anfeindungen in Kauf zu nehmen, erscheint ihm in diesen Jahren immer lächerlicher. Einen Dichter wie den jungen Heine nimmt daher der alte Goethe überhaupt nicht mehr wahr. Wohl den besten Ausdruck findet diese Haltung in *Wahrheit und Dichtung*, wo es an einer Stelle heißt, daß es notwendig sei, »ein für alle Mal im Ganzen zu resignieren«, um so alle Resignation im Einzelnen loszuwerden.[24] Andere Altersweisheiten – wie der berühmte Ausspruch, daß jeder nur vor seiner eigenen Türe kehren solle – deuten in die gleiche Richtung. Was Goethe damit in vorbildlicher Position befürwortet und befördert, ist jene gefährliche Haltung, die Reinhold Grimm mit der Formulierung »Innere Emigration als Lebensform« umschrieben hat,[25] und die von weiten Kreisen des deutschen Bürgertums des 19. und frühen 20. Jahrhunderts so lange naiv und bildungsbewußt imitiert wurde,[26] bis eines Tages die SA in die ›gute Stube‹ trampelte und das erste Aufwachen erfolgte.

Und dies ist genau der Punkt, der Heine an der Weltanschauung des alten, ja schon des mittleren Goethe am meisten abstieß.[27] Man höre dazu einige Zornausbrüche aus der Zeit des *Le Grand*. »Goethes Abneigung, sich dem Enthusiasmus hinzugeben«, schreibt er einmal, »ist ebenso widerwärtig wie kindisch. Solche Rückhaltung ist mehr oder minder Selbstmord, sie gleicht der Flamme, die nicht brennen will, aus Furcht sich zu konsumieren« (7,415). Das gleiche behauptet Heine in einem Brief vom 26. Mai 1825 an Rudolf Christiani, wo er erklärt, daß ihn die »goetheschen Schriften« wegen ihres kalten, leidenschaftslosen Charakters im Grunde seiner Seele immer abgestoßen hätten. Vieles daran – vor allem Werke wie der »Helena«-Akt von *Faust II* – sei bloße »großherzogliche« Geheimniskrämerei und Privatspleenigkeit, »also von keiner politischen Wichtigkeit«, wie er im September 1827 schreibt.[28] Goethe führe ein »egoistisch isoliertes« Dasein, lesen wir kurze Zeit später, ja habe sich bewußt von den »großen Schmerzen und Freuden der Zeit« abgeschlossen, um sich ganz einem »ungetrübten Kunstgenuß« hingeben zu können (4,72). Was also Heine an Goethes Haltung am meisten mißfällt, ist das Parasitäre, Behägliche, Abseitige, die Verklärung eines stillen Winkelglücks, das sich überhaupt keine überindividuellen Ziele mehr setze. Und so wirft Heine an einer Stelle Goethe rüderweise vor, nicht einmal soviele »Ideen« zu haben, wie man sie bei Walter Scott finde.[29] Wohl am schärfsten kommt dieser Gegensatz in einem Brief vom 1. Juli 1825 an Moses Moser zum Ausdruck, wo es unter anderem heißt: »Im Grunde aber sind Ich und Goethe zwei Naturen, die sich in ihrer Heterogenität abstoßen müssen. Er ist von Haus aus ein leichter Lebemensch dem der Lebensgenuß das Höchste, und der das Leben für und in der Idee wohl zuweilen fühlt und ahnt und in Gedichten ausspricht, aber nie tief begriffen und noch weniger gelebt hat. Ich bin hingegen von Haus aus ein Schwärmer, d.h. bis zur Aufopfrung begeistert für die Idee, und immer gedrängt in dieselbe mich zu versenken.«

Vor dem Hintergrund solcher Äußerungen bekommt das Wort »Ideen«, das Heine dem *Buch Le Grand* als Obertitel vorangestellt hat, eine ganz andere Bedeutung, als man bisher angenommen hat. Es handelt sich hier nicht nur um einen Gattungsbegriff, der an aufklärerische Schriften mit dem Titel »Ideen zu ...« erinnern soll, sondern um ein wesentlich weiter gefaßtes gesellschaftspolitisches und geschichtsphilosophisches Programm.[30] Wie schon in der *Harzreise* wendet sich Heine damit gegen jenen Spießertyp, den schon Brentano in seiner *Philister*-Schrift als den »Feind aller Idee« bezeichnet hatte.[31] Und zu diesen ›ideenlosen‹ Menschen gehört für Heine in diesen Jahren auch der »Hr. v. Goethe«, an dem er bei seinem Besuch in Weimar im Oktober 1824 lediglich das große »Auge« bemerkenswert fand, wie er am 26. Mai 1825 an Christiani schreibt. Auch in *Nordsee III* werden darum an Goethe vor allem das »gegenständliche Denken« und die »naive Unmittelbarkeit« gelobt und somit indirekt das Un- und Anti-Ideelle gerügt (3,99). In diesem Punkte erinnert Heines Argumentation durchaus an Pustkuchens falsche *Wanderjahre*, in denen Goethe ständig als Dichter einer rein vordergründigen, ›ideenlosen‹ Anschauungsweise angeprangert wird.[32] Von sich selbst schreibt Heine dagegen in der *Le Grand*-Zeit immer wieder, wie er im Gegensatz zu Goethe sein Leben gern »trotzig hingeben« würde »für die Idee«[33] oder wie sein »ganzes trübes, drangvolles Leben in das Uneigennützigste, die Idee« übergehe.[34] Ständig betont er, daß er nicht im Zustand einer parasitären Subjektivität verharren wolle, sondern sich die Durchsetzung der großen Weltinteressen zum Ziel gesetzt habe.[35]

In solchen Äußerungen macht sich ein unmißverständlicher Einfluß von seiten Hegels bemerkbar. Vor allem die Vorstellung, die gesamte Weltgeschichte als eine Folge bestimmter ›Leitideen‹ aufzufassen, deren Dialektik sich bis in die Seele der einzelnen Individuen verfolgen lasse, klingt deutlich an Hegels *Vorlesungen über die Philosophie der Geschichte* an, die Heine im Wintersemester 1822/23 bei ihm in Berlin gehört hat. Nach diesem Konzept ist eine »Idee« weder eine »Urquelle des Verstandes«, wie sie Herder in seiner *Ältesten Urkunde des Menschengeschlechts* nennt[36], noch eine bloße Abstraktion, sondern ein sich dialektisch entwickelndes Postulat, das schon als Absolutes im Geiste vorhanden ist, bevor es in die Wirklichkeit übertritt. In der ›Idee‹ kommt somit nach Hegel jene im Individuellen wirkende Macht des Überindividuellen zum Durchbruch, die auf die »sachlichste und objektivste Allgemeinheit« hinsteuert[37] und deren Ergebnisse wir ›Geschichte‹ nennen. »Die Fakta sind nur die Resultate der Ideen«, schreibt Heine einmal später – auf gut hegelianisch – in seiner *Romantischen Schule* (5,326).

Und damit wird zugleich die entscheidende Brücke zu jenen Ideen-Vertretern oder »Geschäftsführern des Weltgeistes« geschlagen, wie Hegel sie nennt, die nie zum »ruhigen Genusse« kamen, sondern sich wie Napoleon in Arbeit, Mühe und Leidenschaft verzehrten.[38] Einer der ersten, die Heine in diesem Konzept bestärkt haben müssen, war der Hegelianer Eduard

Gans, der in seinen Vorträgen vor dem Berliner »Verein für Kultur und Wissenschaft der Juden« in den Jahren 1822/23 immer wieder betonte, daß es die edelste Aufgabe des Menschen sei, sich einer bestimmten Idee zum Opfer zu bringen.[39] Und auch Moses Moser, ein anderes Mitglied dieses Vereins, schrieb im Herbst 1824 an Heine, daß man heute entweder als Diogenes oder als Napoleon, das heißt als biedermeierlicher Winkelschmarotzer oder als Mann der völkerbefreienden Aktion leben müsse.[40] Heine nennt daher Napoleon, als dessen »Schüler« er sich im *Le Grand* ausdrücklich hinstellt (3, 157), in einem Brief vom 1. Mai 1827 an Varnhagen von Ense »den Mann der Idee, den Idee gewordenen Menschen« – und nicht bloß ein ›bedeutendes Individuum‹, wie ihn Goethe bezeichnet hatte. Im Vergleich zu einer solchen Gestalt, die sich der Idee der Freiheit aufgeopfert habe, erscheint ihm dagegen ein ›Held‹ wie Werther, der sich wegen eines dummen Mädchens – also aus rein privatem Kummer – erschießt, immer lächerlicher.

So gesehen, ist das *Buch Le Grand* geradezu ein »testamentum militare«, wie es an einer Stelle heißt (3, 167), in dem sich Heine als Grenadier der Literatur in den Dienst der großen napoleonisch-hegelianischen Ideen-Armee stellt. »Man hat mich gezwungen zum Schwert zu greifen«, schreibt er im November 1826 – mitten während der Niederschrift des *Le Grand* – an seinen Intimus Christiani, »wahrlich meine Stellung begünstigte nie meine Ausbildung zum weichen Minneliedersinger – aux armes! armes! dröhnt es mir immer in die Ohren – Alea jacta est.« Ja, am 10. Januar 1827, als das Ganze schon fast abgeschlossen war, heißt es in einem Brief an Friedrich Merckel noch deutlicher: »Das Buch wird viel Lärm machen nicht durch Privatskandal sondern durch die großen Weltinteressen die es ausspricht. Napoleon und die französische Revolution stehen darin in Lebensgröße.«

Auf diese Weise bekommen die autobiographischen Elemente in diesem Werk eine ganz andere Funktion als in Goethes *Wahrheit und Dichtung* oder anderen Dokumenten der spätklassischen und frühbiedermeierlichen Memoirenliteratur, die in ihrer Beschränkung auf Kindheit, Verwandtschaftsverhältnisse, Bildungseinflüsse und Herzensangelegenheiten meist im Bereich des rein Privaten bleiben. Wenn Heine solche Elemente verwendet, dann nur um in dialektischer Wechselbeziehung das Einzelne mit dem Allgemeinen, das Ideelle mit dem Wirklichen, das Persönliche mit dem Weltgeschichtlichen zu verbinden. Und zwar gilt das nicht nur im Hinblick auf Napoleon und die Französische Revolution. Die gleiche Funktion hat jene Überfülle an Gestalten und Rollenhaltungen, durch die der *Le Grand* beim ersten Lesen so mosaikartig oder kaleidoskopisch wirkt. So entspricht Heine, dem irrenden Ritter der Liebe, die Gestalt des Le Grand, des irrenden Ritters der ›Grande armée‹.[41] Den skurrilen Lyceumslehrern, bei denen man nur trockene Fakten lernt, steht der leidenschaftliche Tambourmajor gegenüber, dessen Trommelschläge ganz andere Bewußtseinshorizonte eröffnen – und so weiter. Immer wieder wird mit Paradoxen, Antithesen und dialektischen Verknüpfungen gearbeitet, wird Schicht gegen Schicht, Figur gegen Figur gestellt, um das Einzelne aufs innigste mit dem Ganzen zu »verweben«, wie sich Heine gern ausdrückte.[42] Der erste, der dies klar erkannte, war Varnhagen von Ense, der schon 1827 in einer Rezension dieses Werkes im Berliner *Gesellschafter* gerade die neuartige Verbindung hervorhob, »in welcher sich [hier] Liebesgeschichte und Volks- und Weltgeschichte und wissenschaftliches und bürgerliches Treiben mit unerschöpflicher Wunderlichkeit der Formen und Übergänge verschränkt«.[43]

Doch nicht nur sein Engagement und seine erzählerische Vieldimensionalität, sondern vor allem sein Geschichtskonzept zeichnen den *Le Grand* als ein Werk ersten Ranges aus. Wohl zum erstenmal in der deutschen Literatur wird hier selbst das Privateste im Sinne Hegels als das jeweilige Endprodukt der gesamten Menschheitsgeschichte und damit als Synthese verschiedenster Entwicklungsstränge aufgefaßt. Im Gegensatz zu Goethes metamorphotischer Anschauungsweise des Menschen, die sich trotz mancher historischen Gedankenblitze weitgehend auf die Generalia der Naturwissenschaften stützt, herrscht in Heines *Buch Le Grand* eine dialektische Sicht der Geschichte, die bis auf die Inder, Perser, Griechen, das Mittelalter, ja geradezu alle Kulturkreise und ihre weiterwirkenden Traditionen zurückgreift. Alles, aber auch alles, was sich auf so kleinem Raum zusammentragen läßt, wird hier in Antithesen und Aufzählungen an-, über- und ineinandergeschachtelt. Selbst widersprüchliche Formulierungen wie »Ich selbst – es ist der Graf vom Ganges« (3,133) und »Ich bin nicht der Graf vom Ganges« (3,139) sind daher in ihrer Antithetik keine spielerischen Barockreminiszenzen, sondern der dichterische Ausdruck eines synthetisch ineinandergreifenden Geschichtsbewußtseins, das wie später im *Phantasus* von Arno Holz *alles* umfaßt: die Vergangenheit und die Gegenwart, das Werdende und das Gewordene, die These und die Antithese. Statt also in einer biologisch determinierten Sicht zu verharren, nach der alle Mitglieder einer bestimmten Spezies immer wieder dieselbe Entwicklung durchmachen, löst sich hier das gesamte Leben in Entwicklung, das heißt Geschichte auf, in der es keine Haltepunkte, keine immanenten Gesetzmäßigkeiten, keinen Status quo mehr gibt.

Und damit wird das Problem ›Dichtung oder Wahrheit‹ auf eine ganz neue und höhere Stufe gehoben. Denn Heines *Le Grand* soll nicht in erster Linie ›Dichtung‹, ›schöne Nebensache‹ oder ästhetische Enklave im Bereich ›machtgeschützter Innerlichkeit‹, sondern ›Wahrheit‹ sein. Doch: ›Was ist Wahrheit?‹ Hegel hat diese Frage folgendermaßen beantwortet: »Das Wahre ist das Ganze. Das Ganze aber ist nur das durch seine Entwicklung sich vollendende Wesen. Es ist von dem Absoluten zu sagen, daß es wesentlich *Resultat*, daß es erst am *Ende* ist, was es in Wahrheit ist; und hierin eben besteht seine Natur, Wirkliches, Subjekt oder Sichselbstwerden zu sein.«[44] Wenn nach einer solchen Sicht das Wahre nur das Ganze ist und auch das nur am Ende seiner Entwicklung sichtbar wird, dann ist jeder – ob nun Napoleon, der Tambour oder Heine – lediglich das mehr oder minder ›bewußte‹ Endprodukt einer durch Herkommen, Bildung und äußere Ereignisse jeweils abgewandelten Entwicklungsphase. Mithin wäre Geschichte weitgehend das, was sich an und in uns vollzieht, das heißt in uns ›aufgehoben‹ wird, wofür sich im *Le Grand* fast jeder Satz als Beispiel heranziehen ließe. Was daher in diesem Werk an Bildungsstoff und Wirklichkeitspartikelchen vor uns ausgeschüttet wird, ist nicht nur geistreiche Prunkerei oder ein von Sterne, Thümmel und E. T. A. Hoffmann beeinflußtes Spiel mit Fabeln und Personen, sondern zugleich Ausdruck einer ständigen Rückerinnerung auf die Vorgeschichte der eigenen Seele und damit die Entelechie der Gesamtmenschheit.

Bei einem solchen Grundkonzept wäre es müßig, wie bisher zwischen ›objektiven‹ und ›subjektiven‹ Elementen unterscheiden zu wollen.[45] Denn die steigende Subjektivität ist nun einmal der objektive Grundzug dieser Epoche, in der durch die wissenschaftliche Einholung der Geschichte, die fortschreitende Arbeitsteilung und die politische Zerrissenheit alle statischen Ganzheitskonzepte allmählich hinfällig werden. Heine schreibt daher im *Le Grand* ausdrücklich, daß er sich nie subjektiven »Abschweifungen« hingebe (3,167). Trotz der capriccioartigen Aufsplitterung in zwanzig Kapitelchen hängt hier alles mit allem zusammen und wird deshalb stets von Ledas »Schwaneneiern« abgeleitet (3,167), so scharf sich auch ein Formalist und Status-quo-Vertreter wie Horaz gegen eine solche Methode ausgesprochen hat. Ganz gleich, welches Kapitel man auch anblättert, allenthalben entfaltet sich eine Phantasie, die hier nach Indien, dort nach Griechenland, hier zum Rhein, dort nach Venedig übergreift, ja, sich in alle Völker, Zonen und Kulturen hineinzuversetzen sucht. Ob nun »die Ilias, Plato, die Schlacht bei Marathon, Moses, die medizäische Venus, der straßburger Münster, die französische Revolution, Hegel, die Dampfschiffe usw.«, wie es im dritten Kapitel heißt, alles wird als Etappen innerhalb eines ständig »schaffenden Gottestraums« verstanden, der sich in immer neuen ›Ideen‹ manifestiert (3,136). In diesem Werkchen wird wirklich von »rückwärts gelebt« (3,137), und zwar weniger im romantisch-schlegelschen als im objektiv-dialektischen Sinn, für den das Vergangene nur dann eine Bedeutung hat, wenn man es in der Gegenwart um der Zukunft willen betrachtet, statt einer Fetischisierung des Ewig-Vorgestrigen zu verfallen.

Heines Abneigung gegen das Systematische, Geschlossene, Gattungserfüllte und das daraus resultierende ›Tohuwabohu‹ ist daher kein Symptom für einen Mangel an ›echtem Erzählertalent‹, wie auf konservativer Seite manchmal behauptet wurde, sondern hängt zutiefst mit seinem beharrlichen Bemühen um das ›Ganze‹ zusammen, das nun einmal für einen sentimentalisch-modernen Dichter nur noch in der Phantasie oder im kritisch-reflektierenden Bewußtsein gegeben ist. Im Sinne des Hegelschen Diktums »Der Gedanke und die Reflexion hat die schöne Kunst überflügelt [. . .], ihre Form hat aufgehört, das höchste Bedürfnis des Geistes zu sein«[46] steckt darum gerade in der oft gerügten ›Dekomposition‹ des *Le Grand* ein Ansatz zu echter, das heißt ›historisch‹ begründeter Totalität, selbst wenn diese noch so aufgesplittert scheint und sich ständig in Entwicklung befindet. Im Sinne dieser Perspektive werden sogar die einzelnen Orte und Figuren von Heine stets in wechselnder Beleuchtung vorgeführt: Düsseldorf erst im Frühlingslicht des

Napoleon-Besuchs und dann im Herbstlicht der preußischen Überfremdung – Napoleon erst auf der Höhe seiner Laufbahn und dann als Märtyrer auf St. Helena. Um den Eindruck einer sich geschichtlich entwickelnden Totalität zu erwecken, verzichtet Heine ganz bewußt auf jede Harmonie, jede gleichförmige Stillage und stellt im Sinne einer geradezu universalen ›Töne‹-Ästhetik das Pathetische direkt neben das Lächerliche, das Seriöse neben das Frivole, das Hoffnungsfreudige neben das Verzagende. Nichts an diesem Werk ist beständig – nicht einmal der Wechsel. In ihm herrschen nicht mehr die Regeln des Horaz, nach denen man ein Werk neun Jahre im Pult verstecken soll (3,176), um es für die Ewigkeit reifen zu lassen – hier befindet man sich in einer wesentlich schnellebigeren Ära, in der manches schon am nächsten Tag zu Makulatur werden kann. Statt also traditionellerweise an den Ruhm der Nachwelt zu denken, abgerundete Pseudototalitäten zu offerieren oder hinter dem irdischen ›Tal der Tränen‹ wenigstens einen religiösen Goldgrund aufleuchten zu lassen, werden in diesem Werk lediglich Fragmente des Diesseitigen aneinandergereiht: diese jedoch mit einer solchen Bestimmtheit gezeichnet und zugleich mit einem so kräftigen Schuß eines rebellischen Lebensverlangens versehen, daß dagegen jeder Mythos, jede Religion zur Lüge verblaßt.

Wohl das Positivste an dieser Haltung ist die Entscheidung, nur das entwicklungsgeschichtlich Gerechtfertigte als ›bedeutsam‹ herauszustellen und alle Stabilitätsnarren und Status-quo-Diener rücksichtslos dem Gelächter preiszugeben. Im *Le Grand* hat bloß noch der geistigen Rang, der im Sinne eines dialektisch orientierten Engagements die Widersprüche seiner Zeit erkennt und an ihrer Aufhebung mitzuwirken gesinnt ist. Heine überwindet damit jenen unfruchtbaren Byronismus, jene zum Wahnsinn führende Lenau-Schwermut, jenes tödliche Herumstochern in der eigenen Seele, das mit dem Amalien-Schmerz der frühen zwanziger Jahre zusammenhängt, und bemüht sich, selbst die Versuchung zum Selbstmord durch die Einsicht in die übergreifenden Probleme der historischen Entwicklung zu relativieren. Er zeigt, wie das Leben, die Weltläufte einfach weitergehen – und damit auch die fixierte Situation des Dumpfen, Persönlichen, Unerlösten letztlich ins ›Ganze‹ mündet. Anstatt sich also totzuschießen oder ins Winkelglück, in die ›heile Welt‹ des idyllischen Biedermeiers zu flüchten, versucht Heine die Dialektik seiner Zeit synthetisch zu überwinden, indem er die eigene Zerrissenheit als ein Symptom des allgemeinen Weltzustandes erkennt, der ständig nach neuen Lösungen, neuen Leitbildern verlangt.

Eine solche Haltung führt selbstverständlich weit über die persönliche Animosität gegen Goethe hinaus und wendet sich gegen jene Spießer, Philister und Hypokriten, die sich mit dem Horizont von Teil- und Bruchstückmenschen begnügen oder sich an falsche, längst überholte Ganzheitskonzepte anzuklammern versuchen. In der Sprache des *Le Grand* sind das alles »Narren« (3, 183). Vor allem im 16. Kapitel wird die gesamte Weltgeschichte als ein immerwährender Kampf der Vernünftigen gegen die Narren gedeutet. Er, Heine, schlägt sich dabei natürlich zur Partei der »Vernünftigen«, die den Kampf gegen das »Mittelmäßige« als eine Verpflichtung jedes ›bewußteren‹ Menschen empfindet.[47] Und zwar werden diese ›Narren‹ in erster Linie als Status-quo-Diener, als Anpasser, Verdrängler, Verklemmte, Frustrierte, Autoritätsgeschädigte, Kriechlinge, Konformisten, Vereinsmeier, Stabilitätsnarren, Versorgungsfritzen, biedermeierliche Winkelseelen und ähnliche ideologische Kellerasseln gebrandmarkt, die sich für ihre Versagungen mit »Gemüt, Glauben, Inspiration« zu trösten versuchen (3, 184) und den ihnen verbleibenden Rest an Vernunft lediglich darauf verwenden, herauszutüfteln, wie sie sich durch jesuitische Heuchelei und Obrigkeitsanpassung am profitbringendsten verkaufen können.

Heine sieht in diesem Kapitel sehr wohl, wie groß die Versuchung ist, ebenfalls zu Kreuze zu kriechen, sich wie ein Hund abrichten zu lassen und dafür belohnt zu werden. »Aber ich hab nun mal diese unglückliche Passion für die Vernunft«, heißt es trotzig (3, 186). Und das, obwohl er weiß, daß die nächste Generation von ›Narren‹ die von ihm erstrittenen ›Freiheiten‹ lediglich schmarotzerhaft genießen wird, ohne sich überhaupt noch an ihn zu erinnern. Es wird Heine plötzlich bewußt, daß sich immer wieder welche opfern müssen, damit es jene einmal besser haben, die über solche ›Schwärmer der Idee‹ zu allen Zeiten verständnislos die Köpfe geschüttelt haben. Und er kämpft trotzdem weiter, nicht nur aus Eigennutz, sondern auch um der Sache der allgemeinen Liberalität willen. Diese Einstellung wird wohl immer das Faszinierende am jungen Heine bleiben. Weit und breit ist er in den zwanziger

Jahren – neben Börne – der einzige, bei dem sich echte Auflehnung findet,[48] der das ›Schulgeheimnis der Hegelschen Philosophie‹ wirklich verstanden hat und der ein wahrhaft progressives Geschichtsbewußtsein entwickelt. Eine solche Entschiedenheit kehrt erst bei Büchner, manchen Jungdeutschen und den Linkshegelianern der vierziger Jahre wieder. Für das Jahr 1827 war sie unerhört.

Es sollte jedoch nicht verschwiegen werden, daß durch die Besonderheit dieser Situation Heine zugleich der Gefahr ausgesetzt war, einer gewissen intellektuellen Hybris zu verfallen. Von der konservativen Presse als anmaßender Jude, nichtsnutziger Radikaler oder pornographisches Ferkel angegriffen, steigert er sich in diesen Jahren als »Schüler Le Grands« (3, 157), als »Ritter von dem heil'gen Geiste« (3,46), als einer, der an der Spitze des Weltgeistes marschiert, in einen Stolz auf die eigene Überlegenheit hinein, der manchmal recht seltsame Kapriolen schlägt. Im Sinne psychologischer Abwehrreaktionen, die nur allzu verständlich und entschuldbar sind, streicht er sich ständig als den einzigen ›Schwärmer der Idee‹ heraus, während alle anderen in romantischer Tradition oder byronistischer Erwähltheitspsychose höchst pauschal als Spießer oder Narren abgewertet werden, die ihm lediglich den Stoff für seine Satiren liefern (3,177ff.).

Dieser mehr oder minder geheime Aristokratismus läßt sich mit vielen Beispielen belegen. So schreibt Heine schon am 12. Oktober 1823 an seine Schwester: »Wir allein sind vernünftig, und die ganze Welt ist meschugge.« In einem Brief vom 12. Oktober 1825 an die ›schöne‹ Friederike Robert nennt er sich einen der wenigen »Esoteriker«, der die Fähigkeit besitze, die Signaturen des ›Ganzen‹ hinter den Dingen zu erkennen, während die übrigen Menschen fast ausnahmslos am vordergründigen Schein haften blieben. Ja, am 1. April 1828 stellt er sich Varnhagen gegenüber als einen Mann hin, der sich ruhig »einige kleine Lumpigkeiten, sei es aus Spaß oder aus Vorteil, zu schulden lassen kommen darf, wenn er nur durch diese Lumpigkeiten (d.h. Handlungen die im Grunde ignobel sind) der großen Idee seines Lebens nicht schadet«. Doch selbst im Umkreis solcher Äußerungen – so privat sie auch klingen – sieht Heine den geistigen Rang eines Menschen stets darin, ob er die Widersprüche seiner Zeit wirklich erkennt und in einem positiven Sinne zu überwinden sucht. Irgendwelche bürgerlichen Gemütswerte oder charakterlichen Qualifikationen, aus denen sich keine progressiven Konsequenzen ergeben, imponieren ihm dagegen viel weniger.

Es gibt in diesen Jahren sogar Momente, wo ihm das Gefühl der geistigen Höhe und philosophischen Spekulation über den allgemeinen Weltzustand als die höchste Glücksmöglichkeit des Menschen überhaupt erscheint. Dafür spricht ein Brief an Moses Moser vom 1. Juli 1825, wo es unter anderem heißt: »Denn es ist noch die große Frage, ob der Schwärmer, der selbst sein Leben für die Idee hingibt, nicht in einem Momente mehr und glücklicher lebt als Hr. v. Goethe während seines ganzen 76jährigen behäglichen Lebens.« In *Nordsee III* behauptet Heine mit ähnlicher Akzentsetzung im Hinblick auf die noch immer ›religiös‹ Befangenen: »Wir wissen [...] daß wir, in den einzelnen zerrissenen Momenten [...] einer höheren Geisteswürde, mehr Glück empfinden können, als in den lang hinvegetierten Jahren eines dumpfen Köhlerglaubens« (3,93). Ja, in den *Bädern von Lucca* wird dieser intellektuelle Höhenrausch, der so vereinsamend und doch so berauschend ist, an einer Stelle bis zur Pose des Märtyrers gesteigert, dessen höchste Wollust in der Auszeichnung des Schmerzes besteht. »Wer von seinem Herzen rühmt«, heißt es hier, »es sei ganz geblieben, der gesteht nur, daß er ein prosaisches weitabgelegenes Winkelherz hat. Durch das meinige ging aber der große Weltriß, und eben deswegen weiß ich, daß die großen Götter mich vor vielen anderen hoch begnadigt und des Dichtermärtyrertums würdig geachtet haben« (3,304).

Doch zum Glück ist dies nicht das letzte Wort in Sachen ›Idee und Geistigkeit‹. Heine ist kein Märtyrer. Als guter Universalist weiß er nur allzu genau, daß diese »Passion für die Vernunft« (3,186), diese »Hingabe an die Idee«[49], dieses »Dichtermärtyrertum« (3,304) – wie jede andere fanatische Einseitigkeit – gegen die Idee des ›Ganzen‹ verstoßen würde. Im Sinne seines Napoleons, den er im *Le Grand* bemerken läßt: »Du sublime au ridicule il n'y a qu'un pas« (3,166), durchschaut er zugleich die Gefahr der Lächerlichkeit, die in einer so hochgestochenen, geistverpflichteten Pose steckt – und setzt sich zuweilen selbst die Narrenkappe auf oder vergleicht sich mit jener Romanfigur, die er am meisten liebte, dem idealistischen und doch so gebrechlichen Don Quixote. Es gibt sogar Stellen, wo er noch einen Schritt weiter geht und um des

›Ganzen‹ willen selbst den ›niedrig‹ denkenden Sancho Pansa als eine höchst achtbare Figur hinstellt, da jede echte Dialektik neben ihrem idealistischen Pol auch einen materialistischen besitzen muß.

Um sich also nicht völlig in vage Weltgeistspekulationen zu verlieren oder einen fragwürdigen Personenkult mit den ›Trägern der Idee‹ zu treiben, bringt der frühe Heine selbst bei seinen engagiertesten Äußerungen neben aller idealistischen Schwärmerei immer wieder einen Schuß Konkretes ins Spiel. Schon am 18. Juni schreibt er an Moser, daß er alles andere, aber kein bloßes Abstraktum, kein Gespenst, keine Hegelsche »Idee« werden wolle. In diesem Punkt hat er vermutlich Hegel besser begriffen als dieser sich selbst, indem er nämlich dessen Idealismus, der sich zwar als ein ›objektiver‹ versteht, sich jedoch ständig ins rein Geistige verflüchtigt, auf eine höchst konkrete, ja manchmal geradezu brechtisierende Weise in der Welt der realen Genüsse des Lebens zu verankern sucht. So begeistert sich Heine im *Le Grand* nicht nur für Freiheit und Wahrheit, für die »Idee«, sondern auch für Krebssuppe und Apfeltörtchen, umschlingt Bäume, Frauen und Marmorbilder, genießt Natur und Liebe – und das mit der gleichen Intensität, mit der er sich für die fortschreitende Emanzipation der Menschheit einsetzt. Um des ›Ganzen‹, des wahren, unverstümmelten, unentfremdeten Lebens willen ist er Idealist und Materialist zugleich, hofft er und trauert, schwärmt und ironisiert – und läßt daher den Schluß des *Le Grand* einfach offen.

Denn bei einer solchen Weltsicht, die in ihrer Progressivität sowohl den Fragmentarismus der romantischen Universalpoesie als auch die Entelechie-Konzepte des *Faust II* historisch disqualifiziert, gibt es nichts, was sich am Schluß zu einer ermogelten Ganzheit oder Pseudoharmonie zusammenschließen könnte. Wenn also Heine das ›Ganze‹ ins Auge faßt, dann immer im Sinne eines Sichentwickelnden und nicht im Sinne jener veralteten ästhetischen oder religiösen Ganzheitskonzepte, die ein weitgehend statisches Weltbild voraussetzen und daher nach Hegel nur in der Antike und im Mittelalter möglich waren. Und so schreibt auch Heine im vollen Bewußtsein seiner zerrissenen, aber zugleich mit der Würde der Freiheit ausgezeichneten ›Modernität‹ über jene Zeiten: »[Da] gab's doch noch immer eine Welteinheit, und es gab ganze Dichter. Wir wollen diese Dichter ehren und uns an ihnen erfreuen; aber jede Nachahmung ihrer Ganzheit ist eine Lüge, eine Lüge, die jedes gesunde Auge durchschaut, und die dem Hohne dann nicht entgeht.« Ja, er fügt sogar noch ironisch hinzu: »Jüngst verschaffte ich mir in Berlin die Gedichte eines jener Ganzheitsdichter, der über meine Byronische Zerrissenheit so sehr geklagt, und bei den erlogenen Gründlichkeiten, den zarten Naturgefühlen, die mir da wie frisches Heu entgegen dufteten, wäre mein schwaches Herz, das schon hinlänglich zerrissen ist, fast auch vor Lachen geborsten« (3, 304).

Doch zum Glück barst es nicht. Es paßte sich auch nicht an, sondern blieb so dialektisch gespalten, so zerrissen, so zukunftshungrig wie je zuvor. So gesehen liegt der ideologische Anspruch von Heines *Ideen Das Buch Le Grand* nicht in einem fixierbaren Ganzheitskonzept, sondern in seinem nach vorn greifenden Engagement, seiner Forderung nach dem unverkürzten Leben, seiner Hoffnung auf eine Selbstrealisierung der Menschheit, die zwar immer nur Postulat ist, aber als Postulat nie untergehen darf, um so der Gefahr zu entgehen, in der totalitären Enge des Status quo zu versacken.

ENGLISCHE FRAGMENTE

(E: August/November 1827 und November 1830)

Die halbvollendete Revolution

> »Die Bestimmungen Verstorbener müssen in diesem Lande mit skrupulösester Genauigkeit ausgeführt werden. Es gibt ein Schloß in England, wo seit einem halben Jahrhundert ein Leichnam, wohl angezogen, am Fenster steht, und sich ohne Störung noch immer sein einstiges Eigentum besieht. Wie sehr muß dieser Mann die Häuslichkeit geliebt haben« (Hermann Fürst v. Pückler-Muskau).

Die *Englischen Fragmente* sind nach der Schrift *Über Polen* Heines zweiter Anlauf, eine Volkscharakteristik zu entwerfen. Und zwar gibt er sich dabei die äußerste Mühe, seine Leser nicht mit den von der Tradition geheiligten Klischees abzuspeisen. Denn nichts war Heine verhaßter, wie er schon in seinem *Polen*-Essay schreibt, als die Leichtfertigkeit jener »Broschürenskribler«, die, »wenn sie einen dicken Liverpooler Baumwollhändler jähnen sehen, auf der Stelle eine Beurteilung jenes Volkes liefern« (7, 196). Heine bleibt daher 1827 vier volle Monate in England und versucht, sich einen möglichst umfassenden Eindruck von den dortigen politischen, künstlerischen, juristischen und sozialen Verhältnissen zu verschaffen.[1] Wieder am deutschen Schreibtisch sitzend, beschränkt er sich darauf, seine Erfahrungen in einigen kürzeren Essays zusammenzufassen, die erstmals 1828 in den *Neuen politischen Annalen* und dann im Januar 1831 unter dem vorsichtigen Titel *Englische Fragmente* in den *Nachträgen* zu seinen *Reisebildern* erschienen, um nur ja den Eindruck zu vermeiden, daß es sich bei diesem Werk um etwas Wohlabgerundetes, Erschöpfendes handele. Um seine Leser für diese offenkundigen Mängel zu entschädigen, weist er im *Vorwort* dieses Bandes neben älteren Englandbüchern von Johann Wilhelm Archenholz (1785) und August Gottlieb Göde (1803–1805) vor allem auf die im Jahre 1830 erschienenen *Briefe eines Verstorbenen* des Fürsten Hermann von Pückler-Muskau hin, welche die »dortigen Zustände besser veranschaulichten« als alles, was sonst in den letzten Jahrzehnten über England geschrieben sei (3,376).

Nun, Heines *Englische Fragmente*, die in der Erstausgabe nur 170 Seiten füllten, können sich mit den *Briefen eines Verstorbenen*, die in vier Bänden herauskamen und über 1500 Seiten umfaßten, schon rein quantitätsmäßig nicht vergleichen. Doch wie fällt dieser Vergleich aus, wenn man mehr auf die Qualität sieht? Pückler-Muskaus Reisebriefe sind zweifellos eine Fundgrube ersten Ranges, was die kulturgeschichtlichen Details betrifft. Ideologisch gesehen, herrscht dabei weitgehend ein Ton uneingeschränkter Affirmation. England wird als das modernste, wohlhabenste Land der Welt hingestellt, das aufgrund seiner hochentwickelten Industrie und seines demokratischen Parlamentarismus die ›agrarischen‹ Kontinentalmächte weit hinter sich gelassen hat. Was daher bei Pückler im Vordergrund steht, ist erst einmal der überwältigende Reichtum, der in England, besonders in London herrsche. Die vielen Theater, die Banken, die Börse, der Hafen, das Straßenleben, die Legionen an Freudenmädchen, die bequemen Hotels: alles habe einen viel größeren Zuschnitt als in den Städten auf dem durch die napoleonischen Kriege verarmten Kontinent. Daher findet sich in den *Briefen eines Verstorbenen* viel Lob der Eleganz, der Sauberkeit, der ›Efficiency‹, vor allem was Postkutschen, Straßen, Restaurants und Nachtquartiere betrifft, wo man ein ganz anderes Gefühl des Komforts habe als in Berlin, ja selbst in Paris. So gesehen, scheint es sich in diesen Briefen um den literarischen Ausdruck der herrschenden Anglomanie zu handeln, die in den Tagen Scotts und Lord Byrons unter den europäischen Intellektuellen geradezu überdimensionale Ausmaße angenommen hatte.

Doch damit erfaßt man nur eine Seite dieser Bände. Denn neben den recht enthusiastischen Partien, wozu nicht nur das Erlebnis Londons, sondern auch das der herrlichen Parks, der Fabriken Birminghams, des fashionablen Gesellschaftslebens in Brighton und eines Besuchs der durch Scott berühmt gewordenen Ruinen von Kenilworth gehört, trifft man ständig auf irritierende ›Asides‹ wie etwa über die ›himmelschreiende Unterdrückung‹ der katholischen Iren. Doch die eigentliche Kritik des ›Verstorbenen‹ liegt mehr auf dem Gebiet des Gesellschaftlichen und Völkerpsychologischen. So notiert er sich ständig, was er als ›typisch englisch‹ empfindet, nämlich rohen Sellerie zu essen, Eiswasser zu trinken, bei Parties auf der Erde zu sitzen, unentwegt über das Wetter zu reden und ähnliche ›charakteristische‹ Details. Ebenso ›britisch‹ wirken auf ihn – und hier wird seine Kritik schon schärfer – die ewigen Mutton chops, die übertriebenen Tischsitten, die penible Etikette, der konventionelle Kirchgang, die ›Dullness‹ der englischen Receptions, der Kastengeist, der Hochmut dem Kontinent gegenüber und das mangelnde Interesse an Kunst, wie es sich in dem geschmacklosen Durcheinander des Britischen Museums, der einfallsarmen Architektur und den verhunzten Opernaufführungen manifestierte. So betrachtet, erscheint ihm England als ein Land der Shopkeepers, wie sich Napoleon einmal ausdrückte, wo man zwar einen Sinn für die Efficiency, aber nicht für das Savoir vivre besitze. Was ihn besonders abstößt, ist die mangelnde Grazie im Bereich des Gesellschaftlichen. Jeder sei hier nur auf seinen guten Ruf bedacht und zittre dauernd vor einem Skandal, was zu einem Triumph der Prüderie über jede menschliche Ursprünglichkeit geführt habe. Am stärksten zeige sich diese gesellschaftliche Verbildung bei den Frauen, die er als eitel und intellektuell ›beschränkt‹ charakterisiert. Die meisten wollten durchaus und ›allein um ihrer selbst willen‹ geliebt werden. Nirgends finde man die ›freieren‹ Sitten des europäischen Adels, obwohl sich die ›wohlgeborenen‹ Engländerinnen ständig bemühten, ›kontinentale‹ Grazie und Leichtigkeit zu affektieren. Ja, in diesem Punkte wird der ›Verstorbene‹ so gehässig, ihnen allen ›große Füße‹ anzudichten.[2]

Das wirkt streckenweise ganz witzig, bleibt aber letztlich trotz mancher frischen Eindrücke recht klischeehaft. Dieser Mann sieht England weitgehend so, wie ›man‹, das heißt die Schicht der Hochwohlgeborenen, England damals eben sah: mit unverhohlener Bewunderung und ein paar ironischen Seitenbemerkungen über das Andersartige, Ausländische, von den eigenen Normerwartungen Abweichende. Heine geht dagegen von vornherein von einer ›höheren‹ Warte aus. Er begnügt sich nicht mit amüsanten Plaudereien und völkerpsychologischen Klischees, sondern versucht, den gesellschaftspolitischen Verhältnissen in England wirklich auf den Grund zu kommen. Während Pückler immer wieder vom ›Englischen‹ oder ›Britischen‹ schlechthin spricht, wodurch er zwangsläufig in das strukturalistische Konstanzdenken der reaktionären Milieutheoretiker verfällt, das auf dem Prinzip der relativen Unwandelbarkeit aller menschlichen Verhältnisse beruht, versucht Heine, die Dinge stets in ihrem historischen Fluß zu sehen. Er steht bereits jenseits des älteren Klischee- und Topoidenkens. Seine Welt ist schon die Welt der geschichtlichen Veränderung, der sich selbst das inselhafte und damit scheinbar isolierte England nicht entziehen kann. »Die alten stereotypen Charakteristiken der Völker«, schreibt er an einer Stelle, »wie wir solche in gelehrten Kompendien und Bierschenken finden, können uns nichts mehr nutzen und nur zu trostlosen Irrtümern verleiten. Wie wir unter unseren Augen den Charakter unserer westlichen Nachbarn sich allmählich umgestaltet sahen, so können wir seit Aufhebung der Kontinentalsperre eine ähnliche Umwandlung jenseits des Kanales wahrnehmen.« Ja, in typisch Heinescher Weise exemplifiziert er das gleich an einem Beispiel, indem er behauptet: »Ich habe einen Engländer gesehen, der in der Tavistock-Tavern etwas Zucker zu seinem Blumenkohl verlangt hat, eine Ketzerei gegen die strenge anglikanische Küche, worüber der Kellner fast rücklings fiel, indem gewiß seit der römischen Invasion der Blumenkohl in England nie anders als in Wasser abgekocht und ohne süße Zutat verzehrt worden« (3,443).

Und doch spricht auch Heine manchmal verallgemeinernd von den ›Engländern‹, wie sich das nun einmal seit Jahrhunderten eingebürgert hatte. Solche Vorstellungen sind eben offenbar doch so mächtig, daß ihnen selbst ein kritisch denkender Geist wie Heine, der jedes Wort erst dreimal umdreht, bevor er es drucken läßt, ungewollt zum Opfer fällt.[3] Nur so wird verständlich, daß er es nicht lassen kann, dem »englischen Volke« an einer Stelle eine durchgehende »Einheit der Gesinnung« unterzuschieben, ja die Engländer – wie die finstersten Milieutheoretiker – mit Pflanzen vergleicht, die »aus demselben Boden hervorblühen und mit diesem Boden wunderbar verwebt sind«, als ob es überhaupt keine ›Geschichte‹ gebe (3,447). Und zwar erscheint ihm dabei als das hervorstechendste Element des englischen »Nationalcharakters« der auffällige Rückzug ins Private, ins Unöffentliche, ins Familiäre. So heißt es bereits im ersten Kapitel der *Englischen Fragmente*: »Die Engländer sind ein häusliches Volk, sie leben ein begrenztes, umfriedetes Familienleben; im Kreise seiner Angehörigen sucht der Engländer jenes Seelenbehagen, das ihm schon durch seine angeborene gesellschaftliche Unbeholfenheit außer Hause versagt ist. Der Engländer ist daher mit jener Freiheit zufrieden, die seine persönlichsten Rechte verbürgt und seinen Leib, sein Eigentum, seine Ehe, seinen Glauben und sogar seine Grillen unbedingt schützt. In seinem Hause ist niemand freier als ein Engländer, um mich des berühmten Ausdrucks zu bedienen, er ist König und Bischof in seinen vier Pfählen, und nicht unaufrichtig ist sein gewöhnlicher Wahlspruch: ›My house is my castle‹« (3,433 f.). Ein solches Statement klingt allerdings recht antiquiert. Den »Engländern« eine »angeborene gesellschaftliche Unbeholfenheit« in die Schuhe zu schieben: hatten das nicht auch jene Autoren getan, die noch einer ahistorisch-reaktionären Ideologie verpflichtet waren? Wer sind überhaupt diese »Engländer«: die oberen, die mittleren oder die unteren Bevölkerungsklassen?

Die Antwort darauf gibt bereits der nächste Abschnitt, wo Heine unter anderem schreibt: »Weit geduldiger als der Franzose erträgt daher der Engländer den Anblick der bevorrechtigsten Aristokratie; er tröstet sich, daß er selbst Rechte besitzt, die es jener unmöglich machen, ihn in seinem häuslichen Komfort und in seinen Lebensansprüchen zu stören« (3,434 f.). Und damit wird klar, daß ›die Engländer‹ für Heine die englischen Bürger sind. Da er sich jedoch mit diesen ›Bürgern‹ keineswegs identifiziert, sondern stets die Position eines kritisch-beobachtenden Außenseiters beibehält, werden solche Pauschalurteile immer wieder von soziologisch sorgfältig differenzierenden Perspektiven durchbrochen. Denn letztlich sieht Heine dieses England doch nicht völkerpsychologisch, sondern gesellschaftspolitisch, ja geradezu materialistisch. Ihm ist sehr wohl bewußt, daß diese ›Engländer‹ aus oberen, mittleren und unteren Gesellschaftsklassen bestehen und – bei Licht besehen – in mehrere Nationen zerfallen. Die »vornehme Welt«, die »Nobility« (3,445) betrachte sich auch in England, wie Heine schreibt, als »Wesen höherer Art«, das »ohne Sorgen und ohne Schranken« auf den Köpfen des übrigen »Menschengesindels« herumtanze (3,442). Diese Schicht sei im Laufe der Jahrhunderte so reich geworden, daß sie die »ganze Welt als ihr Eigentum« ansehe und dementsprechend behandle (3,442). Das unvermeidliche Pendant dieser politischen und ökonomischen Überlegenheit sei eine moralische Unbekümmertheit, ja Arroganz, die so weit gehe, daß »man in den fashionablen Salons« sogar über »kühne Mädchenräuber tolerant zu scherzen und zu lachen« wüßte (3,446).

Wie ganz anders erscheint Heine dagegen der »gewerbetreibende Teil der Nation, besonders die Kaufleute in den Fabrikstädten«, die fast alle vom »Pietismus, ja ich möchte sagen Puritanismus« geprägt seien, so daß »dieser gottselige Teil des Volkes mit den weltlichgesinnten Vornehmen« auf dieselbe Weise kontrastiere »wie die Kavaliere und Stutzköpfe, die Walter Scott in seinen Romanen so wahrhaft« schildere (3,445). Und somit gibt es plötzlich zwei Sorten von ›Engländern‹: die Adligen und die Kaufleute, die Frivolen und die Puritanischen, die erotischen Libertinisten und die frustrierten Hypokriten. Heine gibt sich dabei äußerste Mühe, die Bilanz- und Bibel-Philister, die in »kasernenartigen Häusern« wohnen und auch sonst den Schein der Bescheidenheit und des devoten Konformismus zu wahren suchten (3,440), zugleich als skrupellose Kapitalisten zu zeichnen, um zu zeigen, welche Veränderungen dieser Typ seit den Tagen Cromwells durchgemacht hat. Sein englischer Kaufmannstyp ist daher ein John Bull mit kapitalistischer Raffgier, der Tag und Nacht »arbeitet«, Tag und Nacht »sein Gehirn anstrengt zur Erfindung neuer Maschinen«, Tag und Nacht »sitzt und rechnet«, Tag und Nacht »rennt und läuft, ohne sich viel umzusehen, vom Hafen nach der Börse, von der Börse nach dem Strand« und dabei jeden, der »ihm in den Weg tritt mit einem ›God damn!‹ etwas unsanft in die Seite stößt« (3,439).

Und damit rückten zwangsläufig auch die Armen, die Ausgebeuteten, die Opfer dieser rücksichtslosen Raffgier ins Blickfeld seiner soziologischen Analyse. Zu diesen dritten ›Engländern‹ gehören für Heine die Arbeiter, die Dienstleute, die Lumpenproletarier, die Freudenmädchen, die Verbrecher und schließlich auch die vielen Bettler, die wie die Ganoven das helle Licht des Tages scheuen und nur manchmal aus ihren dunklen Gäßchen hervortreten, um die Hand auszustrecken, während der »reiche Kaufmann geschäftig geldklimpernd vorübereilt« und der »müßige Lord wie ein satter Gott auf hohem Roß einherreitet und auf das Menschengewühl unter ihm dann und wann einen gleichgültig vornehmen Blick wirft, als wären es winzige Ameisen« (3,442).

Damit verglichen, kommen Heine die deutschen Verhältnisse, wo sich »alles noch so sabbatlich ruhig« abspiclc, geradezu idyllisch und patriarchalisch vor (3,439). Erst in London offenbaren sich ihm die »verborgensten Geheimnisse der gesellschaftlichen Ordnung«. Erst hier wird ihm der »Pulsschlag der Welt« wirklich hörbar (3,438). Wie später Friedrich Engels und Georg Weerth erfährt er erst hier, was Schlagworte wie Kapitalismus, Großstadtwesen und parlamentarische Demokratie eigentlich bedeuten, wenn man sie einmal als Realitäten erlebt.[4] Und Heine erschrickt zutiefst. Er hatte in England ein »Land der Freiheit«, eine »verjüngte Welt« erwartet (3,433), wie er gleich zu Anfang in rhetorischer Übersteigerung behauptet, und findet einen Dschungel rücksichtslosester Privatinteressen und politischer Manipulationen. Wohin er auch blickt, erlebt er eine Enttäuschung nach der anderen. Denn was gab es damals in England schon groß an ›positiven‹ Werten: eine Freiheit, die keine wirkliche Emanzipation bedeutete, einen ökonomischen Fortschritt, der mit grimmigster Unterdrückung verbunden war, eine Demokratie, die von schroffen Klassengegensätzen bestimmt wurde, eine bürgerliche Moral, die in ihrer Frustriertheit geradezu zum Himmel stank. Und das alles in einem Lande, das von den Liberalen auf dem Kontinent als das vornehmste, kultivierteste, fortschrittlichste Land der Welt gepriesen wurde. Nun, einiges war hier schon ›progressiv‹. Aber wem kam dieser Fortschritt zugute?

Heine schildert daher immer wieder Verhältnisse, Dinge, Zustände, die ihm gerade in England noch als recht ›mittelalterlich‹ erschienen. Und daran war in dieser Zeit, die noch vor den großen Reformgesetzen der dreißiger Jahre liegt, wahrlich kein Mangel. Was ihm besonders mittelalterlich vorkam, war die englische Justiz. Heine illustriert das anläßlich eines Besuchs von Old Bailey, wo er zum erstenmal die englischen Richter mit ihren barocken Allongeperücken und blauschwarzen Togen sieht, die jeden, der ein Schaf gestohlen hat, sofort nach Botany Bay verbannen, und jeden, der eine Handschrift gefälscht hat, sofort am nächsten Galgen aufknüpfen lassen (3,456). In diesen Dingen hatte Heine eigentlich mehr

Verständnis und Duldung erwartet. Ebenso archaisch findet er die religiöse Intoleranz den armen Iren gegenüber (3,483 f.), für die nicht nur der hohe Klerus, sondern auch der Adel und das Bürgertum verantwortlich seien, deren ideologische Haltung in diesem Punkte geradezu ans Versteinerte grenze. Doch Heines größter Zorn richtete sich gegen das Ansehen, das der Adel, diese »alte Foxhunter-Sippschaft«, wie er diese Clique abschätzig nennt (3,476), in England immer noch besitze. Und zwar stütze sich die Machtstellung der englischen Aristokratie vor allem auf den gewaltigen Landbesitz dieser Klasse, die seit altersher ihre Ländereien immer nur verpachte und nie verkaufe, was ihr enorme Renten eintrage. Auch politisch sei diese Clique von größtem Einfluß, da die großen Industriestädte kaum oder gar nicht im Parlament vertreten seien, während irgendwelche »verschollenen, unbewohnten Ortschaften«, sogenannte »Rotten boroughs« weiterhin ungestört ihre adligen Abgesandten ins Parlament schickten, was einer feudalistischen »Oligarchie« gleichkomme (3,475). »In dieser Hinsicht liegt über dem Geist der Engländer noch immer die Nacht des Mittelalters«, schreibt Heine resümierend, »die heilige Idee von der bürgerlichen Gleichheit aller Menschen hat sie noch nicht erleuchtet« (3,474).

Und das trotz der vielen bürgerlichen Whigs, trotz energischer Liberaler wie George Canning, der während Heines England-Aufenthalt gerade für kurze Zeit Premierminister war (3,475)! Und das trotz der imponierenden Parlamentsdebatten in Westminster, die Heine höchst faszinierend fand, da in ihnen »Scherz, Satire, Selbstpersiflage, Sarkasmus, Gemüt und Weisheit, Malice und Güte, Logik und Verse« in einem unendlich bunten Farbenspiel durcheinandersprudelten (3, 486)! Und das trotz der vielgerühmten oder oft proklamierten englischen ›Freiheit‹!

Wie ist es eigntlich zu verstehen, fragt sich Heine, daß sich dieser ›Liberalismus‹ nicht stärker auf die gesamtgesellschaftliche Situation ausgewirkt hat? Welche Gründe sind für diese Fehlentwicklung verantwortlich? Bei der Beantwortung dieser Fragen begnügt sich Heine nicht mit irgendwelchen völkerpsychologischen Platitüden, indem er à la Pückler-Muskau auf die angeborene Apathie der Engländer hinweist, sondern greift als guter Hegelianer weit ins Historische aus. Er sieht genau, daß dieser Liberalismus trotz seiner glorreichen Anfänge im

17. Jahrhundert im Laufe des späten 18. Jahrhunderts seinen ursprünglichen Elan eingebüßt habe, indem das englische Bürgertum – gegen seine eigenen Interessen – zweimal auf der falschen Seite der Barrikade angetreten sei: erst im Kampf gegen die dreizehn rebellischen Kolonien jenseits des Nordatlantiks und dann im Kampf gegen die Französische Revolution und ihren faszinierenden, wenn auch problematischen Fortsetzer Napoleon, was der Ideologie der Reaktion wieder gewaltig Oberwasser gegeben habe. Vor allem durch die langwierigen Koalitionskriege, bei denen England hinter der Szene den Spiritus rector der europäischen Gegenrevolution gespielt habe, sei das englische Bürgertum immer tiefer in die Brackwässer des Konservatismus geraten. Um nur ja zu verhindern, daß die Ideen der Französischen Revolution auch in England begeisterte Anhänger finden würden, habe das königlich-aristokratische Establishment in diesen Jahren, ja Jahrzehnten alles getan, so viele Gegenrevolutionäre wie nur möglich auf die Beine zu stellen und mit Flinten zu versehen, wodurch man dem englischen Staatshaushalt und damit indirekt dem englischen Bürgertum eine gewaltige Schuldenlast aufgehalst habe. Doch selbst zu diesem bösen Spiel, schreibt Heine, habe das englische Bürgertum eine gute Miene gemacht – und sich damit politisch in den Hintergrund drängen lassen. Der Rückfall in das Ancien régime nach dem Wiener Kongreß sei daher auch in England unvermeidlich gewesen und von Männern wie dem Viscount Castlereagh und dem Duke of Wellington mit allen Mitteln ausgeschlachtet worden. Was Heine dabei besonders empört, ist, daß selbst ein Mann wie Walter Scott diesen Kurs mitgemacht hat und sich nicht enblödete, ein negatives Buch über Napoleon zu schreiben, dem die Engländer auf St. Helena nun schon wahrlich übel genug mitgespielt hätten (3,448 ff.). Durch all diese Zugeständnisse und Erniedrigungen habe sich das englische Bürgertum schließlich so weit entmündigt, daß ihm nur noch die Flucht in den wirtschaftlichen ›Fortschritt‹ übriggeblieben sei. Und so seien aus liberalen Citoyens schließlich saturierte Bourgeois geworden, die sich sogar einen Dummkopf wie dem Duke of Wellington unterworfen hätten, dessen Geisteskräfte dem eines pharospielenden Husaren wie Blücher entsprächen.

Doch nicht genug damit. Heine zieht bei seiner polithistorischen Analyse der englischen Verhältnisse nicht nur die

Geschichte der letzten Jahrzehnte heran, sondern greift viel weiter, bis zu den Anfängen des englischen Liberalismus, bis zur Magna Charta, zu Cromwell und der Glorious Revolution von 1688 zurück. Er tut das, weil er davon überzeugt ist, daß der englische Liberalismus bereits damals einen ideologischen Knick bekommen und sich mit einem halbherzigen Pragmatismus begnügt habe, der stets von der jeweils gegebenen Situation ausgehe und daher nie zu wirklichen Umwälzungen führe. Trotz vielversprechender Ansätze sei deshalb die gesamte englische Geschichte fehlgelaufen. Durch den Puritanismus von Anfang an in seiner Radikalität gehemmt, habe sich das englische Bürgertum immer stärker aufs Kommerzielle verlegt, anstatt seine Kräfte auch auf politischem Gebiet einzusetzen. Es sei immer pragmatisch, immer ›realistisch‹ gewesen – habe immer auf seinen momentanen Vorteil gesehen und darüber die größeren Ziele aus dem Auge verloren. Im Gegensatz zum französischen Bürger des 18. Jahrhunderts, behauptet Heine, habe sich der englische Bürger nie bis zur Höhe der absoluten Idee erhoben, sondern sich damit begnügt, gewohnheitsrechtlich und realpolitisch weiterzuwursteln.

Und zwar demonstriert das Heine vor allem an den englischen Parteien, den Tories und den Whigs, die man – genau betrachtet – nicht als Weltanschauungsparteien mißverstehen dürfe. Er schreibt: »Die allgemeine Ansicht ist: die Partei der Tories neige sich ganz nach der Seite des Thrones und kämpfe für die Vorrechte der Krone, wohingegen die Partei der Whigs mehr nach der Seite des Volkes hinneige und dessen Recht beschütze. Jene Benennungen könnte man vielmehr als Koteriename ansehen. Sie bezeichnen Menschen, die bei gewissen Streitfragen zusammenhalten. Von Prinzip ist gar nicht die Rede, man ist nicht einig über gewisse Ideen, sondern über gewisse Maßregeln in der Staatsverwaltung, über Abschaffung oder Beibehaltung gewisser Mißbräuche, gewisse Bills, gewisse erbliche Questions – gleichviel aus welchem Gesichtspunkte, meistens aus Gewohnheit« (3,473). Und das findet Heine – als Mann der Idee – natürlich empörend. Nicht einmal der Gegensatz ›Adel-Bürgertum‹ spiele bei diesen Parteistreitigkeiten eine gravierende Rolle. Ja, diese Streitigkeiten, behauptet Heine, seien in Wirklichkeit gar keine Streitigkeiten, da das Bürgertum überhaupt keine antiaristokratischen Affekte habe, sondern alles so hinnehme, wie es ist, weil es »die Aristokratie für ebenso unwandelbar halte wie Sonne, Mond und Sterne«, ja die »Vorrechte des Adels und des Klerus nicht bloß als staatsnützlich, sondern als eine Naturnotwendigkeit ansehe und vielleicht selbst für diese Vorrechte mit weit mehr Eifer kämpfen würde als die Aristokraten selbst« (3,474).

Und dieses ›falsche Bewußtsein‹, schreibt Heine, herrsche in England nun schon seit Jahrhunderten und werde als sogenanntes ›Gewohnheitsrecht‹ unentwegt perpetuiert, ja geradezu zur Staatsreligion erhoben. Die meisten englischen Bürger seien fest davon überzeugt, in dem besten aller denkbaren Staaten zu leben, an dessen Regierungsformen nichts mehr geändert zu werden brauche. Wie schon Napoleon richtig bemerkt habe, seien sie in erster Linie Shopkeepers, deren Leben sich in Kontor und Wohnzimmer teile. Wenn man ihnen dort die nötige Freiheit lasse, verlangten sie nichts anderes in der Welt. Die englische Demokratie sei daher längst zu einem Status-quo-System geworden, das nur den Adligen und der Upper Middle Class zugute komme. Und damit sei hier die Demokratie zu einem Privilegiensystem erstarrt, dem ein Verrat an echten, das heißt volksverbundenen oder gar menschheitlichen Liberalismus zugrunde liege. Heine schreibt daher gegen Ende der *Englischen Fragmente* recht scharf und verbittert: »Keine gesellschaftliche Umwälzung hat in Großbritannien stattgefunden, das Gerüste der bürgerlichen und politischen Institutionen blieb unzerstört, die Kastenherrschaft und das Zunftwesen hat sich dort bis auf den heutigen Tag erhalten, und obleich getränkt von dem Lichte und der Wärme der neueren Zivilisation, verharrt England in einem mittelalterlichen Zustande oder vielmehr im Zustande eines fashionablen Mittelalters. Die Konzessionen, die dort den liberalen Ideen gemacht worden, sind dieser mittelalterlichen Starrheit nur mühsam abgekämpft worden; und nie aus einem Prinzip, sondern aus der faktischen Notwendigkeit sind alle modernen Verbesserungen hervorgegangen, und sie tragen alle den Fluch der Halbheit, die immer neue Drangsal und neuen Todeskampf und dessen Gefahren nötig macht« (3,496f.).

Und zwar sieht Heine diese »Halbheit« in allem: auf dem Gebiet der religiösen Reformation, der Verbesserung der Wahlverordnungen, der Vorschläge zu einem neuen Steuersystem und den Änderungen der Kriminalgesetzgebung. Immer wieder schrecke man vor einer durchgreifenden Reform zurück und flicke statt dessen nur an der Fassade herum. Heines gesellschaftspolitische Prognose im Hinblick auf die englischen Verhältnisse fällt daher recht düster aus: »Wird auch seit kurzem manche Verbesserung dieses trüben Zustandes in England vorbereitet, werden auch der weltlichen und geistlichen Habsucht hie und da Schranken gesetzt, wird auch jetzt die große Lüge einer Volksvertretung einigermaßen begütigt, indem man hie und da einem großen Fabrikorte die verwirkte Wahlstimme von einem Rotten borough überträgt, wird gleichfalls hie und da die harsche Intoleranz gemildert, indem man auch einige andere Sekten bevorrechtet – so ist dies alles doch nur leidige Altflickerei, die nicht lange vorhält, und der dümmste Schneider in England kann voraussehen, daß über kurz oder lang das alte Staatskleid auseinander reißt« (3,497f.).

Doch mit dieser Prognose hatte Heine nur zur Hälfte recht. Die »Altflickerei« blieb in England auch in den folgenden Jahrzehnten die einzige Methode, den sozialen Mißständen entgegenzuwirken. Und diese Methode bewährte sich so gut, daß es in England nie zu einer wirklich revolutionären Situation kam. Heines Abneigung gegen England wurde daher im Laufe seines Lebens immer schärfer. Immer dann, wenn er über saturierte, kunstfeindliche, raffgierige Philister in Rage gerät, gebraucht er als lebende Beispiele die Engländer. Und auch dann, wenn er auf die leidigen Kohlendämpfe des Kapitalismus zu sprechen kommt, in denen sich ein Zeitalter der krassesten Ausbeutung ankündige, fallen ihm sofort die Engländer und ihr Manchestertum ein. Wie schon in den *Englischen Fragmenten* gebraucht er dabei auch später gern die Metapher von der ›halbvollendeten Revolution‹. Was die Engländer einmal in grauer Vorzeit angefangen hätten, nämlich das heilige Werk der Emanzipation, wie Heine schreibt, sei bei ihnen später völlig in Vergessenheit heraten. Dieses Werk mit verschärfter Verve fortzusetzen, hätten dann im späten 18. Jahrhundert und dann noch einmal im Jahr 1830 die Franzosen versucht, seien aber ebenfalls an dieser gigantischen Aufgabe gescheitert. Und so setzt der mittlere Heine – paradoxerweise – seine Hoffnung immer stärker auf die Deutschen, die sich bisher nur als Schwärmer, Träumer und Phantasten ausgezeichnet hätten. Doch gerade in ihren Träumereien, ihren ›Ideen‹ seien sie in manchem wesentlich radikaler gewesen als die Engländer und die Franzosen. Solange also Heine an der Prärogative der Idee gegenüber der Wirklichkeit festhielt, mußte er die Engländer notwendig geringschätzen und die Deutschen wegen ihres Kant, ihres Fichte, ihres Hegel für ein Volk mit revolutionärer Zukunft halten, wie er das im ersten Kapitel seiner *Englischen Fragmente* (3,434ff.) und dann noch einmal an prononcierter Stelle am Schluß der *Geschichte der Religion und Philosophie in Deutschland* tut (4,292ff.). Manches an diesen Überlegungen wird dabei durchaus mit konkreten Fakten verknüpft, anderes bleibt genauso spekulativ wie der Hegelsche Weltgeist, der von Volk zu Volk wandert, bis er seine endgültige Realisierung findet, indem er sich in der Idee der absoluten Freiheit selbst aufhebt.

REISE VON MÜNCHEN NACH GENUA

(E: August/Oktober 1828 und März/Juni 1829)

Objektivität in der Subjektivität

»Die Wirtschaft der Seeschnecken, Patellen und Taschenkrebse gesehen und mich herzlich darüber gefreut. Was ist doch ein Lebendiges für ein köstliches, herrliches Ding! Wie abgemessen zu seinem Zustande, wie wahr, wie seiend!«
(Johann Wolfgang von Goethe).

Zu den ältesten und hartnäckigsten germanistischen Gemeinplätzen, die es gibt, gehört die These, der alte, ja schon der mittlere, der ›klassische‹ Goethe sei ein absoluter Objektivist gewesen. Mit klarem Auge und unbeirrbarem Instinkt habe er aus der wirren Fülle der Erscheinungen stets das Wesentliche herausgehoben und diesem Wesentlichen mit unnachahmlichen Formgefühl eine realistisch-greifbare Gestalt gegeben. Da sich Goethe von Jugend auf an der Klarheit der Natur und der Schönheit der Alten geschult habe, sei es ihm nie in den Sinn gekommen, sich in überspannte Schwärmereien, ideelle Spekulationen, metaphysische Phantasmen oder romantische Narreteien zu verlieren. Bei ihm herrsche stets Gestalt, Helle, Gesundheit, Natur – kurz: *Objektivität*.

Und wenn man zur Unterstützung dieser These auf die vielen pathologischen Romantiker, originalitätssüchtigen Formalisten oder andere ›forcierte Talente‹ hinweist, die sich im gleichen Zeitraum in der deutschen Literatur herumgetummelt hätten, fällt nur allzu oft auch der Name des jungen Heine. Von ihm wird mit derselben Gemeinplätzigkeit behauptet, er sei rein subjektiv gewesen, das heißt, er habe sich in seinen Werken nie zu jener lichtvollen Klarheit durchgerungen, die nun einmal die Werke des großen Weimaraners auszeichne. Während bei Goethe stets eine Harmonie zwischen realistischer Naturanschauung und ästhetischer Formsicherheit herrsche, dominiere bei Heine ein zügelloser Fragmentarismus, eine ans Krankhafte grenzende Zerrissenheit, ein fragwürdig schillernder Impressionismus – kurz: eine dem deutsch-goetheschen Sinn für das ›Organische‹ geradezu diametral zuwiderlaufende *Subjektivität*.

Versuchen wir dieses Klischee, dessen Quellen bis in die dunkelsten Urgründe des Völkischen und Geistesgeschichtlichen zurückreichen, einmal als das zu entlarven, was es ist: als Klischee. Und gehen wir dabei so konkret wie nur möglich vor, indem wir einfach zwei Textstellen miteinander vergleichen, die sich durch ihre inhaltliche Parallelität für einen solchen Vergleich geradezu anbieten. Ich meine den Anfang von Goethes *Italienischer Reise* (geschrieben zwischen 1786 und 1788, veröffentlicht 1816/17) und den Anfang von Heines *Reise von München nach Genua* (geschrieben 1828/29, veröffentlicht 1830), denen bis Verona ungefähr die gleiche Reiseroute zugrunde liegt. Fragen wir uns: Was sehen Goethe und Heine auf dieser Strecke ihrer italienischen Tour und wie subjektiv oder objektiv beschreiben sie es?[1] An sich müßte ja ein solcher Vergleich genug Anhaltspunkte bieten, um damit ein weiteres Klischee aus jener germanistischen Rumpelkammer herauszubefördern, die lange Zeit für ihre notorische Muffigkeit bekannt war.

Geben wir Goethe, als dem Älteren, den Vortritt. Wie fast alle Germanisten wissen, ist seine *Italienische Reise* eigentlich ein tagebuchartiger Briefbericht für seine in Weimar zurückgelassenen Freunde und Freundinnen, den er bereits an Ort und Stelle verfaßte, jedoch erst wesentlich später in redigierter Form zum Druck beförderte. Es gibt also auch bei diesem Werk – wie so oft bei Goethe – eine wesentlich frischere, lebendigere Urfassung, die jedoch leider einer harmonisch geglätteten Altersfassung weichen mußte, da sich Goethe noch nicht dazu durchringen konnte, sich selber historisch zu sehen, sondern sich immer noch der Ewigkeit gegenüber verpflichtet fühlte. Aber das soll uns hier nicht interessieren, da Heine bei der Abfassung seiner *Reise von München nach Genua* nur die zweite, die geglättete Version von Goethes *Italienischer Reise* vorgelegen hat. Gehen wir also von ihr aus.

Was in ihr beschrieben wird, sind die Reisestationen Karlsbad, Waldsassen, Regensburg, München, Mittenwald, Innsbruck, Brenner, Bozen, Trient, Gardasee und Verona. Doch wirklich ›beschrieben‹ wird eigentlich keiner dieser Orte, da Goethe viel zu unruhig ist und nirgends ›verweilen‹ will. Denn sein Reiseziel sind ja nicht die Alpen oder die oberitalienischen Städte, sondern jene ›heiligen Denkmäler‹ der Antike, von denen er sich die Offenbarung reinster Menschlichkeit erwartet. Er hofft, wie es an einer Stelle ausdrücklich heißt[2], »unter dem achtundvierzigsten Breitengrad ein wahres Gosen« (19) zu finden, das heißt eine Welt, in der man nicht mehr »geborgt oder im Exil«, sondern endlich zu »Hause« ist (26). Goethes erste wirkliche Begeisterung flackert daher erst auf, als er in Verona das antike Amphitheater, das erste Dokument der »alten Zeit« erblickt (39). Was er bisher nur von Abbildungen kannte, will er jetzt endlich mit eigenen Augen sehen und sich geradezu körperlich einverleiben. Alles, was noch aus der Antike stammt oder den antiken Geist wenigstens teilweise zu bewahren wußte, erfährt deshalb stets eine ›lobende Erwähnung‹. So hören wir etwa von dem Renaissance-Baumeister Palladio, daß er von der »Existenz der Alten« so erfüllt gewesen sei, daß er die Kraft besessen habe, sich als »großer Mensch« weit über die »Kleinheit und Enge seiner Zeit« zu erheben (72). Doch die tiefste Befriedigung gibt Goethe letztlich nur das, was noch direkt aus den »alten herrlichen Zeiten« stammt und ihn beim genießerischen Betrachten wieder in jene »alten herrlichen Zeiten« zurückversetzt (87). Es drängt darum Goethe von vornherein nach Rom, nach jener »Hauptstadt der Welt« (124), wie er sie nennt, wo er diese »alten Reste« am reinsten und reichsten zu finden hofft (82). Dort – in der Stadt aller Städte – will er sich in emsiger Geschäftigkeit das »Alte« aus dem »Neuen herausklauben« (129), um so auf den Grund des »ewig Wahren« zu stoßen (479). Je weiter daher Goethe kommt, desto größer wird seine Begierde, endlich Rom zu erreichen. So verweilt er in Venedig noch ganze zwei Wochen, in Florenz dagegen nur noch drei Stunden. Nicht das Italien des 18. Jahrhunderts, ja nicht einmal das Italien der Renaissance interessiert ihn, sondern die ewige Antike.

Wie kann ein solcher Antikenschwärmer für das Gegenwärtige, wie es ihm unterwegs begegnet, überhaupt ein ›objektives‹ Auge haben? Doch eine solche Frage ist vielleicht etwas zu scharf und überspitzt formuliert. Denn selbst im ersten Teil dieser Reise gibt es einige Momente, wo es sich Goethe gestattet, wirklich zu ›verweilen‹ und sich voll und ganz dem ›schönen Augenblick‹ zu widmen. Schließlich war es ja das Ziel dieser Reise, endlich ›Anschaulichkeit‹ zu lernen und zugleich Ruhe und Harmonie zu finden, statt sich weiterhin den Zügellosigkeiten und Versuchungen des inneren Lebens hinzugeben. Goethe bemüht sich darum von Anfang an, alles so gegenständlich, so »anschaulich« wie nur möglich zu schildern (17). So behauptet er einmal nachdrücklich: »Mir ist es jetzt nur um die sinnlichen Eindrücke zu tun, die kein Buch, kein Bild gibt« (25). Aus dem nordischen Nebel ins helle Licht der südlichen Sonne geflohen, hofft er, die Natur, das Volksleben und schließlich die Antike endlich in ihren wahren, das heißt ›ewigen‹ Proportionen in sich aufzunehmen. Goethe betont daher immer wieder seinen »Beobachtungsgeist«, seine Lust am »Gegenwärtigen« (25). Doch worin äußert sich diese neue ›Anschaulichkeit‹ eigentlich?

Die Städte werden kaum beschrieben. Was Goethe dort interessiert, sind nach alter Tradition lediglich die Kunstwerke. In München erwähnt er das Museum, in Trient eine alte Kirche, in Verona das Amphitheater, die Gemäldesammlung und einige antike Büsten. In diesem Punkte bleibt Goethe ganz der vornehme Kunstreisende des 18. Jahrhunderts, ganz weimarischer Bildungsmensch, ganz Höfling und Poet dazu. So betont er ausdrücklich, daß er ein Werk wie die unvollendete *Iphigenie* bei sich habe, die er unter dem Eindruck der Antike fertigzustellen hoffe. Aus diesem Grunde läßt er sich ständig von seinem Sekretär Vogel begleiten, der mit seiner »geschickten Hand« so gute Abschriften zu machen verstünde (21). Kunst und Leben sind eben bei dieser Reise von vornherein aufs engste miteinander verflochten. Goethe will sich im Italien der Antike in ein Milieu versetzen, das ihn zu einer neuen Form des Schaffens inspirieren soll. Selbst die Natur wird daher nicht nur als sinnlicher Eindruck beschrieben, sondern zugleich mit Virgil-Versen garniert. Überhaupt bleibt Goethes Blick weitgehend von seinem ästhetischen Vorwissen bestimmt. Alles erscheint ihm ›wie gemalt‹. So sieht er etwa in den Mühlen des Etschtals »völlige Everdingen« (24). Eine Genreszene in der Bozener Gegend erinnert ihn an einen »lebendigen, bewegten Heinrich Roos« (26).

Etwas konkreter werden die Dinge eigentlich nur dann, wenn sich Goethe um ›Naturwissenschaftlichkeit‹ bemüht. Manches grenzt dabei leider ans eindeutig Pedantische. So hören wir unentwegt, auf welchem Breitengrad sich Goethe gerade befindet. Ebenso häufig werden die verschiedenen Gesteinssorten erwähnt, die er entlang der Straße beobachtet. Ständig ist von Tonschiefer, Quarz, Granit, Jaspis, Kalk, Glimmerschiefer, Gneis, Porphyr oder Marmor die Rede, und zwar in allen nur denkbaren Zuständen: als verwittert, zerklüftet, steil aufragend, zu Kies verarbeitet oder zu Sand zermahlen. Für ›Kenner‹ werden dabei sogar Hinweise auf geologische Spezialwerke eingestreut und einige abfällige Bemerkungen über die Vulkanismus-Theorie mitgeliefert. Ebenso privat wirken die verschiedentlich angestellten Vergleiche einzelner Gesteinsbrocken mit den jeweiligen »Kabinettsstücken« in Goethes eigener Sammlung, die er zum Teil dem guten »Knebel verdanke«, um ihm selber das Wort zu geben (15). All das wirkt gar nicht so ›naturwissenschaftlich‹, wie es vorgebracht wird, sondern hat eher eine subjektiv-kennerhafte, ja manchmal geradezu borniert-arrogante Note.

Ähnliches trifft auf die Bemerkungen zu, die Goethe über die Alpenflora macht. In diesem Zusammenhang wird selbstverständlich erwähnt, daß er stets »seinen Linné« bei sich habe (20). Doch nicht die Anzahl der Staubgefäße hält Goethe für berichtenswert, sondern das Faktum, daß bei steigender Höhe der Gebirge die Blätter der Pflanzen immer »lanzenförmiger« würden und sich zugleich der Abstand der einzelnen Zweige ständig vergrößere (20). Aber sein naturwissenschaftliches Hauptinteresse gilt zweifelslos der Meteorologie, im besonderen der Luft und den Wolken. So streicht sich Goethe wiederholt als »ambulanten Wetterbeobachter« heraus (19) und reflektiert – zum Teil in erschreckenden Gemeinplätzen – über den Einfluß der »Witterung« auf die geologischen Strukturen oder den Einfluß der geologischen Strukturen auf die »Witterung« (17). Am ausführlichsten äußert sich Goethe dabei über die Ost-West-Lagerung der Alpen und ihren meteorologischen Einfluß auf Deutschland und Italien, der im Norden zu Regen, im Süden zu Sonnenschein führe. Daß es unter solchen Umständen auch zu Gewittern komme, wird weitgehend aus jener seltsamen »Oszillation« der Luft erklärt (18), die man auf die gewaltige Anziehungskraft der großen Gebirgsmassen zurückführen müsse.

Soweit das Objektive! Gehen wir nun zu den poetischen und ideologischen Elementen über, die in der traditionellen Literaturwissenschaft meist als Ausdruck des ›Subjektiven‹ gedeutet werden. Von wirklicher ›Poesie‹ kann in dem Abschnitt von München nach Verona eigentlich keine Rede sein. Alles wird höchst faktisch und in den einfachsten Worten aneinandergereiht. Es gibt keine empfindsamen Gefühlsausbrüche, keine hochgespannte Rhetorik, keine poetischen Bilder. Ja, selbst die einzelnen Stationen oder Haltepunkte – wie die Geschichte mit der kleinen Harfenistin oder die Szene in Malcesine am Gardasee – werden nur in Ausnahmefällen ins Episodische ausgeweitet. Was dominiert, ist der rein additive Bericht, in dem Goethe so anschaulich, so objektiv wie nur möglich zu bleiben versucht.

Ebenso zurückhaltend ist Goethe in seinen ideologischen Äußerungen. Doch Weltanschauliches läßt sich nie ganz unterdrücken – selbst dann nicht, wenn man sich bemüht, völlig ›unpolitisch‹ zu bleiben. Von gesellschaftlicher Perspektive her gesehen, wirkt Goethe, obwohl er sich gern ›unters Volk‹ mischt, wie ein incognito reisender Minister oder zumindest Baron. Er hat nun einmal diese herablassende Attitüde den niederen Leuten gegenüber, die fast ans ›Landesväterliche‹ grenzt. Ob er sich über die Tiroler oder die Italiener äußert, das Volk ist für ihn stets »wacker und gerade« (21), stets gut und bescheiden, stets fröhlich und selbstzufrieden – wie es sich eben fürs einfache Volk geziemt. Selbst die Armut hat in seinen Augen fast immer etwas Arkadisches oder Pittoreskes. Solche Dinge sieht er völlig von oben herab.

Dieselbe Status-quo-Mentalität, die in den bestehenden Verhältnissen etwas Selbstverständliches und damit Ewiges erblickt, äußert sich in seinen Hinweisen auf die hochwohllöbliche Obrigkeit. So heißt es über die »köstlichen Besitztümer« des Stiftes Waldsassen, daß die »geistlichen Herren« auf dem Sektor der Landnahme eben »früher als andere klug gewesen« seien (9). In Regensburg beeindrucken ihn vor allem die Jesuiten, die er als »einsichtige Männer« lobt, da sie den Gottesdienst mit soviel »Geschick und Konsequenz« und das Theater mit soviel »Liebe und Aufmerksamkeit« zu behandeln wüßten (11). In Bozen sind es die wohlverdienenden Geschäftsleute, denen Goethe seine Sympathie zuwendet. »Die vielen Kaufmannsgesichter«, heißt es hier, »freuten mich beisammen. Ein absichtliches, wohlbehagliches Dasein drückt sich recht lebhaft aus« (24). Überhaupt erscheint ihm in Italien – ob nun auf politischem oder sozialem Gebiet – alles so prächtig und wohlgeordnet, daß er an einer Stelle beseligt aufstöhnt: »Man glaubt wieder einmal an Gott« (26).

Fassen wir zusammen. In dem ganzen Textabschnitt drückt sich eine fraglose Selbstzufriedenheit mit der bestehenden Gesellschaftsordnung aus. Nicht eine einzige Äußerung von Kritik wird laut. Wohin man auch blickt, herrscht die nackteste Affirmation. Goethe reist nicht durch Italien, um sich politisch zu informieren, Vergleiche anzustellen, seinen gesellschaftlichen Horizont zu erweitern; Goethe reist durch Italien, um seine Persönlichkeit zu entwickeln und seinen Kunstsinn zu stärken.

Gehen wir zu Heine über. Im Gegensatz zu Goethe handelt es sich bei ihm nicht um bloße Reisebriefe, sondern um einen durchgehenden Reisebericht. Doch das ist letztlich nur ein formaler Unterschied. Wesentlich wichtiger ist die Frage: Was sieht Heine auf dem Streckenabschnitt von München nach Verona und wie beurteilt er das Gesehene? Die Orte, die er erwähnt, sind ungefähr dieselben wie bei Goethe: München, Innsbruck, Brixen, Trient, Ala und Verona. Es sind weniger, aber sie werden ausführlicher beschrieben. Heine drängt es nicht von vornherein nach Rom, nach der ›ewigen Stadt‹, nach der ›Hauptstadt der Welt‹. Er läßt sich Zeit. Er hat kein besonderes Ziel. Er reist, um zu reisen. Er gibt sich daher völlig seinen momentanen Impulsen hin, statt der Illusion nachzuhängen, in Italien – um jeden Preis – die ›Herrlichkeit der Antike‹ wiederzufinden.

Aufgrund dieser Einstellung widmet sich Heine dem Gegenwärtigen viel intensiver als Goethe. Er nimmt in allen Dingen die Haltung eines vielseitig interessierten Beobachters ein, der sich sowohl über die politischen als auch über die gesellschaftlichen, religiösen und ökonomischen Verhältnisse informieren möchte. Heine will einer ganz anderen ›Wirklichkeit‹ auf den Leib rücken als der, die Goethe vor Augen hat. In den Städten interessieren ihn nicht die Museen, sondern die Menschen, vor allem wie sie sich auf der Straße oder in den Wirtshäusern geben. Ebenso hält er's mit der Natur. Bei Heine erfährt man weder etwas über Gesteinssorten noch über Wolkenformationen oder Merkwürdigkeiten der Gebirgsflora. Er posiert nicht als Botaniker, Geologe oder Meteorologe, sondern lediglich als Dichter. Die Berge, die Wolken und die Blumen, die selbstverständlich auch er wahrnimmt, dienen ihm nur als Metaphern seiner Sehnsüchte und Reflexionen. Nicht die ›naturwissenschaftliche‹ Objektivität dieser Dinge beschäftigt ihn, sondern der Effekt, den sie in ihm auslösen. Kurz gesagt: weder der ewigen Antike noch der ewigen Natur gilt sein Hauptaugenmerk, sondern der historisch erfaßbaren Gegenwart, dem heutigen Italien. So gibt er zwar zu, daß es in diesen Breiten immer noch Mädchen mit »klassischen« Leibern gebe. Doch er übersieht nicht, daß diese Mädchen in billigen, braungestreiften »Kattunkleidern« herumlaufen, das heißt, daß sie keine Römerinnen, sondern Italienerinnen sind (3, 247). Überhaupt hat Heine gerade für die Armut, das Lumpige, Verrottete und Gedrückte der niederen Bevölkerung einen besonders scharfen Blick Für ihn verklärt sich selbst in diesem Lande nichts ins Arkadische. Er bleibt ›objektiv‹.

Gerade das, was bei Goethe im Vordergrund steht: die ewige Kunst und die ewige Natur, fehlt deshalb bei ihm fast völlig. Was jedoch bei Goethe etwas zu kurz kommt, das Poetische und Ideologische, nimmt bei ihm fast die Hälfte der gesamten Berichterstattung ein. Beginnen wir mit dem Poetischen.

Statt sich in seiner ›Italienischen Reise‹ auf die schlichte Aneinanderreihung von Fakten zu beschränken, bemüht sich Heine stets, gewisse Wirklichkeitskomplexe zu anekdotischverknüpften Episoden zusammenzufassen. Und zwar hat das nicht nur poetische, sondern auch menschliche Gründe. Heine reist eben nicht incognito als großer Außenseiter durch die Lande, sondern läßt sich ganz naiv mit den ihm begegnenden Menschen ein und hat daher wesentlich mehr wirkliche ›Erlebnisse‹. Man denke an die Szene mit dem Philister im Münchener Biergarten, dem Wirt in Innsbruck, der Spinnerin an der Eisach, der Obstfrau auf dem Marktplatz von Trient, dem Bauern in Ala, der kleinen Harfnerin mit ihrem Vater usw. Einiges mag davon natürlich erfunden sein. Aber wie in der *Harzreise*, in *Nordsee III* oder im *Buch Le Grand* gehen manche dieser Episoden sicher auf empirisch nachweisbare Fakten zurück.[3] Obendrein läßt Heine in all diesen Szenen seinen Gedanken und Gefühlen freien Lauf. Er gibt offen zu, daß ihn die Melancholie, der allgemeine ›Weltschmerz‹, das Gefühl der politischen Unfreiheit nach Italien getrieben hätten – man sich jedoch von solchen Dingen selbst in einem fremden Lande nicht einfach durch einen persönlichen Entschluß befreien könne. Die Erlösung von den Übeln der Gegenwart in der antiken Vergangenheit Italiens zu suchen, empfindet er von vornherein als ein absolut ›idealistisches‹ Unterfangen. Heine nimmt nämlich auch in Italien überall das Vergängliche, Welkende und Sterbende wahr – ob nun in den Ruinen der Gebäude oder in den Ruinen der Menschen. Selbst die kleine Harfnerin, in der Goethe ein Symbol der reinen Unschuld gesehen hatte, erscheint ihm wie eine zu früh verwelkte Rosenknospe. Wie jedes andere Land, in dem sich Heine bisher aufgehalten hat, ist auch Italien für ihn ein Land, in dem alles dem Wandel, der Vergänglichkeit und damit letztlich dem Tod anheimgegeben ist. Das »Et in arcadia ego!«, das Goethe seiner *Italienischen Reise* vorangestellt hat, nimmt daher bei ihm eine ganz andere Bedeutung an. In einer Welt, wie Heine sie sieht, ist für Ewiges, Arkadisches einfach kein Raum mehr. Hier bleibt alles auf den ständigen Wechsel bezogen.

Wenn er Landschaften, Städte oder Menschen schildert, wird daher nie mit historischen oder ideologischen Kommentaren gespart. Es gibt bei ihm nichts, was nicht zum Gegenstand der kritischen Reflexion werden könnte. So betrachtet Heine das Volk – im Gegensatz zu Goethe – nicht einfach undifferenziert als ›wacker und gerade‹, sondern unterscheidet sehr wohl zwischen den verschiedenen Nationalitäten und Bevölkerungsklassen. Der »grundehrliche Servilismus« der Tiroler zum Beispiel, die sich für ihren Kaiser totschießen ließen, ohne nach den Gründen zu fragen, stimmt ihn von vornherein bedenklich (3,236). Diese »armen Schelme« seien zwar »heiter, ehrlich und brav«, wie es heißt, aber zugleich von »unergründlicher Geistesbeschränktheit« (3,235). Heine vergleicht sie daher mit jenen törichten Befreiungskriegern, die noch immer auf den Sieg bei Leipzig stolz seien, durch den sie sich wieder ihr altes Joch auferlegt hätten. Die Norditaliener, welche damals unter der österreichischen Fremdherrschaft schmachteten, werden dagegen als viel wacher, pfiffiger und gerissener hingestellt. Ihre Sehnsucht nach Freiheit äußere sich sogar in der Opera buffa eines Rossini, schreibt Heine, deren aufreizender Schmiß und deren ungezügelte Sinnlichkeit fast ans Revolutionäre grenzten (3,250). Statt sich wie die altdeutschen Burschenschafter einer mürrischen Verdrossenheit hinzugeben, trage in Italien selbst der Revolutionäre eine Narrenkappe und sei daher von vornherein wesentlich populärer.

In Sachen ›Restauration und Revolution‹ drückt sich Heine überhaupt relativ ungeniert aus. Wie schon in *Nordsee III* müssen dabei vor allem Adel und Klerus manche Feder lassen. Man denke an die höchst unehrerbietigen Witze über die Fürstenstandbilder in der Hofkirche zu Innsbruck (3,230), über den »hagestolzlichen Landjunker« in Brixen (3,232) oder die »renovierten« preußischen Ritter in Berlin (3,235). Wohl am eindringlichsten äußert sich dieser Adelshaß bei der Schilderung von Ala, wo es einmal in aller Drastik heißt: »Auf einem steinernen Bruchstück eines großen altadligen Wappenschildes saß dort ein kleiner Knabe und notdürftelte« (3,254). Die gleiche Schärfe und Treffsicherheit haben seine Witze über die katholische Kirche. So hört man über Brixen, daß dort die Menschen nach der Kirche »trippeln« wie die Schafe nach den Ställen (3,231). Ebenso mißmutig reagiert Heine auf die »häßlichen Heiligenbilder« und das »melancholische Glockengebimmel« (3,231), vor denen man nirgends sicher sei. Es fehlt daher selten an frechen Ausfällen gegen die »Jesuiten« oder gegen einzelne Priestergestalten wie jenen ekligen Pfaffen in Brixen, jenes »Vieh Gottes«, wie Heine es nennt, das die »rohesten Zoten« reißt und dabei dem empörten Schankmädchen den Hintern »klätschelt« (232f.). Um solche Beobachtungen nicht im Bereich des Persönlich-Privaten zu lassen, wird dabei ständig auf das dahinterstehende System der Verdummung und Unterdrückung verwiesen. So heißt es in der Szene mit dem Priester und dem Adligen, die einen ausgezeichneten Rapport miteinander haben und nur auf die Bewahrung ihrer Privilegien bedacht sind: »Beide schwatzten jetzt das gewöhnliche Geschwätz von der großen Verschwörung gegen Thron und Altar, sie verständigten sich über die Notwendigkeit strenger Maßregeln und reichten sich mehrmals die heiligen Allianzhände« (3,233).

Fassen wir zusammen. In dem ganzen Textabschnitt drückt sich eine emanzipatorische Unzufriedenheit mit der bestehenden Gesellschaftsordnung aus. Nicht eine einzige Äußerung der Affirmation wird laut. Wohin man auch blickt, herrscht offene oder versteckte Kritik an der Metternichschen Restauration. Heine reist nicht durch Italien, um seine ›Persönlichkeit‹ zu entwickeln oder seinen Kunstverstand zu schärfen; Heine reist durch Italien, um sich politisch zu informieren, Vergleiche anzustellen und seinen gesellschaftlichen Horizont zu erweitern.

Soweit, so gut. Das wären in groben Umrissen die Unterschiede zwischen Goethes und Heines Italienbild. Die Gegensätze sieht man wohl, allein welche Folgerungen lassen sich daraus ziehen? Soll damit angedeutet werden, daß Heines Text ein bewußter Gegenentwurf zu Goethes Reiseschilderung zugrunde liegt? Oder hängt dieser Gegensatz lediglich mit der veränderten historischen Situation zusammen? Diesen Fragen ist man bisher fast immer aus dem Wege gegangen.

Daß Heine Goethes *Italienische Reise* sehr genau gekannt und studiert haben muß, läßt sich überall mit Händen greifen. Beginnen wir mit jenen kleinen parodistischen Bosheiten, wie sie für Heine nun einmal typisch sind. So sagt schon der Berliner Philister in der Episode im Münchener Biergarten ständig: »Es ist eine schöne Witterung«, als wolle sich Heine damit über den häufigen Gebrauch des Wortes »Witterung« bei Goethe lustig machen (3,231f.). Witze dieser Art liegen auf derselben Ebene wie so manches in den *Bädern von Lucca*, wo der Markese Gumpelino angesichts der unschuldigen Natur einmal à la Goethe ausruft: »Alles wie gemalt!« (3,305). Auch die Szene mit der kleinen Harfnerin, die Heine aus dem Kindlichen ins leicht Laszive transponiert, könnte einen ironischen Nebensinn haben.[4] Doch solche geistreichelnden Seitenhiebe sind bei einem witzig-satirischen Dichter wie Heine immer zu erwarten. Die eigentliche Umfunktionierung des Goetheschen Italienbildes, und um eine solche dreht es sich letztlich, zeigt sich in ganz anderen Dingen. Dafür sprechen vor allem die Kapitel XXIV und XXVI von Heines *Reise von München nach Genua*.

Im Kapitel XXIV handelt es sich um das Amphitheater in Verona, auf dessen oberer Kante Heine – wie Goethe – bei Sonnenuntergang einen Spaziergang macht, bei dem er sich vorzustellen versucht, was sich wohl im Laufe der Jahrhunderte in dieser Arena alles abgespielt haben mag. Und zwar fängt Heine diesen Abschnitt mit der nonchalanten und zugleich vieldeutigen Bemerkung an: »Über das Amphitheater von Verona haben viele gesprochen« (3,261). Während Goethe an dieser Stelle seines Berichts geradezu ins Schwärmerische gerät und sich vom großen Atem der Antike angeweht glaubt, ergreift Heine in gleicher Lage eher ein Schauder vor dem alten Rom und dessen blutiger Vergangenheit. Er fühlt sich nicht so »gesund unwissend«, wie es bezeichnenderweise heißt[5], um sich an der ästhetischen Vollkommenheit des Ganzen naiv erfreuen zu können (3,261). Statt dessen schreibt er mit Furcht und zugleich Nüchternheit: »Die alte Roma ist ja jetzt tot, beschwichtigte ich die zagende Seele, und du hast die Freude, ihre schöne Leiche ganz ohne Gefahr zu betrachten. Aber dann stieg das Falstaffsche Bedenken in mir auf: wenn sie aber doch nicht so ganz tot wäre und sich nur verstellt hätte, und sie stände plötzlich wieder auf – es wäre entsetzlich!« (3,262). Und als in dieser Situation dann doch ein paar Gestalten des alten Rom wieder lebendig werden, sind es nicht Schauspieler oder Dichter, sondern bezeichnenderweise Politiker. So glaubt Heine plötzlich die »Gracchen mit ihren begeisterten Märtyreraugen« vor sich zu sehen und ruft beglückt in die weite Arena: »Tiberius Sempronius, ich werde mir dir stimmen für das agrarische Gesetz!« Danach erscheinen ihm Cäsar, Brutus, Agrippina – und er sieht sich für einen Moment wirklich in die Antike zurückversetzt. Doch in diesem Augenblick hört er ironischerweise das »dumpfsinnige Geläute einer Betglocke und das fatale Getrommel des Zapfenstreichs«. Und Heine schreibt ernüchtert: »Die stolzen römischen Geister verschwanden, und ich war wieder ganz in der christlich östreichischen Gegenwart« (3,263).

Da sich nach dieser Szene Goethes und Heines Wege trennen und der eine in Richtung Venedig, der andere in Richtung Mailand weiterreist, fragt man sich, was Heine nun ausheckt. Die Antwort darauf ist nicht schwer. Er läßt nach einem weiteren kurzen Abschnitt über Verona unter der Nummer XXVI – relativ unerwartet und doch wohlvorbereitet – einfach ein ganzes Kapitel über Goethe folgen, das mit der Zeile »Kennst du das Land, wo die Zitronen blühen?« beginnt und sich dann ausführlich mit Goethes *Italienischer Reise* auseinandersetzt (3,265ff.). Heine greift dabei auf einige Ansichten zurück, die er bereits in *Nordsee III* geäußert hatte. Schon dort hieß es, daß Goethe in seiner *Italienischen Reise* alles mit einem »klaren Griechenauge« betrachte, »nirgends die Dinge mit seiner Gemütsstimmung koloriert und uns Land und Menschen schildert in den wahren Umrissen und Farben, womit sie

Gott umkleidet« (3,99). Und schon damals hatte diese Äußerung, wenn man sie im Kontext von Heines abschätzigen Bemerkungen über Naives, Gesundes, Unreflektiertes und Gegenständliches sieht, einen deutlich ironischen Unterton. Dieser Unterton wird jetzt zum Oberton, wenn er etwa über Goethes *Italienische Reise* schreibt: »Wir schauen darin überall tatsächliche Auffassung und die Ruhe der Natur. Goethe hält ihr den Spiegel vor, oder, besser gesagt, er ist selbst der Spiegel der Natur. Die Natur wollte wissen, wie sie aussieht, und sie erschuf Goethe.« »Hätte der liebe Gott bei der Erschaffung der Welt zu Goethe gesagt: ›Lieber Goethe, ich bin jetzt gottlob fertig, ich habe jetzt alles erschaffen bis auf die Vögel und die Bäume, und Du tätest mir eine Liebe, wenn Du statt meiner diese Bagatellen noch erschaffen wolltest‹ – so würde Goethe«, wie Heine behauptet, »ebensogut wie der liebe Gott, diese Tiere und Gewächse ganz im Geiste der übrigen Schöpfung, nämlich die Vögel mit Federn und die Bäume grün, erschaffen haben« (3,265). Nach dieser tödlich-liebenswürdigen Charakterisierung wird Goethe noch bescheinigt, daß er im Vergleich zu Lady Morgans *Italy* (1821) und Madame de Staëls *Corinne* (1807) zwar über mehr Talent im Schildern verfüge, jedoch diesen beiden Damen, was die »männlichen Gesinnungen« betreffe, weit unterlegen sei (3,266).

Wie soll man eine solche Stelle interpretieren? Auf konservativer Seite hat man diesen Passus meist als eine indirekte Selbstaussage Heines ausgeschlachtet, nämlich als Geständnis, daß er nicht über die nötige Anschaulichkeit und realistische Gestaltungskraft verfüge, die ein Mann wie Goethe in einem so überreichen Maße besitze. Doch so simpel, wie sich das eine naiven Organismus-Konzepten verschworene Goethe-Philologie vorgestellt hat, liegen die Dinge glücklicherweise nicht. Heine legt hier kein Selbstgeständnis seiner eigenen Schwäche ab. Im Gegenteil. Wie schon in *Nordsee III* will er mit diesen Sätzen eher sagen: »Die Geschichte wollte wissen, wie sie aussieht, und sie erschuf sich Heine!« Es ist doch gerade der Trick dieser Pseudo-Deklamationen, daß sie mit charmanter Boshaftigkeit das Sinnhafte als etwas Widersinniges zu entlarven suchen. Letztlich geht es Heine bei diesen Äußerungen nur darum, seinen eigenen Standort als kritisch-reflektierender Prosaist zu umreißen und zugleich sein steigendes Selbstbewußtsein auszudrücken. Er tut das, indem er sich selbst als das

Gegenteil eines ästhetisierenden Naturburschen hinstellt, das heißt als einen, der wie die Morgan und die Staël vielleicht nicht die gewünschte ›Naivität‹ besitzt, der jedoch als Vertreter männlicher Gesinnungen, politischer Engagiertheit und emanzipatorischer Verve den ›ollen Goethe‹ längst überholt hat. Heine tut damit dasselbe, was schon Schiller in seiner Schrift *Über naive und sentimentalische Dichtung* versucht hat, um sich neben Goethe behaupten zu können – nur daß er es wesentlich ironischer und zugleich liebenswürdiger tut. Schließlich beginnt seine *Reise von München nach Genua* mit der zynischen Beteuerung: »Ich bin der höflichste Mensch von der Welt« (3,213).

Doch kehren wir endlich zu unserer Anfangsfrage zurück. Wie steht es unter einer solchen Perspektive mit dem ›Objektiven‹ bei Goethe und dem ›Subjektiven‹ bei Heine? Es läßt sich nicht leugnen, daß sich Heine – im Vergleich zu Goethe – in den späten zwanziger Jahren, also während der Niederschrift der *Reise von München nach Genua*, als der wesentlich ›Subjektivere‹ empfand, ja in dieser gesteigerten Subjektivität das spezifisch revolutionäre Element seines Wesens erblickte. Dafür spricht die berühmte Stelle in seiner Rezension von Menzels Literaturgeschichte von 1828, wo es in aller Schärfe heißt: »Das Prinzip der Goetheschen Zeit, die Kunstidee, entweicht, eine neue Zeit mit einem neuen Prinzipe steigt auf, und [...] sie beginnt mit einer Insurrektion gegen Goethe. Vielleicht fühlt Goethe selbst, daß die schöne objektive Welt, die er durch Wort und Beispiel gestiftet hat, notwendigerweise zusammensinkt, so wie die Kunstidee allmählich ihre Herrschaft verliert, und daß neue, frische Geister von der neuen Idee der neuen Zeit hervorgetrieben werden und gleich nordischen Barbaren, die in den Süden einbrechen, das zivilisierte Goethentum über den Haufen werfen und an dessen Stelle das Reich der wildesten Subjektivität begründen« (7,255). Fast noch unverblümter drückt sich Heine zwei Jahre später im Schlußwort seiner *Englischen Fragmente* aus: »Meine Seele bebt, und es brennt mir im Auge, und das ist ein ungünstiger Zustand für einen Schriftsteller, der den Stoff beherrschen und hübsch objektiv bleiben soll, wie es die Kunstschule verlangt, und wie es auch Goethe getan – er ist achtzig Jahr' dabei geworden und Minister und wohlhabend – armes deutsches Volk! das ist dein größter Mann!« (3,503).

Von diesen beiden Zitaten her gesehen wäre also das Gegensatzpaar ›Goethe der Objektivist – Heine der Subjektivist‹ durchaus gerechtfertigt, wenn auch nicht in dem Sinne, wie das auf seiten der Goethe-Freunde oft geschieht. Doch was nutzen uns Begriffe, die so grobschlächtig sind, daß man mit ihnen wissenschaftlich überhaupt nichts anfangen kann? Muß man nicht gerade bei solchen klischeeartigen Konfrontationen stets nach den dahinterstehenden ›objektiven‹ Intentionen fragen? Und stehen nicht diese objektiven Intentionen oft in einem schreienden Gegensatz zu den höchst subjektiven Schlagwörtern, die man in der Hitze des Gefechts zur eigenen Selbstrechtfertigung gebraucht? Doch nicht nur das. Was diese beiden Begriffe so problematisch macht, ist ihr rein idealistisch-abstrakter Charakter. Man sollte daher vielleicht erst einmal klären, was man unter ›Subjektivismus‹ und ›Objektivismus‹ überhaupt versteht, bevor man sie auf so komplexe Phänomene wie die hier ins Auge gefaßten Reiseberichte anzuwenden versucht. Ansonsten landet man bei ähnlich sinnlosen Begriffspaaren wie ›Optimismus-Pessimismus‹ oder ›Formalismus-Realismus‹. Wirklich Farbe bekommen solche Schlagworte erst dann, wenn man sie auf etwas Spezifisches, Konkretes, Historisches bezieht.

Geben wir Goethe, als dem Älteren, wiederum den Vortritt. Natürlich ist Goethe im Bereich des Naturwissenschaftlichen der weitaus ›Objektivere‹. Aber welche Art von Objektivität vertritt er eigentlich? Ist das nicht eine Faktizität, die sich nur auf naturgegebene, statische und damit ewig unveränderliche Gesetzmäßigkeiten bezieht? Doch eine solche Objektivität sollte uns als Geisteswissenschaftlern an sich gleichgültig sein, da sie mit dem Menschen und seiner Geschichte überhaupt nichts zu tun hat. Bei solchen Dingen handelt es sich um Gesetzmäßigkeiten, die auch auf einem völlig unbewohnbaren Planeten dieselbe Gültigkeit hätten, und zwar gestern ebensogut wie heute und morgen. All dies sind letztlich rein physikalische Angelegenheiten, die sich nach den Regeln der Ewigkeit richten.

Nicht viel anders steht es seltsamerweise mit Goethes Auffassung des Subjektiven. ›Subjektivität‹ manifestiert sich für ihn in erster Linie in den großen Individuen der Antike oder jenen Geistern, die sich wie Palladio noch einen inneren Bezug zum Geist der Antike bewahrt haben. Und damit wird selbst das Subjektive für Goethe zu einem statischen, ewigen, auf die ›Einmaligkeit‹ der Antike bezogenen Konzept, das letzten Endes keinen Wandel anerkennt. Goethe ›befreit‹ sich zwar damit in seiner *Italienischen Reise* von allen gefühlsüberspannten, irrlichternden, aber auch rebellischen Elementen seiner Frühzeit, verrät aber zugleich seine ›Bestimmung‹, wie man in geistesgeschichtlich-orientierten Kreisen gesagt hätte, und zieht sich auf eine ideologische Position zurück, die auf einer harmonisch-geglätteten Anschauung der Natur, einer Ewigkeitskonzeption verpflichteten ästhetischen Theorie und einem Aristokratismus des Zeitlosen beruht, die zwar den Eindruck einer imponierenden Geschlossenheit erwecken, aber – ideologiekritisch betrachtet – einer geistigen Kapitulation vor dem ewig einen Status quo gleichkommen.

Heine wirkt dagegen im Hinblick auf das Naturgegebene als der wesentlich ›Subjektivere‹. Was ihn an der Natur interessiert, ist nicht das Immergleiche, sondern das Dynamische, die ständige Veränderung. Er überträgt daher das Keimen, Blühen und Welken immer sofort aus dem Biologischen ins Historische. Selbst dann, wenn er von Blumenangesichtern spricht, meint er eigentlich Menschen, deren Schönheit und Verletzlichkeit ihn mit Freude und zugleich Trauer über die allgemeine Vergänglichkeit erfüllen. Rein Botanisches oder Zoologisches spielt deshalb in der *Reise von München nach Genua* eine recht untergeordnete Rolle. Wichtig ist Heine nicht die Natur, sondern in erster Linie der Mensch und seine Geschichte. Und in dieser Form der Subjektivität ist er wesentlich objektiver als Goethe.[6] Jeder Mensch, der ihm begegnet, wird sofort auf seine historische, politische, soziale oder ökonomische Situation hin anvisiert. Menschen sind für Heine keine biologischen Urwesen, sondern stets Ensemble bestimmter gesellschaftlicher Prozesse – eine Sehweise, in die er sogar seine eigene Person einbezieht. Gerade Heines ›subjektive‹ Digressionen, wie das die Organiker, Objektivisten, Neutralisten und andere reaktionäre Status-quo-Verehrer gern nennen, sind darum alles andere als Abschweifungen, sondern in den meisten Fällen Ansätze zu einer tiefer greifenden historischen Objektivierung. Immer wieder gibt er seinen Figuren geschichtliche Tiefe, indem er sie in die gesamtgesellschaftlichen Zustände einbettet und zugleich auf ihre historischen Ursprünge zurückführt. Selbst im Gesicht der Obstfrau auf dem

Marktplatz von Trient spiegeln sich für ihn alle bisherigen italienischen Zivilisationen wider: die »etruskische, römische, gotische, lombardische und moderne« (3,245). Goethe schreibt dagegen stets mit betont antihistorischer Pointe, wenn er mit dem ›wirklichen‹ Italien konfrontiert wird: »Ich will Rom sehen, das bestehende, nicht das mit jedem Jahrzehnt vorübergehende« (153) oder »Ich möchte mich nur mit dem beschäftigen, was bleibende Verhältnisse sind« (392). Während Goethe die ›Moderne‹ nur als jenen Schutt empfindet, den es beiseite zu räumen gilt, um wieder auf den Grund des ›Ewig-Wahren‹ zu gelangen, geht Heine bei der Betrachtung der ›Wirklichkeit‹ fast immer von der Dialektik der Geschichte aus. Die Kenntnis der Vergangenheit ist für ihn kein Wert als solcher, sondern nur ein Vehikel zum Verständnis des Gegenwärtigen. In diesem Punkte ist er wesentlich ›objektiver‹ als Goethe.

Was also bei diesem Vergleich zutage tritt, sind zwei ganz verschiedene Auffassungen von ›Objektivität‹: eine naturwissenschaftliche und eine historische – und nicht der immer wieder herausgestellte Gegensatz zwischen Objektivität und Subjektivität. Während Goethe stets versucht, alles ins Allgemeine, Gesetzmäßige, Statische zu überführen, um so selbst den Dingen der äußeren Erscheinungswelt den Anschein des Zeitlosen zu verleihen, geht Heine stets von der inneren Dialektik von Revolution und Restauration aus, in der sich ein ›bewußt‹ gewordenes historisches Denken manifestiert.[7] Anstatt wie Goethe so zu tun, als habe das Phänomen des Historischen in der nach kunstmäßiger Vollendung oder Ewigkeit strebenden Dichtung eigentlich gar keinen Ort, benutzt Heine gerade die Erkenntnis des Veränderlichen als den entscheidenden Hebel, um selber in die Geschichte eingreifen zu können.[8] Und so wird Dichtung, die sich dem »Befreiungskrieg der Menschheit« widmet, das heißt, die mit emanzipatorischer Absicht gegen »Feudalismus und Klerikalismus« auftritt (3,276f.), für ihn in diesen Jahren fast gleichbedeutend mit Politik oder zumindest Geschichtsschreibung.

Heines Poesiebegriff fällt daher auch in diesem Werk – wie schon im *Buch Le Grand* – weitgehend mit dem Begriff ›Wahrheit‹ zusammen. Und zwar erläutert er das in seiner *Reise von München nach Genua* vor allem an Immermanns *Trauerspiel in Tirol*. Obwohl dieses Drama nur wenige authentische Fakten aufweise, wie Heine schreibt, und daher in einem positivistischen Sinne vielleicht gar nicht ›historisch‹ sei, ist es für ihn doch ein Werk der ›Wahrheit‹, da es sein Autor in innerer Übereinstimmung mit dem Geschehenen »identisch geträumt« habe (3, 229). Eine Geschichtsschreibung oder Dichtung, die dagegen nur auf trockenen Fakten beruhe, empfindet Heine von vornherein als etwas Totes. Nur das, was sich in die dialektischen Widersprüche der eigenen Zeit einläßt, indem es sich zutiefst engagiert, hat für ihn die Chance, wirklich ›wahr‹ zu sein und damit große Literatur zu werden. In diesem Sinne ist der Anfang seiner *Reise von München nach Genua* große Literatur und Geschichtsschreibung zugleich. Diese Passagen sind die poetische ›Signatur‹ einer ganz bestimmten historischen Situation, deren progressivster und genialster Interpret der junge Heine war.

DIE BÄDER VON LUCCA

(E: August/Dezember 1829)

Aristophanische Satire

»Manch Einzelnes ist wohl, was man
weg wünschte – mein lieber Heine!«
(Karl Immermann).

Die *Bäder von Lucca* waren wohl der größte literarische Skandal, der sich in den späten zwanziger Jahren ereignete und den biedermeierlichen Gazettenwald zu einem ›erschröcklichen‹ Rauschen brachte. Dies war wirklich starker Tobak! Ein Publikum, das sich an edelmütigen schottischen Hochländern, rosenwangigen Mimilichen und hoffnungsvollen Assessorchen delektierte, bekam hier plötzlich eine Geschichte vorgesetzt, die von geradezu rabelaisscher Drastik ist. Da wälzt sich die nackte und speckbusige Lätitia bäuchlings auf ihrem Lotterbett herum, weil sie ein Geschwür am Hintern hat; da tritt ein durchtriebener jüdischer Hühneraugenoperateur auf, der seinen Herrn nachts bei einer englischen Lady vertritt; da watschelt der plattfüßige und dicknasige Markese Christophoro di Gumpelino alias Christian Gumpel ins Bild, der nach einem Glas Glaubersalz die ganze Nacht auf dem Klo verbringt und dabei Platens *Gedichte* liest, weil ihm die so ›steißlich‹ vorkommen und ihn von seiner Weiberverfallenheit heilen – und das alles kommentiert von einem frechen, jungen Doktor beider Rechte aus Deutschland, der nicht zufällig H. Heine heißt.

Nun – Literatursatiren war man damals durchaus gewohnt: angefangen mit dem Goethe-Schillerschen Xenienkrieg, Vossens rabiatem Angriff auf Fritz Stolberg, Hauffs Clauren-Satire, Grabbes *Scherz, Satire, Ironie und tiefere Bedeutung*, Pustkuchens falschen *Wanderjahren*, Müllners hämischen Ausfällen gegen jedermann und Heines literarischer Schlachteplatte im 14. Kapitel des *Buchs Le Grand*. Ja, selbst der unter der Gürtellinie angegriffene Platen hatte in seinen ›Komödien‹ *Die verhängnisvolle Gabel* und *Der romantische Oedipus* mit seinem Groll gegen die ›nichtsnutzigen‹ Literatoren seiner Ära nicht hinter dem Berge gehalten. Solche Querelen schießen immer ins Kraut, wenn man keine anderen Möglichkeiten sieht, seinen gesellschaftspolitischen Frustrationen freien Lauf zu lassen. Und die Zeit nach den berüchtigten Karlsbader Beschlüssen von 1819 war nun einmal eine besonders ›arretierte Zeit‹, wo neben dem ›Weltschmerz‹ die literarische Satire oft das einzige Ventil für die mühsam unterdrückten Rebellionsgelüste darstellte. Doch mußte man dabei gleich so direkt, so infam werden wie Heine in den *Bädern von Lucca*? Diese Schärfe war tatsächlich unerhört. Denn hier wird Sexuelles und Rassisches mit einer Offenheit behandelt, die geradezu atemberaubend ist. Heine hatte sich auch vorher schon witzig, ironisch, ja selbst zynisch über manche seiner Zeitgenossen geäußert – aber noch nie mit einer solchen alle Tabus verletzenden Realistik. Wie kam es eigentlich zu diesem grimmigen Wüten?

An sich hatte das Ganze recht harmlos angefangen, und zwar mit einigen Distichen Immermanns gegen Platen im Anhang zu *Nordsee III*, die 1827 im zweiten Band der *Reisebilder* erschienen waren. Diese Verse hatte Platen übelgenommen und – ruhm- und schmähsüchtig, wie er nun einmal war – sofort die Maßnahme einer harten Züchtigung ins Auge gefaßt. So wütet er schon 1828 in seinen Briefen an Friedrich Graf von Fugger-Hoheneck gegen den niederträchtigen Immermann und den noch niederträchtigeren »Juden Heine«.[1] Im Herbst des gleichen Jahres verfaßte er seinen *Romantischen Oedipus*, wo er im fünften Akt den »getauften Heine« als »Samen Abrahams«, als »Petrak des Laubhüttenfests« und als »Synagogenstolz« bloßzustellen versucht. Immermann, hier Nimmermann, sagt in dieser witzlosen Komödie an einer Stelle über Heine: »Sein Freund, ich bins; doch möcht ich nicht sein Liebchen sein, / Denn seine Küsse sondern ab Knoblauchgeruch.« Außerdem schrieb Platen folgende diatribischen Verse *An den Dichterling Heine:* »Täglich bedanke du dich im Gebet, o hebräischer Witzling, / Daß du bei Deutschen und nicht unter Griechen du lebst: / Solltest du nackt dich zeigen im männlichen Spiel der Palästra, / Sprich, wie versteckt du dann jenen verstümmelten Teil?«[2]

Doch nicht genug solcher Schmähungen. Heine hatte auch gehört, daß Platen zum Katholizismus tendiere und zur alleinseligmachenden Kirche übertreten wolle, um sich in München bei Hof und Klerus lieb Kind zu machen. Obendrein war gerade bekannt geworden, daß König Ludwig I. Platen einen Jahressold von 600 Gulden ausgesetzt habe, worauf Platen zum außerordentlichen Mitglied der Münchener Akademie ernannt worden sei. Dazu kam, daß die katholische Kamarilla um Ignaz Döllinger Platens *Gedichte* in der Münchener *Eos* über den grünen Klee lobte[3], während sie Heines *Neuen Politischen Annalen* »Frechheit und Unverschämtheit« vorwarf.[4] Ja, Döllinger hatte hier in einer Fußnote behauptet, daß er in den Schriften Heines nirgends einen Beweis dafür finde, daß letzterer wirklich »zum Christentum übergetreten« sei. Außerdem hatte sich Döllinger in derselben Rezension darüber lustig gemacht, daß der Niedersachse Voss in seinem Kampf gegen den Katholizismus ausgerechnet bei einem »jüdischen Stammesgenossen« wie Heine Unterstützung finde, der sich unverschämterweise für eine »allgemeine Baronisierung des ganzen Menschengeschlechts, von den Hottentotten an« einsetze. Und mit solchen Leuten sollte Platen im besten Einvernehmen stehen, ja gemeinsame Front gegen Heine machen.

Zudem geschah dies alles zu einem Zeitpunkt, als Heine noch hoffte, durch den Einfluß des Münchener Dichters Schenk eine Professur für Geschichte an der dortigen Universität zu bekommen – die ihm dann schnöde verweigert wurde. Mußte er da nicht das Gefühl haben, daß hinter dem Ganzen eine klerikal-aristokratische Verschwörung stand? Und dabei hatte er alles getan, um von diesen Kreisen akzeptiert zu werden. Er hatte den Dr. jur. erworben, er hatte die Schmach der Taufe über sich ergehen lassen, ja er hatte sogar antichambriert. Doch wo er auch hinkam, stieß er als getaufter Jude und liberaler Witzling auf kalte Schultern oder verschlossene Türen. Nirgends ergab sich für ihn eine Chance, beruflich unterzukommen. Und so mußte er noch als Dreißigjähriger – wegen seiner geringen schriftstellerischen Einnahmen – bei seinem Onkel Salomon um Almosen betteln.

Was Wunder, daß Heine in dieser Situation schließlich der Kragen platzte, ja die Galle überlief. Mit dem Mut der Verzweiflung stürzt er sich daher in die literaturpolitische Arena, um ein fürchterliches Exempel zu statuieren. Er ist so gereizt, so verbittert, so frustriert, daß er nichts zu schonen gedenkt.[5] Er will endlich einmal auftrumpfen, einen Skandal erregen, sich als ›Gassenjunge‹ benehmen, um den schlechten Ruf, den er sowieso schon hat, wirklich wahr zu machen. Er bedient sich dabei aller Mittel, die ihm als ›freiem Schriftsteller‹ zur Verfügung stehen: der Personalsatire, Tabudurchbrechung, Charakterdiffamierung, pornographischen Direktheit, religiösen Blasphemie usw. Da ihm in seiner Abseitslage nur noch die steigende Radikalisierung übrig bleibt, scheut er nicht mehr davor zurück, als grimmiger Kläffer, als Revoluzzer aufzutreten. Er will »die Welt mit einem großen Skandal regalieren«, wie er später im Hinblick auf seine *Memoiren* an seinen Bruder Maximilian schreibt.[6] Und was eignete sich dafür besser als Jüdisches, Homosexuelles, Abtrittszenen oder die Erotik alternder Frauen. Das waren Reizstoffe, wie sie bis dahin kaum jemand aufgegriffen hatte. Wie schon im *Buch Le Grand* liefern ihm die »Narren« wieder einmal den besten »Stoff zur Satire« (3,347). Und Heine schlachtet diese Narren so genüßlich wie nur möglich, verwandelt sie in Literatur, macht Dukaten aus ihnen, wobei hinter seinem höhnischen Stolz zugleich sein zutiefst beleidigtes Gemüt sichtbar wird. »Robert, Gans, Michel Beer und andere haben immer, wenn sie wie ich angegriffen wurden, christlich geduldet, klug geschwiegen«, schreibt er an Varnhagen über Platens Angriffe auf sein Judentum, »ich bin ein anderer, und das ist gut. Es ist gut, wenn die Schlechten den rechten Mann einmal finden, der rücksichtslos und schonungslos für sich und andere Vergeltung übt.«[7]

Und zwar versucht Heine diese Affäre durchaus überindividuell, als ›Fall‹ zu behandeln, um so seiner Satire die nötige gesellschaftliche und politische Verbindlichkeit zu geben. Nicht ›Heine contra Platen‹ ist seine Parole, sondern ›der Niedriggeborene gegen den Hochgeborenen‹, der ›Liberale gegen den Reaktionär‹, der ›Vertreter einer Minorität gegen den Hochmut des Establishments‹. Damit verglichen, erscheinen ihm die meisten der bisherigen Literaturkrawalle als bloße Kindereien. »Der Schiller-Goethesche Xenienkampf«, heißt es in dem gleichen Brief an Varnhagen, »war doch nur ein Kartoffelkrieg, es war die Kunstperiode, es galt den Schein des Lebens, die Kunst, nicht das Leben selbst – jetzt gilt es die höchsten Interessen des Lebens selbst, die *Revolution* tritt ein in die

Literatur, und der Krieg wird ernster. Vielleicht bin ich außer Voss der einzige Repräsentant dieser Revolution in der Literatur – aber die Erscheinung war notwendig in jeder Hinsicht. Ich glaube nicht, daß ich hier, wie bei meinen Liedchen, viel Nachfolger haben werde, denn der Deutsche ist von Natur servil, und die Sache des Volks ist nie die populäre Sache in Deutschland. Doch, hier läßt sich nichts vorausbestimmen – jeder tue das Seinige. Freilich glaubt jeder seine eigne Sache zu führen, während er doch das Allgemeine repräsentiert.« Was Heine also vorschwebt, ist der Versuch, den Unterdrückten Mut zu machen, sich zur Frechheit gegen Klerus und Adel durchzuringen.[8] Doch indem er dabei mit seinem offenen Erotismus gegen die asketischen Tugendvorstellungen der meisten Unterdrückten verstieß, verursachte er lediglich einen Skandal, aber keine wirksame Emanzipationshilfe. Und so war nach der Publikation des 3. *Reisebilder*-Bandes, in dem die *Bäder von Lucca* erstmals erschienen, bald ›allgemeiner Krieg‹ um ihn her.

Besonders enttäuschend fand Heine das Verhalten seiner Berliner Freunde in dieser Fehde, also von Männern wie Eduard Gans, Joseph Lehmann und Moses Moser, die es vorzogen zu schweigen, statt das Schwert in seiner und ihrer Sache zu ergreifen. Selbst Moritz Veit drückte sich in seiner Rezension der italienischen *Reisebilder* im Berliner *Gesellschafter* höchst gewunden aus und schrieb, daß dieses Buch so »verrufen« sei, daß »man in guter Gesellschaft kaum bekennen darf, es gelesen zu haben«.[9] Doch was ist in solchen Dingen die gute oder richtige Gesellschaft? Einzig Varnhagen, der Zuverlässige und Getreue, gab in seiner Rezension zu bedenken, daß in diesem Band »neben der Frechheit auch wahrhaft edler Mut, neben der bitteren Satire auch ernste Gesinnung« zu finden sei.[10] Ebenso positiv äußerte sich Carl Herloßsohn in dem Winkelblatt *Der Komet*, der darauf hinwies, daß Platen schließlich der Angreifer gewesen sei, der sich einer »beispiellosen Arroganz« und eines geradezu mittelalterlichen »Kastengeists« schuldig gemacht habe.[11] Doch in anderen Rezensionsblättern dieser Jahre herrschte fast einhellige Empörung. So warf etwa ein Anonymus Heine in den *Blättern für literarische Unterhaltung* vor, daß es absolut »schamlos« sei, auf »solcher Bahn« Erfolge erzielen zu wollen.[12] Eine so »schmutzige Frechheit«, wie die Heines, fand er zutiefst verächtlich. »Kein Mann von Ehre kann Heine ferner achten«, heißt es hier apodiktisch. Doch trotz all dieser Kritik hat Heine die Platen-Episode in allen späteren Auflagen des 3. *Reisebilder*-Bandes beibehalten – und nicht gestrichen, wie ihm manche seiner ›Freunde‹ empfahlen. Wahrscheinlich war sie ihm doch zu wichtig, vor allem in politischer Hinsicht.

Und so blieb auch die Kritik an den *Bädern von Lucca* relativ konstant. Immer wieder hat man diese Schrift entweder unflätig angegriffen, indem man sie als »literarische Eiterbeule« hinstellte[13], oder einfach übergangen. Besonders das wilhelminische Bürgertum mit seiner rigoristischen Etepetete-Moral konnte sich mit diesem Werk gar nicht anfreunden. So schreibt selbst Ernst Elster, dem man wahrlich keine Heine-Feindschaft nachsagen kann, in den späten achtziger Jahren: »Heine hat sich hier von allem Anstandsgefühl entblößt gezeigt, er hatte, vom Haß verblendet, sich eines Mittels bedient, den Gegner zu vernichten, das schlechthin als gemein bezeichnet werden muß. Wir müssen es bedauern, daß Heine seine Absicht, den Grafen in späteren Auflagen ›herauszuschmeißen‹, nicht ausgeführt hat und so in den ›Reisebildern‹ neben den zartesten Blüten des Gefühls der unerfreulichste Schmutz stehen geblieben ist« (3,206). Manche Heine-Herausgeber haben daher in der Folgezeit die *Bäder von Lucca* einfach ohne die Platen-Kapitel abgedruckt.[14]

So pingelig ist man heute zum Glück nicht mehr. Und doch verbreitet sich bei der Betrachtung der *Bäder von Lucca* selbst in der jüngsten Heine-Forschung stets ein gewisses Unbehagen. ›Selbstverständlich‹ werden dafür heutzutage keine moralischen, sondern nur noch formale Gründe ins Feld geführt. So findet H.G. Atkins die Gumpelino-Geschichte durchaus akzeptabel, während er die Platen-Polemik als etwas hinstellt, das Heine später in das Ganze »without any artistic necessity« hineingezogen habe.[15] Auch Manfred Windfuhr findet die Verbindungslinien zwischen dem Gumpelino-Abschnitt und der Platen-Polemik zu schwach, um diesem Werk eine künstlerische Einheit zu geben. »Es wäre besser gewesen, aus dem Stoff zwei getrennte Arbeiten zu machen«, schreibt er mit erhobenem Zeigefinger.[16]

Dagegen haben andere Heine-Forscher mit einer ähnlich formalistischen Sehweise an den *Bädern von Lucca* gerade die ästhetische Einheit hervorgehoben, um auch dieses Junktim aus Essay und Novelle als ein Kunstwerk erster Güte zu rechtfertigen. So betont etwa Jeffrey L. Sammons, daß das Ganze absolut »durchkomponiert« sei und eine »structural unity« besäße.[17] Nach seiner Meinung ist das Platen-Thema bereits ein »integral part of the fictional narrative« der ersten Kapitel, wenn auch Heines Stärke eher in der geschickten Wort- und Ideen-Assoziation als in erzählerischen Gesamtstrukturen liege.[18] Noch einen Schritt weiter geht Dierk Möller, der in den *Bädern von Lucca* nicht nur eine thematische Einheit (vor allem in Hinblick auf Natur, Religion, Liebe, Musik, Literatur, Schauspiel, bildende Kunst und Geld) sieht, sondern in dem Ganzen auch eine erzählerische Gesamtstruktur entdeckt.[19] Gerade dieses Werk weise einen »hohen Grad artistischer Durchformung« auf, behauptet Möller, ja sei – bei genauerem Zusehen – im Schema einer Gerichtsrede mit Narratio und Argumentatio angelegt, bei der kein einziger Faden in der Luft hängenbliebe.[20]

Solche rein formalen Betrachtungsweisen, und zwar ganz gleich, ob sie nun den Hauptakzent auf die absolute Einheit oder die klar erkennbare Zweiteilung legen, erscheinen mir bei Heines Prosa von vornherein unangebracht. Heine ist ein Autor, den solche Dinge überhaupt nicht interessieren. Er bemüht sich nicht in erster Linie um ästhetische Strukturen oder durchkomponierte Formeinheiten, wie sie den landläufigen Novellen zugrunde liegen. Alles, was er in Prosa geschrieben hat, sind Fragmente, Mischformen, memoirenhafte Bruchstücke oder literarische Melangen. Statt wie die Biedermeierdichter einen Weltzustand widerzuspiegeln, der noch ›ganz‹ und genormt ist, will er Dichtungen schreiben, die offen bleiben, die in die Zukunft weisen. Daß in diesem Werk »die Revolution in die Literatur trete«, gilt daher auch für das Formale. Wie soll es hier eine formale Werkeinheit geben, wenn die ideologische Intention des Ganzen die Herausarbeitung der ›Zerrissenheit‹ ist? Daß darum in den *Bädern von Lucca* auf ein ›Erzählfragment‹ ein ›Essay‹ folgt, ist durchaus konsequent. Ähnliches tut Heine auch in der *Romantischen Schule*, im *Börne*-Buch, in der *Lutetia*, ja eigentlich überall, wo er sich der Prosa bedient. Selbst in seinen sogenannten ›theoretischen Schriften‹ wimmelt es nur so von Anekdoten, Erzählansätzen, Witzen, Träumen, eingelegten Briefen und anderen ›verlebendigenden‹ Darstellungsformen. Immer wieder bemüht er sich, die Unterschiede zwischen Essay und Darstellung, Idee und Dichtung, Poesie und Politik nicht allzu offenkundig werden zu lassen, sondern zwischen diesen beiden Bereichen, die man während der Kunstperiode säuberlich voneinander getrennt hatte, eine möglichst enge Vermittlung zu stiften. Die innere Einheit von Heines *Reisebildern*, *Zuständen*, *Fragmenten*, *Briefen*, *Geständnissen* und *Memoiren* ergibt sich daher weniger aus ihrer formalen Geschlossenheit als aus ihrer ›Tendenz‹, ihrer progressiven Vermischung von Poesie und Politik, die in dialektischen Sprüngen nach vorne weist und das Abgelebte unter Hohngelächter hinter sich läßt.[21]

Und so liegt auch das integrierende Element der *Bäder von Lucca* vornehmlich in ihrer oppositionellen Zielrichtung, hinter der Günter Oesterle eine umfassende »Kritik der Koalition von Finanzkapital und Adel« wahrzunehmen glaubt.[22] Er sieht in Gumpelino und Platen in erster Linie Repräsentanten der Metternichschen Restauration, die sich auf eine unheilige Allianz von Adel und jüdischem Finanzkapital stützt. Für ihn ist das Ganze keine bloße Literaturpolemik, sondern ein scharf gezielter Angriff auf das gesamte restaurative Syndrom, auf die Vorrechte des Geldadels und des Geburtsadels. Heine verbinde hier seine Attacken gegen Adel und Klerus zum erstenmal mit der Kritik am kapitalistischen Parvenü (Gumpelino) und arbeite damit am »Problem des Judentums« zugleich das »Problem der bürgerlichen Gesellschaft« heraus.[23]

Eine solche Sicht greift wesentlich weiter als die der bloßen Strukturanalytiker, zumal Oesterle auch Heines literarische Kampfmittel, das heißt das Obszöne, ja Pornographische, bei seiner Analyse mitberücksichtigt. Und damit ist er durchaus auf der richtigen Fährte. Denn auch Heine selbst sah in diesem Werk stets eine ›geistige Einheit‹. So läßt sich leicht nachweisen, daß sich der Groll gegen den Aristokraten Platen in ihm schon festgesetzt hatte, ehe er überhaupt mit der Niederschrift der Gumpelino-Geschichte begann, in der manche immer noch eine ›reine Novelle‹ sehen. Schon vor der Veröffentlichung des *Romantischen Oedipus* im Mai 1829 hegte Heine die feste Absicht, sich an Platen zu rächen, wie aus einem Brief an Wolfgang Menzel vom 2. Mai 1828 hervorgeht. Ähnliches kann man einem Brief Campes an Immermann vom 16. Februar 1829 entnehmen. Und zwar wollte Heine von Anfang an nicht nur Platen, sondern die ganze höfisch-katholische, antisemitische Blase um Ignaz Döllinger, Franz von Baader und Joseph von Görres aufs Korn nehmen, so sehr hatte er sich über die *Eos*-Essays geärgert.

Er spricht daher in dieser Zeit immer wieder von den Hochgeborenen, den Höflingen und ihrem Troß, der Allianz der »Aristokraten, Pfaffen und Pedrasten«, von der niederträchtigen Clique der »Pfaffen und Knabensänger« (3,361). Belege dafür lassen sich mit Händen greifen. So schreibt Heine schon am 6. September 1828 aus Lucca an Moses Moser: »Man glaubt in München, ich würde jetzt nicht mehr so sehr gegen den Adel losziehen. [...] Aber man irrt sich. Meine Liebe für Menschengleichheit, mein Haß gegen Klerus war nie stärker als jetzt, ich werde dadurch fast einseitig.« In einem Brief vom 15. Juni 1829 an den gleichen Moser – also noch vor der Niederschrift der *Bäder von Lucca* – nennt er den 3. *Reisebilder*-Band unverhohlen »meinen diesjährigen Feldzug gegen Pfaffen und Aristokraten«. Nach Abschluß des Ganzen schreibt Heine am 5. Januar 1830 an Varnhagen, daß er in Platen »nur den Repräsentanten seiner Partei, den frechen Freudenjungen der Aristokraten und Pfaffen« züchtigen wollte. Ja, in einem Brief vom 4. Februar des gleichen Jahres an Varnhagen betont Heine noch ausdrücklicher, daß es ihm in diesem Werk vornehmlich darum gegangen sei, das Wort »Graf« seines ideologischen »Zaubers« zu entkleiden.

Das Motto der *Bäder von Lucca*, nämlich »Will der Herr Graf ein Tänzchen wagen, / So mag er's sagen, / Ich spiel ihm auf« (3,290), trifft daher genau ins Schwarze. Denn schließlich ist ja nicht nur Platen, sondern auch Gumpelino ›Graf‹ – und damit einer der Hauptwürdenträger der von Heine an den Pranger gestellten unheiligen Allianz von Adel und Hochfinanz.[24] Und so nimmt es nicht Wunder, daß Heine an einer Stelle den scheinbar so gutmütigen, ulkigen, troddeligen Gumpelino mit folgenden Worten charakterisiert, die hinter seinem ›charmanten‹ Gehabe plötzlich die gesellschaftspolitische Gefährlichkeit dieser Figur erkennen lassen: »Der Markese ist mächtig durch Geld und Verbindungen. Dabei ist er der natürliche Alliierte meiner Feinde, er unterstützt sie mit Subsidien, er ist Aristokrat, Ultra-Papist« (3,338). Aus diesem Grunde wird die Gumpelino-Geschichte durch unzählige Bildassoziationen, die bereits mit der Überreichung der Tulpe beginnen (3,297), welche zu Platens Lieblingsmotiven gehört,[25] aufs innigste mit den folgenden essayartigen Partien verbunden und verknüpft. Beginnen wir mit den ideologischen Aspekten. Beide, ob nun Platen oder Gumpelino, sind Grafen, beide stehen sich gut mit den Pfaffen, beide sind bildungssüchtig, beide versuchen gesellschaftlich aufzusteigen, beide sind sexuell frustriert – wodurch sich beide als Vertreter ein und desselben verklemmten, machthungrigen Restaurationsgeistes entlarven. Und so ist selbst das Faktum, daß Gumpelino ausgerechnet in Platens *Gedichten* die Erfüllung seiner psychologischen und ästhetischen Wünsche findet, keineswegs ein unverbindlicher Gag. Ja, nicht einmal, daß er Platens Versfüße als gewissenhafter Geschäftsmann sorgfältig nachzählt, ist lediglich ein Witz. Zum Aristokratismus gehört nun einmal auch der Formalismus, das Pochen auf das Wohlabgewogene, Geglättete, Artistische – und damit letztlich Unverbindliche. Solche Leute interessiert nicht der Inhalt, sondern nur die Form. »Ein gebildetes Gemüt«, sagt Gumpelino, noch immer Platens *Gedichte* in der Hand haltend, »wird aber nur durch die gebildete Form angesprochen, diese können wir nur von den Griechen lernen und von neueren Dichtern, die griechisch streben, griechisch denken, griechisch fühlen und in solcher Weise ihre Gedichte an den Mann bringen« (3,339).

Platen und Gumpelino sind daher für Heine nicht nur ideologisch, sondern auch ästhetisch typische Vertreter der Restauration. Beide schwärmen vornehmlich für ästhetisch Abgelebtes: Platen für Griechisches, Gumpelino erst für Gotisch-Katholisches und dann – nach der Lektüre Platens – auch für Antikisches. Doch ob man sich nun für Griechisches oder Gotisches erwärmt, will Heine sagen, ist bei solchen Restaurationsversuchen völlig gleichgültig. Beides sind rein imitatorische Haltungen, die notwendig zu einem blutarmen Klassizismus oder einer ebenso blutarmen Neogotik führen müssen. Was man sich äußerlich aneignet, bleibt auch äußerlich, mag es sich dabei um noch so ›Bedeutsames‹ handeln. Mit dem scharfen Blick eines Ideologiekritikers sieht Heine in solchen Bestrebungen allein das verkrampfte Bemühen, sich an totalitäre Ganzheitskonzepte anzuklammern. Ob man nun ästhetisch die Antike oder das Mittelalter beschwört oder politisch den Ständestaat des Ancien régime zu verklären beginnt, all das erscheint ihm angesichts des vorwärtsdrängenden Weltgeistes wie eine antiquierte Farce, eine hoffnungslose Donquixoterie, deren Rückwärtserei bereits groteske Züge angenommen hat.

Wie gesagt, Gumpelino neigt dabei zuerst zum Nazarenisch-Neogotischen, das damals gerade in voller Blüte stand. Er kauft sich alte Madonnenbilder, vor denen er seine allabendlichen Andachten verrichtet, obwohl ihn sicher selbst das Rosenkranzbeten an seine Kapitalien erinnert. Und damit gehört auch er zu jenen ›Romantikern‹, deren gläubiger Augenaufschlag bewußt über ihre kraß materielle Gewinnsucht hinwegtäuschen soll. Hier leistet sich jemand ein Bedürfnis für Kunst, weil er nicht nur als ein übler Manager dastehen möchte – ein ideologischer Schachzug, der schon damals zu den Hauptcharakteristika der bürgerlichen Salonkultur gehörte. Doch was haben solche niedrigen Motive mit dem ›edlen‹ Platen zu tun, der wahrlich nicht zu den Reichen des Geldsacks gehörte? Platens Griechenkult hat doch mit dem restaurativen Nazarenertum Gumpelinos überhaupt nicht zu schaffen. Aber sicher! Indem ihm nämlich ein bewußtes ›Zurück‹ zu einer ästhetisch verklärten Vergangenheit zugrunde liegt, ist auch er eindeutig ›romantisch‹. Platen wird daher in den *Bädern von Lucca* ausdrücklich als ein »unklassischer romantischer Dichter« hingestellt (3,339). Schließlich hat sein Verhältnis zur Kunst den gleichen kultischen Anstrich wie das Gumpelinos. Auch er verrichtet vor leblosen Statuen seine ästhetischen Andachten. Auch er entfernt sich dabei so sehr aus der Gegenwart, daß er in Italien nicht die heutige Misere, sondern nur die antike Herrlichkeit sieht. Heine zeichnet damit Platen als ein letztes Zerrbild jenes Winckelmannisierens, das alle progressiven Züge eingebüßt hat und bereits in Formalismus, ja Dekadenz übergeht, indem es sich ideologisch einem heroischen Nihilismus verschreibt, der bereits auf der Linie zu Geibel, Heyse, George, ja selbst Aschenbach liegt. Und damit rückt Heine Platen in die unmittelbare ideologische Nachbarschaft der klassizistischen Bauten jenes Isar-Athen, über das er sich bereits zu Anfang der *Reise von München nach Genua* lustig macht (3,218). Platen ist für ihn ein weiterer Vertreter jenes »Goethentum«, bei dem das Heidnisch-Antikisierende immer mehr ins Gekünstelte und Formalistische verflacht. Er sieht in ihm einen unverbindlichen Eklektiker, der Aristophanes, Horaz, Hafis, Petrarca und Goethe mit derselben Geschmeidigkeit imitiert, der mal Sonette, mal Oden, mal Ghaselen schreibt, kurz: einen Dichter der »Literatoren« und »Schulleute«, aber nicht einen Dichter des »großen Publikum« (3,350). Ein solcher »Champion der Klassizität«, wie Heine am 17. November 1829 höhnisch an Immermann schreibt, wird es nie zu etwas anderem bringen als zu bloßer ›Virtuosität‹.

Und damit wird immer klarer, daß Heine in dieser Platen-Polemik zugleich indirekt sein eigenes Dichtungskonzept entwickelt – wie ja auch später das *Börne*-Buch ein indirektes Heine-Buch ist.[26] Während sich Platen und Gumpelino für die Rückkehr zur heilen Welt der Antike oder zur heilen Welt des Mittelalters echauffieren, weil sie mit der Restauration der alten Kunst auch die alte Gesellschaft restaurieren wollen, in der die Grafen wieder die einzig Tonangebenden sind – setzt Heine an die Stelle dieser erträumten Ganzheit stets sein Konzept der allgemeinen »Zerrissenheit« (3,304). Er will keine Harmonie, die auf totalitärem Zwang beruht und sich zur Unterstützung ihrer Status-quo-Gesinnung auf die Zeitlosigkeit aller ›bewährten‹ künstlerischen oder gesellschaftlichen Normen stützt, zu denen damals vor allem das Klassizistische und das Gotische zählten. Heine wehrt sich gegen alle überzeitlichen Kunstkonzepte, weil er sich gegen alle überzeitlichen Gesellschaftsformen wehrt. Er will nicht die erzwungene Ganzheit, sondern die befreiende Zersplitterung, die demokratische Pluralität. Jede Imitation der Vergangenheit erscheint ihm daher als politische Zwangsmaßnahme, als krampfhafter Versuch der Hochgeborenen oder Aufgestiegenen, sich gegen Öffnungen nach unten zur Wehr zu setzen. Und so tritt Heine für eine Kunst, eine Gesellschaft, einen Staat ein, wo sich jeder nach seiner Natur entwickeln kann, das heißt, wo man von den spontanen, materiellen, natürlichen und nicht von den angelernten, verbildeten, auferzwungenen Bedürfnissen des Menschen ausgeht. Er verlangt daher politisch eine fortschreitende Demokratisierung oder »Baronisierung der Menschheit«, wie sich die *Eos* so schön ausdrückte. Er verlangt daher moralisch Liebesnächte ohne »Feigenblätter«, ohne »gotische Lüge«, wie es im Hinblick auf sein Verhältnis zu der Tänzerin Franscheska heißt (3,318). Und er verlangt daher in der Dichtung wirkliche »Naturlaute« (3,352), wie er alles Volksliedhafte, Spontane, Zeitbezogene einmal zu umschreiben versucht.[27]

Und zwar exemplifiziert er dieses Gegenbild vor allem an Platen. Nur vor diesem Hintergrund wird verständlich, warum er dabei so scharf gegen Platens Homosexualität zu Felde zieht und welche ideologische Zielrichtung dieser Angriff hat. Heine greift in Platen den Homoerotiker nicht als Homoerotiker an. Soviel dürfte nach dem bisher Gesagten bereits klar geworden sein. Er greift Platen an, weil er seine Homoerotik so schrecklich sentimentalisiere, weil er so ›antikisch‹ tue und doch nur ein biedermeierliches Schmachten an den Tag lege. Statt sich wirklich als Originalgenie aufzuspielen, biete Platen in seinen Gedichten nur die »zaghaft verschämte Parodie eines antiken Übermuts«(3,354). Und das bei einem Manne, der sich als Titan, als Kraftnatur, als neuer Aristophanes gebärde – und nicht einmal in seiner Triebhaftigkeit den Mut zur Offenheit habe. Während bei Petronius in diesen Dingen eine »schroffe, antike, plastisch heidnische Offenheit« herrsche, werde bei Platen der gleiche Gegenstand »romantisch« behandelt, nämlich »pfäffisch, heuchlerisch« (3,355). Statt sich zu »Naturlauten« durchzuringen, begnüge sich Platen selbst hier mit einer restaurativen Attitüde.[28]

Heine wird deshalb nicht müde, Platens ›aristophanische‹ Manier als schwächlich, als imitatorisch, als »forciert ohne Force« anzuprangern (3,363). Er nennt ihn einen schlappen »Nachahmer«, einen »tristen Freudenjungen«, einen »Troubadour des Jammers«, wie er nur in reaktionären Zeiten gedeihen könne (3,363). Platens *Romantischer Oedipus*, der aber auch gar nichts vom wahren Aristophanes habe, erscheint ihm wie ein »silbenstecherisch ängstlich nachgeahmter Geistestaumel« (3,364). Dieses Werk besitze weder Witz noch Grobheit. Alles sei gräßlich outriert. Während andere zu Madonnenbildern beteten, habe Platen seine kleinen Erregungen vor dem Schein der Antike. Ein wirklicher Aristophanes, schreibt Heine, hätte in einer solchen Komödie dargestellt, »wie ich, wenn ich einige Stunden Liebeslieder geschrieben, gleich darauf mich niedersetze und Dukaten beschneide, wie ich am Sabbat mit langbärtigen Mauscheln zusammenhocke und den Talmud singe, wie ich in der Osternacht einen unmündigen Christen schlachte und aus Malice immer einen unglücklichen Schriftsteller dazu wähle« (3,363). Aus dem »Jüdchen Raupel« (Raupach), wie Platen witzelt, hätte ein solcher Mann einen kapitalen »Tragödien-Rothschild« gemacht (3,365). Ja, seinen Oedipus hätte er sicher in einen Homosexuellen verwandelt, der »seine Mutter tötet und seinen Vater heiratet« (3,366). Solche Unflätereien würden selbst ihn, selbst Heine amüsiert haben. Das hätte Größe in der Grobheit bewiesen. So sei jedoch aus dem Ganzen nur ein unzusammenhängendes Sammelsurium kleinlicher, witzloser Sticheleien geworden – was man letztlich nur bedauern könne.

Daß Heine gerade in diesem Punkt so aggressiv reagiert, ist nur zu verständlich. Denn schließlich wollte er selber jener deutsche Aristophanes werden, als den sich Platen in seinen Komödien ausgibt. Wie Voss, dessen Aristophanes-Übersetzungen damals die maßgeblichen waren und aus denen Heine schon im *Buch Le Grand* zitiert (3,140), beanspruchte er für sich selbst, ein Meister des kritischen Stils und der Satire zu sein. Aristophanes war ihm daher von Anfang an als ein ideales Vorbild für jene Vermittlung von Poesie und Politik erschienen, die Heine als sein Zentralanliegen empfand, was er später in klassischer Weise am Schluß seines *Wintermärchens* unter ausdrücklicher Berufung auf den »seligen Herrn Aristophanes« noch einmal höchst sarkastisch unterstreicht (2,492). Im Gegensatz zu Platen war für ihn dieser Dichter kein x-beliebiges Muster einer dünnblütigen Literatursatire, sondern ein Originalgenie, das in jeder Weise aus dem Vollen schöpft. In Aristophanes sah Heine einen Meister des Kunstvollen im niederen Stil, einen Meister jener ätzenden Satire, wie sie später in der Antike nur noch Lukian und vor allem Petronius gehandhabt hätten, dessen Trimalchio dem ›guten‹ Gumpelino zweifellos manche Züge geliehen hat.[29] Und damit wird eine ganz andere Antike anvisiert als die Antike der Winckelmänner und Goetheaner: eine Antike des niederen Stils, des wahrhaft Komischen, Grobianischen, Ungezwungenen, Witzig-Satirischen und Materiell-Genüßlichen, die in direkter Linie zu Brechts *Geschäften des Herrn Julius Caesar* liegt. Und zwar bedienen sich dabei weder Heine noch Brecht der Form der aristophanischen Komödie, sondern machen das Ganze in Prosa ab. Während Platen sklavisch imitiert, übernehmen sie nur das, was ihren eigenen Zeitinteressen entspricht, weil sie im Gegensatz zu den anämischen Klassizisten begriffen haben, daß letztlich nur Leben neues Leben erzeugt. Man nennt das heute dialektische Aneignung. Heine kennt diesen Begriff noch nicht, tut aber in praxi genau das, was man heute in der Theorie fordert.

Ja, Heine geht sogar noch einen Schritt weiter und zeigt Platen in seinen *Bädern von Lucca*, was man anstellen muß, um ein neuer Aristophanes zu werden. Er läßt nämlich seinen Oedipus die Mutter erschlagen und den Vater heiraten, das heißt, er macht sich in der Gestalt des getauften Juden Gumpelino über sich selbst, den getauften Juden Heinrich alias Harry Heine lustig. Er versteckt sein Gebrechen nicht, sondern legt es in brutalster Direktheit mitten auf den Tisch. Heines Gumpelino ist daher wirklich ein Muster an aristophanischer Satire. Seine Geschichte wird »wörtlich treu, in ihrer schmutzigsten Reinheit, mitgeteilt«, wie Heine dem Leser nachdrücklich versichert (3, 324). Hier wird kein Blatt vor den Mund genommen, nichts verheimlicht oder schamhaft verborgen. Diese Geschichte soll so derb-drastisch sein, wie es nur geht. Gumpelino ist potthäßlich, schwitzt und stöhnt dauernd, hat entsetzlichen Durchfall, sitzt die ganze Nacht auf dem Abtritt und liest den nächsten Tag in einem Buch, das noch immer nach Klo stinkt. Solche Szenen empfindet Heine als wahrhaft ›aristophanisch‹, wahrhaft offen, wahrhaft frei und unfrustriert. Vielleicht hat dies niemand klarer erkannt als der kluge Varnhagen, der einmal höchst aufschlußreich schreibt: »Der ganze Hergang mit diesen beiden Juden, wiewohl nur in schlichter (doch in äußerst gebildeter und wohltönender) Prosa, dünkt uns, wenn denn doch einmal von Aristophanes die Rede sein soll, aristophanischer als alles, was Graf Platen bisher in gekünstelten schweren und doch leeren Versen nach solchem Muster zu arbeiten versucht hat. Und nicht sowohl durch die materielle Belastung, durch die Ersäufung in Satire und Hohn, sondern vielmehr *dadurch* hat Hr. Heine den Gegner völlig abgetötet, daß er ihn in *dem* Fache, auf das derselbe sich am meisten zu Gute tun wollte, in seiner Blöße gezeigt, und ihn nicht nur an Grimm und Spott, sondern auch an *Kunst*, und gerade in *aristophanischer Kunst*, unendlich überboten hat! Wollt ihr aristophanisieren, so müßt ihr es *so* machen; habt ihr dazu nicht Mut und Geschick, nun so bleibt in Gottesnamen dabei, daß ihr kotzebuisiert oder müllnerisiert.«[30]

Aber mit dieser witzigen Umkehrung ist noch nicht das letzte Wort über die *Bäder von Lucca* gesagt. Schließlich sind Heines Witze über den getauften Juden nicht nur Übermut, aristophanische Laune oder literarischer Schabernack. Dahinter steckt noch eine andere Schicht, die tief in Heines eigene Seele hinabreicht und auch die Schärfe des Ganzen mitbedingt. Hans Mayer hat diese Schärfe damit erklärt, daß hier ein Außenseiter auf dem anderen herumhacke.[31] Doch in dem Ganzen nur einen Kampf zwischen einem »Outsider der Abkunft« und einen »Outsider der Geschlechtlichkeit« zu sehen, scheint mit etwas zu einseitig.[32] Es ist schon richtig, wenn Mayer behauptet, daß diesem Werk eine gewisse »Selbstidentifikation des Angreifers mit dem Angegriffenen« zugrunde liege.[33] Aber vielleicht sollte man diesen Zug, so wichtig er ist, nicht ins Monokausale reduzieren. Damit wird zwar das grelle Lachen, aber nicht die ideologische Grundintention erklärt.

Doch lassen wir jetzt Platen endgültig beiseite und konzentrieren wir uns rein auf Gumpelino. Auch bei ihm kann man nicht unbedingt von einer »Selbstidentifikation des Angreifers mit dem Angegriffenen« sprechen. Denn schließlich ist Gumpelino – trotz seines Judentums – doch ein Mitglied der von Heine so gehaßten Gegenpartei, der Aufgestiegenen, der Großkopfeten, dem die Taufe den Weg in die höchsten Gesellschaftskreise geebnet hat, weil er sich ideologisch der Restauration angeschlossen hat. Heine dagegen ist – trotz der so vielversprechenden christlichen Wassertropfen – wegen seiner demokratisch-revolutionären Anschauungen ein Outsider und Hungerleider geblieben. Gumpelino floriert, er nicht. Und dabei hatte Heine, wie gesagt, im juristischen Sinne alles getan, um sich in dieser Gesellschaft eine gute ›Laufbahnvoraussetzung‹ zu verschaffen. Doch selbst die Taufe hatte ihm nichts genutzt, sondern lediglich ein böses Trauma hinterlassen. Heine klagt daher in einem Brief an Moses Moser vom 28. Juli 1826, also ein Jahr nach der Taufe, von dem doch »nie abzuwaschenden Juden«. Er hatte sich gedemütigt – und die anderen hatten ihn dennoch nicht akzeptiert. Seine bittersten Witze gelten deshalb immer wieder jenen Juden, die durch ihre Taufe und ihre konservative Gesinnung spektakulär reüssierten: dem Professor Eduard Gans in Berlin, dem »christlichen Kapellenmeister« Felix Mendelssohn-Bartholdy (2,464), dem Hamburger Juden Eckstein, der später als Baron Ferdinand von Eckstein in Paris die Zeitschrift *Le catholique* herausgab (6,29), und eben dem Markese Christophoro di Gumpelino.

Der Taufjude Gumpelino alias Christian Gumpel wird daher trotz aller Witzigkeit, aller aristophanischen Laune doch in manchem zu einem recht bösen Zerrbild. Dafür sprechen nicht nur seine dickfleischige Nase und seine Plattfüße, sondern auch, daß er unentwegt »O Jesu!« stöhnt (3,296ff.). Obendrein ist er der typische Parvenü, der sich mit dem »roten Adlerorden« schmückt (3,297), in Rom eine eigene katholische »Hauskapelle« besitzt (3,300), ständig mit seiner zusammengescharrten »Bildung« protzt und zugleich als Naturschwärmer angesehen werden möchte (3,303). Daß ihm dabei mitten im Gespräch plötzlich einfällt, schnell einmal »an Rothschild zu schreiben« (3,317), macht ihn fast zu einem Zwillingsbruder von Tucholskys Herrn Wendriner.

So gesehen, hat diese Gestalt doch einen Zug ins Traumatische. Sie ist Ausdruck jener Reue, die Heine über seine eigene Taufe empfindet, die ihm weder gesellschaftlich noch beruflich auf die Sprünge geholfen hat. Auch er fühlt sich plötzlich wie eine ›komische Figur‹, wie ein Hanswurst, wie ein Gumpelino. Jakob Raphael gibt daher zu bedenken, ob hinter dem »Gumpel-Komplex« nicht möglicherweise doch ein »Heinrich-Heine-Komplex« stecke.[34] Und auch Ludwig Rosenthal kommt in seinem weitausgreifenden Buch *Heinrich Heine als Jude* (1973) zu der Folgerung, daß die Taufe zu den wichtigsten Motiven der *Bäder von Lucca* gehöre.[35] Warum Heine dabei ausgerechnet auf den Hamburger Bankier Lazarus Gumpel anspielt, bleibt weiterhin ungeklärt. Dieser Gumpel hat sich nämlich nie taufen lassen, sondern blieb zeit seines Lebens ein ›guter‹ jüdischer Bankier. Manche meinen, daß Heine diese Figur seinem Onkel Salomon zuliebe erfunden habe, der sich über alle Gumpel-Stories königlich amüsierte.

Was bleibt, ist also immer wieder das Tauf-Motiv. Und das spielt in den *Bädern von Lucca* allerdings eine zentrale Rolle – vielleicht sogar noch zentraler als man bisher angenommen hat. Der erwähnte Dr. Heine ist getauft; Gumpelino ist getauft; ja selbst Hirsch-Hyazinth ist getauft, weil er nicht mehr wie »ein gewöhnlicher Lump« behandelt werden wollte (3,327). Und so ist auch der Höhepunkt des Ganzen, die urkomische Romeo-und-Julia-Szene, zwangsläufig eine Taufszene. Und zwar bedient sich dabei Heine der schärfsten aristophanischen Manier, die ihm zur Verfügung steht, um sich über sich selbst und die ganze Welt lustig zu machen. Als nämlich Gumpelino wieder einmal über seine unstillbare Sehnsucht nach Lady Maxfield klagt, drückt ihm sein Diener Hirsch-Hyazinth ein Glas

Wasser mit aufgelöstem »Sal mirabile Glauberi« in die Hand, das er Gumpelino als »extra feines Glaubensalz« offeriert (3,332), um ihn von seinen Schmerzen abzulenken. Und zwar gebraucht er dabei mehrfach in drolligen Versprechern das Wort »Glaubensalz«, um den symbolischen Taufvorgang des Ganzen so deutlich wie möglich zu machen. Ja, an einer Stelle sagt er sogar pathetisch-grotesk: »Glaubensalz macht alle Menschen gleich« (3,333). Und Gumpelino läßt diesen Kelch auch nicht an sich vorübergehen, sondern leert ihn in poetischer Verzückung bis auf den letzten Tropfen. Erst als das Briefchen von Lady Maxfield kommt, in dem sie ihn zu der langerwarteten Liebesnacht einlädt, erwacht er aus seiner Täuschung und bricht in die tragikomischen Worte aus: »Weh mir, [...] ich Hansnarr des Glücks, ich habe schon den Becher des Glaubensalz geleert! Wer bringt mir den schrecklichen Trunk wieder aus dem Magen? Hülfe! Hülfe!« (3,334f.). Doch solche Dinge sind nicht wieder rückgängig zu machen – und so verbringt Gumpelino die ganze Nacht auf jenem Örtchen, von dem ›man‹ nicht gern spricht.

Und auch Heine kriegt diesen trügerischen Trunk nicht wieder aus dem Magen, obwohl er würgt und würgt. Um so gläubiger küßt er dafür den niedlichen Fuß seiner gelenkigen Franscheska, jedenfalls »gläubiger« als er je den »Fuß des Papstes« küssen würde, wie es voller Abscheu gegen alle religiösen Zeremonien heißt (3,318). Und damit siegt letztlich doch das sich ewig erneuernde Leben gegen alle transzendentalen Gespenster der Vergangenheit, die den Menschen von seinen realen Bedürfnissen ablenken wollen, um ein gefügiges Werkzeug aus ihm zu machen.

DIE STADT LUCCA

(E: November/Dezember 1829 und November 1830)

Die Religion der Irreligiösen

»Was vom Christentum gilt, gilt von den Stoikern; freien / Menschen geziemet es nicht, Christ oder Stoiker zu sein« (Johann Wolfgang von Goethe).

Die Stadt Lucca, mit der Heine den vierten und letzten Band seiner *Reisebilder* einleitet, ist wohl die schärfste antiklerikale Schrift, die in Deutschland um 1830 erschienen ist. Hier wird wirklich niemand geschont, weder die Juden noch die Protestanten oder Katholiken. Ob nun die Münchener Döllinger-Clique, die Berliner Wassersuppen-Protestanten, die vornehmen Anglikaner der englischen High Church, die feisten italienischen Pfaffen oder die unbekehrten Juden: alle kriegen in dieser Schrift ihr Fett. Im Hinblick auf die ›rechte‹ Religion hatte sich bei Heine so viel Wut angestaut, daß er in der christlichen ›Mäßigung‹ keine Tugend mehr sah. Und das vor allem in Lucca, wo er mit dem massivsten Aberglauben südlicher Prozessionen konfrontiert wurde, wo eine Kirche neben der anderen aufragte und das Glockengebimmel überhaupt nicht aufzuhören schien. Mußte er nicht hier in seinen antiklerikalen Gefühlen bis zur Weißglut gereizt werden, so daß es ihn schließlich gelüstete, vor allem der katholischen Kirche einen kräftigen Hieb zu versetzen?

Doch hinter der *Stadt Lucca* steht selbstverständlich mehr als eine bloß momentane Aufwallung. Diesem Werkchen geht bereits eine lange Reihe antiklerikaler Äußerungen vorauf, die allerdings hier zum erstenmal in essayartiger Form zusammengefaßt werden. Wirklich ›fromm‹ ist Heine nie gewesen. Schon seine Eltern hatten ihn nur sehr oberflächlich mit religiösen Ritualen vertraut gemacht, ganz zu schweigen von der französischen Gymnasialbildung, die er in Düsseldorf erhielt, die eher in die Richtung Voltaires und der französischen Enzyklopädisten tendierte. Auch während seiner Studentenjahre hatte sich Heine nirgends religiös angepaßt, sondern war ein konsequenter Außenseiter, ja geradezu »Verächter aller positiven Religionen« geblieben, wie es in einem Brief an Moritz Embden vom 3. Mai 1823 heißt. Diesen Gefühlen lag anfangs sicher eine naiv-spontane Abwehrreaktion zugrunde, deren weltgeschichtliche Dimensionen Heine erst nach der Bekanntschaft mit Hegel wirklich bewußt wurden. Während er sich in Bonn, Hamburg und Göttingen noch vorwiegend an den Äußerlichkeiten der verschiedenen Religionen gestoßen hatte, sieht er in Berlin mehr und mehr ein, daß es mit dem Religiösen schlechthin zuende geht, da der Weltgeist seit der Renaissance in die kritisch-reflektierende Phase hinübergewechselt sei und damit die Philosophie die geistige Vorherrschaft an sich gerissen habe. Und so erscheinen Heine plötzlich sämtliche Religionen als etwas prinzipiell Vergangenes. Ja, er betrachtet den Verlust des Religiösen immer stärker im Zusammenhang mit dem Verlust aller älteren Ganzheitskonzepte, mögen sie nun staatlicher, ästhetischer oder religiöser Art sein. Dafür spricht schon die große Passage in *Nordsee III*, wo Heine über den Verlust der bisherigen Nationalbesonderheiten klagt, doch zugleich – im Sinne einer notwendigen Dialektik von Gewinn und Verlust – auch das Positive dieses Vorgangs konstatiert. Die Melodie des »Verlustes«, schreibt er hier, »klingt wieder in katholischen Domen, woraus der Glaube entflohen, und in rabbinischen Synagogen, woraus sogar die Gläubigen fliehen«, ja sogar im fernen Hindostan, »wo der seufzende Brahmine das Absterben seiner Götter voraussieht« (3,116). Dieser Prozeß scheint ihm ebenso unaufhaltsam zu sein wie die fortschreitende Aufklärung. Heine spottet daher immer wieder, wie sinnlos es sei, im Sinne der neogotischen Bestrebungen die christlichen Kathedralen – wie etwa den Kölner Dom – vollenden zu wollen. »Die alten Baumeister lebten und entschliefen mit diesem Glauben«, heißt es in der *Reise von München nach Genua* angesichts solcher farcenhaften Totenbeschwörungen (3,282).

Heine spielt sich darum von Anfang an als ein Vertreter des religiösen ›Indifferentismus‹ auf, wenn er auf Jüdisches, Protestantisches oder Katholisches zu sprechen kommt. Der religiöse ›Wunderkram‹ wirke heute nur noch auf die Dummen, die Zurückgebliebenen, die Hinterweltler, betont er immer wieder, während man als aufgeklärter Liberaler über solche Narreteien nur lächeln könne. Heute noch an Verbalinspiration oder göttliche Offenbarungen zu glauben, setzt nach Heines Meinung eine gehörige Portion Unaufgeklärtheit voraus, wie er das auf witzig-geistreiche Weise an seinen Norderneyer Insulanern demonstriert (3,92f.), die in ihrer Abgeschiedenheit ebenso dumm wie gottesfürchtig geblieben sind. Aber mit dieser Kritik wendet sich Heine nicht nur gegen die Norderneyer, sondern gegen alle religiösen Gruppen.

Beginnen wir mit seiner Einstellung zum Judentum. Heine tut in seiner Frühzeit nichts, um das Judentum als Religion zu verteidigen, und zwar weder in seinen orthodoxen noch in seinen liberalen Spielarten. Er fühlt sich zwar herkunftmäßig, aber nicht religiös an das Judentum gebunden.[1] Aus diesem Grunde setzt er sich energisch für die »bürgerliche Gleichstellung« aller Juden ein, wie er am 23. August 1823 an Moses Moser schreibt, tut aber nichts, um die Treue zum »mosaischen Glauben« zu stärken. Auch in diesem Brief heißt es ausdrücklich, daß er ein Feind aller »positiven Religionen« sei. Es sind daher eher negative als positive Impulse, die ihn mit seinen jüdischen Leidensgenossen verbinden. »Meine Anhänglichkeit an das Judenwesen hat seine Wurzel bloß in einer tiefen Antipathie gegen das Christentum«, heißt es im gleichen Jahr in einem Brief an seinen Schwager.[2] Mit religiösen Bindungen an Talmud und Thora hat das nicht das Geringste zu tun. So läßt Heine den Taufjuden Hirsch-Hyazinth in den *Bädern von Lucca* geradezu zynisch erklären: »Bleiben Sie mir weg mit der altjüdischen Religion, die wünsche ich nicht meinem ärgsten Feind. Man hat nichts als Schimpf und Schande davon. Ich sage Ihnen, es ist gar keine Religion, sondern ein Unglück« (3,327). Wie in allen anderen ›positiven Religionen‹ kann sich nach Heines Meinung auch in dieser Religion nur ein zurückgebliebener Dümmling wohlfühlen, der noch nicht gemerkt hat, was die Glocke eigentlich geschlagen hat – wofür er die höchst ergötzliche Geschichte des Moses Lump anführt (3,328). Doch die Lümpchen-Episode ist eine Ausnahme. Wenn der frühe Heine sonst auf orthodoxe Juden zu sprechen kommt, übt er aus Solidarität meist Zurückhaltung, weil er seine Leidensgenossen in ihren religiösen Aberrationen nicht so unbarmherzig bloßstellen will, wie das später Karl Emil Franzos in seinem Roman *Der Pojaz* tut.[3] Heine versucht selbst für diese Dinge ein im hegelianischen Sinne ›historisches‹ Verständnis aufzubringen, was der Anfang seines *Rabbi von Bacherach* beweist. Doch gerade am Beispiel dieser Novelle wurde ihm bewußt, daß man das jüdische ›Mittelalter‹ ebensowenig restaurieren solle wie den Kölner Dom. In diesen Dingen war es selbst mit wohlmeinenden Reformen, wie sie der Berliner »Verein für Kultur und Wissenschaft der Juden« ins Auge faßte, nicht getan. Hier mußte endlich ein Schnitt gemacht werden. Heine trat daher nicht nur aus dem Berliner Kulturverein aus, sondern ließ auch den *Rabbi* als Fragment liegen. Was sich nicht mehr dialektisch aneignen ließ, erschien ihm hoffnungslos antiquiert.

Doch, wie gesagt, im Hinblick auf die jüdische Religion übt Heine meist eine gewisse Rücksicht. Sobald er sich dagegen der christlichen Religion zuwendet, wird sein Ton sofort wesentlich schärfer. Das zeigt sich vor allem in brieflichen Äußerungen an seine jüdischen Freunde. So nennt Heine in einem Brief an Emmanuel Wohlwill vom 2. April 1823 das Christentum eine totgetretene Wanze, die schon seit 1800 Jahren stinke. Was er den Christen besonders vorwirft, ist ihre Selbstgerechtigkeit, ihre Intoleranz, ihr grausamer Missionseifer, der keine andere Religion neben sich dulde. Und zwar weist er dabei gern auf die Verfolgung der Mauren in Spanien hin, die zugleich stellvertretend für die spätere Ausweisung der Juden aus diesem Lande steht, wie er das in seinem *Almansor* darzustellen versucht. Wenn Heine darum auf christliche Intoleranz stößt, ist er immer gleich »almansorisch« gestimmt.[4] Besonders in der Zeit, als er sich aus Karrieregründen zur Taufe bequemen mußte, da ihm als ungetauftem Juden alle öffentlichen Ämter versperrt waren, läuft ihm ständig die Galle über. So schreibt er am 8. Oktober 1825, also vier Monate nach der Taufe in Heiligenstadt, wutentbrannt an Moser: »Ich will ein Japaner werden. Es ist ihnen nichts so verhaßt wie das †. Ich will ein Japaner werden«. In diesem Punkte ist ihm selbst der große Heide aus Weimar sympathisch, der in seinen *Venetianischen Epigrammen* geschrieben hatte, daß ihm neben Wanzen, Knoblauch und Tabaksqualm das »†« am meisten »zuwider« sei.[5] Heine spottet daher gern über sein eigenes ›Christentum‹, das er offiziell gar nicht ausübe. Bereits in *Nordsee III* heißt es an einer Stelle: »Gott weiß, daß ich ein guter Christ bin und sogar oft im Begriffe stehe, sein Haus zu besuchen, aber ich werde immer fatalerweise daran verhindert, es findet sich gewöhnlich ein Schwätzer, der mich auf dem Wege festhält, und gelange ich auch einmal bis an die Pforten des Tempels, so erfaßt mich unversehens eine spaßhafte Stimmung, und dann halte ich es für sündhaft hineinzutreten« (3,95). Was hier noch mit dem Schein der Witzigkeit vorgetragen wird, steigert sich dann in der *Stadt Lucca* bis zu offener Wut. Hier wird das Christentum als eine Religion für jene »erkrankte und zertretene Menschheit« hingestellt, die man mit allen nur denkbaren Mitteln, den Mitteln der Strafe, der Buße, der Geistesknechtschaft, der Zensur, der moralischen Frustrierung am Boden zu halten versuche (3,395). Hier ist das Christentum nur noch eine schleichende Krankheit, eine Lazarettstimmung, etwas Opiumhaftes, eine Art Höhlenrauch, der aus muffigen Kirchen strömt, um die ständig aufbegehrende Menschheit wieder in den Dämmerzustand der Unmündigkeit zu versenken.

Nicht ganz so scharf springt Heine dabei mit den Protestanten um. Unter ihnen läßt er ein paar ehrenwerte Männer wie Martin Luther, den Lessing des *Nathan*, den streitbaren Kirchenrat Paulus, den braven Schleiermacher, der in Berlin gegen die Judenbekehrung predigte, und den ebenso mutigen Johann Heinrich Voss, der Fritz Stolbergs Übertritt zur katholischen Kirche als einen Schritt von der Freiheit in die Unfreiheit gebrandmarkt hatte, durchaus gelten. Diese Männer erscheinen ihm als wahrhaft ›Protestierende‹. Luther, Lessing und Voss nennt Heine deshalb in den *Bädern von Lucca* sogar witzelnd und doch ernst »meine Glaubensgenossen« (3,362). Um so verhaßter sind ihm dagegen jene ›protestantischen‹ Duckmäuser, Pietisten, Mystiker oder andere Winkelseelchen, die in der biedermeierlichen Presse als Vorbilder einer entsagungsvollen Liebesethik gefeiert wurden – obwohl sie meist nur ihre Verdrängungen sublimierten. Doch auch die ›Rationalisten‹ unter den Protestanten finden bei Heine kein ungeteiltes Lob. Ihren ›Glauben‹ findet er schlechthin widersprüchlich. Man könne nicht »vernünftig und nüchtern« auftreten, wie er in der *Stadt Lucca* schreibt, und zugleich behaupten, an die Dreieinigkeit zu glauben (3,398). Schon ihre hellen Kirchen mit ihren »unbemalten Vernunftscheiben« bewiesen, daß man hier dem Religiös-Mysteriösen längst den Laufpaß gegeben habe. Und so sagt auch der mit gesundem Menschenverstand ausgestattete Hirsch-Hyazinth, daß ihm diese Religion zu »vernünftig« erscheine. »Gäbe es in der protestantischen Kirche keine Orgel, so wäre sie gar keine Religion. Unter uns gesagt«, behauptet er, »diese Religion schadet nichts, aber sie hilft auch nichts«, da es ihr an »Schwärmerei« fehle (3,326). Ihre Pfarrer, findet Heine, sind meist »sanfte, homöopathische Seelenärzte, die 1/10000 Vernunft in einen Eimer Moralwasser schütten und uns damit des Sonntags zur Ruhe predigen« (3,403). Dies gelte – nach Heine – vor allem für die Berliner Protestanten, die »bis zum Nabel im Schnee« säßen und »Dogmatiken, Erbauungsbücher, Religionsgeschichten für Töchter gebildeter Stände, Katechismen« usw. schrieben (3,314). »Es hat eine eigne Bewandtnis mit ihrem Christentum«, erzählt Heine seiner Freundin Franscheska in der *Stadt Lucca*, »dieses fehlt ihnen im Grunde ganz und gar, und sie sind auch viel zu vernünftig, um es ernstlich auszuüben.« »Aber da sie wissen«, fährt er fort, »daß das Christentum dem Staate nötig ist, damit die Untertanen hübsch demütig gehorchen und auch außerdem nicht zu viel gestohlen und gemordet wird, so suchen sie mit großer Beredsamkeit wenigstens ihre Nebenmenschen zum Christentume zu bekehren« (3,414). Hier – wie in England – sei also das Christentum längst zu einer formaljuristischen Staatsreligion erstarrt, das heißt übe Aufklärung, ohne wirklich aufgeklärt zu sein, trete für Vernunft ein, sei jedoch selber so unvernünftig wie nur möglich, indem es die realen Interessen der Menschen zugunsten des Staates rücksichtslos unterdrücke. Und damit offenbare sich der Protestantismus als der traurige Ausdruck einer halbvollendeten Revolution, die nie bis zur Wurzel des Unheils vorgestoßen sei, weil es ihr an politischer Radikalität gemangelt habe.

Doch Heines schärfste Angriffe gelten selbstverständlich der katholischen Kirche, die ihm wie ein Stück verfaulendes, verwesendes Mittelalter erscheint, das er in der hellen Luft der Aufklärung als bedrückenden Nachtmahr empfindet. So gibt er zwar in *Nordsee III* zu, daß die »römisch-katholische Kirche im Mittelalter« viel »ruhiges Glück« gestiftet habe, jedoch heute eine »Kreuzspinne«, ein Instrument der »Geistesknechtschaft«, ja der »Unterjochung schlimmster Art« geworden sei. Ein so toter, vermoderter »Köhlerglaube« könne daher im 19. Jahrhundert nur noch von geistig Zurückgebliebenen als lebende Wirkungsmacht empfunden werden (3,93). Hirsch-Hyazinth nennt deshalb den Katholizismus in seinem großen Religionsvergleich eine »Religion, als wenn der liebe Gott, gottbewahre, eben gestorben wäre, und es riecht dabei nach Weihrauch wie bei einem Leichenbegängnis« (3,326). Noch rücksichtsloser werden diese Ausfälle gegen das Katholische in der *Stadt Lucca*. Hier beschreibt Heine eine Prozession anläßlich des »Totenfests« irgendeines lokalen Märtyrers, die auf ihn den bedrückenden Eindruck des Nächtlichen, Gespenstischen und Abgelebten macht (3,390). Die »Scheinheiligkeit, die Heuchelei und das gleißende Frömmeln« des Ganzen nehmen solche Ausmaße an, daß ihm selbst seine süße Franscheska ihre Gunst verweigert und ihm die Tür vor der Nase zuschließt (3,387). In dieser Szene erscheint der Katholizismus rein als Religion des Zölibats, der Frustration, der Abtötung alles Fleischlichen. Nicht Menschen, sondern Skelette scheinen hier auf ›Gottes blühender Erde‹ herumzuwandeln. Dazu riecht es permanent nach Weihrauch, als befände man sich auf einer Beerdigung oder in einem kirchlichen Hospital (3,393). Und dies ist nun die Religion, die über den heiteren Olymp der Griechen und Römer triumphiert hat, wie Heine ausdrücklich vermerkt. Diese »Religion gewährt keine Freude mehr, sondern Trost«, heißt es bedauernd, »es ist eine trübselige, blutrünstige Delinquentenreligion« (3,395). Und sie verschafft sich diese Wirkung, schreibt Heine, indem sie den Verzweifelten, Getretenen und Unterdrückten von heute unablässig mit den Schrecken der Hölle konfrontiere, ihn dauernd zum Bekenntnis seiner Sünden zwinge, ihn unentwegt verschrecke, um ihn ständig zu verunsichern und damit unter Druck zu setzen.

All das empfindet Heine nach zwei Jahrhunderten an Renaissance, Reformation und Aufklärung als einen eklatanten Anachronismus. Wie Voltaire sieht er in solchen Ritualen lediglich bauernfängerische Verdummungsmanöver. Hier zwinge man das Volk, noch immer an etwas zu glauben, was selbst den Priestern längst zur Farce geworden sei. Er sieht daher das Ganze als bewußten Versuch, das niedere, unaufgeklärte Volk im Zustand des Kindlichen, Naiven, Gläubig-Staunenden zu halten, um ihm den Weg aus der unverschuldeten Unmündigkeit zu einer fortschreitenden Emanzipation zu versperren.[6]

Da man von oben her sehe, wie gefährlich solche Befreiungsversuche seien, versuche man alles, um die Leute nur ja nicht merken zu lassen, daß Gott längst gestorben ist. Was sich daraus ergebe, sei ein allgemeines Narrentheater, ja geradezu Affentheater, das man jeden Tag aufs neue inszeniere, um dem legendären ›kleinen Mann‹ den ebenso legendären ›Sand‹ in die Augen zu streuen.

Und zwar teilt Heine dabei das Volk der ›Gläubigen‹ in zwei große Haufen ein: die Narren aus Dummheit und die Narren aus Berechnung. Die Narren aus Dummheit sind für ihn jene, die noch wie viele Katholiken oder Pietisten aus lauter Unaufgeklärtheit an die ihnen vorgeführten Zauberrituale tatsächlich glauben. Sie sind für ihn die Armen im Geiste, die Stillen im Lande, die ihm zutiefst leid tun. Über sie verliert er daher nur wenige Worte. Ihnen verzeiht er – da sie nicht wissen, was sie tun. Um so schärfer knüpft er sich dagegen die Narren aus Berechnung vor, jene nüchtern kalkulierenden Spießer, Philister, Stoiker, Pfahlbürger und Sonntagschristen, die nur aus gesellschaftlicher Konvention zur Kirche gehen, um in den Augen ihrer Mitmenschen einen guten Eindruck zu schinden. Ihnen verzeiht er nicht – da sie genau wissen, was sie tun. Das Christentum dieser Leute habe längst »merkantilisch ökonomische Formen« angenommen, heißt es voller Verachtung (3,419). Sie seien die Vertreter einer Staatsreligion, die sich nur aus pharisäischer oder jesuitischer Geschmeidigkeit den jeweiligen Religionsformen anpaßten.

Doch ob nun kälteste Berechnung oder fauler Zauber: letztlich verdammt Heine beides. Durch die Mystiker werde die Luft in Deutschland gar zu »dick und heiß«, durch die Rationalisten werde sie gar »zu dünn«, wie Heine schon in der *Harzreise* schreibt (3,515). Um wieder frei atmen zu können, müsse man daher beiden Cliquen den Garaus machen. Und so tritt Heine in der *Stadt Lucca* an prononcierter Stelle ganz offen für einen durchgreifenden Atheismus ein. »Ein Indifferentismus in religiösen Dingen wäre vielleicht allein imstande, uns zu retten«, heißt es hier, »und durch Schwächerwerden im Glauben könnte Deutschland politisch erstarken« (3,418).

Doch dann besinnt sich Heine plötzlich und erkennt, daß diese Folgerung ein ideologischer Kurzschluß ist. Denn schließlich sind diese ›vernünftigen‹ Hypokriten ja gar keine wahrhaft Gläubigen. Obwohl sie es nie öffentlich zugeben würden, gehören diese Leute schon durchaus zu den modernen Atheisten. Denn diese Vernünftler glauben nur noch an sich selbst, ihren Beruf, ihre Karriere, ihr Geld – und an nichts weiter, ob nun in dieser oder jener Welt. Und mit solchen Leuten möchte Heine selbstverständlich nicht verwechselt werden, wenn er sich programmatisch zu einem religiösen Indifferentismus bekennt. Und so kommt er plötzlich zu der Einsicht, daß er mit seinem Enthusiasmus für das Überindividuelle, Menschheitliche eigentlich ein zutiefst ›religiöser‹ Mensch ist. Denn er ›glaubt‹ ja an etwas, was über ihm steht, statt wie diese Leute nur noch an sich selbst zu denken. Während er sich ständig neue Ideale setze, für Liebe, Poesie und Fortschritt schwärme, seien die Gewohnheitschristen absolute Pragmatiker, ja zynische Status-quo-Vertreter, in denen jeder Funke für die höheren Interessen der Menschheit längst erloschen sei.

Heine hat sich daher von Anfang an gegen jene trockenen Spießer und Vernünftler gewandt, die sich für nichts, aber auch gar nichts begeistern können. So karikiert er schon in der *Harzreise* jene Saul-Ascher-Typen, die Gespenster ihrer selbst geworden, weil sie nur noch aus Vernunft bestehen (3,41 f.). Ebenso scharf zieht er über jene Superklugen im *Buch Le Grand* her, die ihm mit den überzeugendsten Vernunftgründen beweisen wollen, wieviel besser es für ihn wäre, endlich zu Kreuze zu kriechen. Man floriere nur, reden ihm diese Leute ins Gewissen, wenn »man sich den Narren anschließe« (3,185). Heine schreibt deshalb schon damals widerborstig: »Alles, was ich tue, ist den Vernünftigen eine Torheit und den Narren ein Greuel« (3,184). Im Vergleich mit solchen Konformisten sieht er in sich selbst immer stärker den Enthusiasten, den Schwärmer der Idee, der fest daran ›glaubt‹, daß es einen Sinn hat, sich für die Verbesserung der Welt einzusetzen, statt sich wie die Status-quo-Narren mit den jeweiligen Gegebenheiten abzufinden.

Und so tritt Heine auch in der *Stadt Lucca* – mitten in der schärfsten Religionskritik – gegen jene Religionskritiker auf, die lediglich auf ihre dürre Vernunft pochen. So sagt er selbst zu der zynisch spöttelnden Lady Mathilde, die in Lucca alles ›ridiculous‹ findet und auf ihre religiöse Indifferenz stolz ist: »Mylady, ich liebe keine Religionsverächterinnen« (3,410). Eine solche Haltung kommt ihm zu einseitig, zu antinomisch vor. Statt dessen beruft sich Heine auch in diesen Dingen auf die »Dialektik«, nämlich das Bemühen, die unfrommen Gläubigen mit einer gläubigen Unfrommheit ausstechen zu wollen (3,417). Im Gegensatz zu den Atheisten des 18. Jahrhunderts, welche sich vornehmlich an die reine Vernunft hielten, beschwört er hier eine Vernunft, die aufs innigste mit Begeisterungsfähigkeit, Liebe und Enthusiasmus gepaart ist, um nicht in bloßes Witzeln, Kritteln oder kaltblütiges Spötteln abzugleiten.

Und dies ist auch der Grund, warum sich Heine in diesen Jahren ständig als wahrhaft Gläubigen, als Schwärmer der Idee hinstellt. Er sehnt sich nach einer Gesinnung, bei der all unsere Bemühungen »aus dem Quell einer uneigennützigen Liebe hervorsprießen« (3,405), anstatt lediglich in einer bloßen Vernünftigkeit begründet zu sein. Heine will kein Kind mehr sein, das man einem wohlausgeklügelten System von Strafen und Belohnungen unterwirft. Er will sich für das, was er wirklich liebt, aus freiem Willen einsetzen. Aus diesem Grunde nennt er sich schon in der *Bergidylle* einen »Ritter von dem heil'gen Geist« (3,96), um sich als ein vom Weltgeist inspirierter Glaubensstreiter hinzustellen, der allem, was er tut, einen religiösen Sinn zu geben versucht. Als ihn daher Mathilde in der *Stadt Lucca* fragt, welche Religion er denn eigentlich habe, antwortet Heine ohne zu lügen: »Ich, Mylady, habe sie alle« (3,411), das heißt, ich hänge jener Religion der Religionen an, deren Inhalt darin besteht, das Gute zu tun. Statt irgendwelchen Sonderinteressen zu huldigen, wie sie von dieser oder jener Kirche vertreten werden, will Heine ein Ritter aller Glaubensrichtungen, ein Ritter der gesamten Menschheit sein. Er will nicht für einen bestimmten Gott, sondern für die Menschen in die Schranken treten. Seine Religion ist die Religion des Diesseitigen und nicht des Jenseitigen. Statt also wie die Atheisten die Idee ›Religion‹ einfach fallen zu lassen, bemüht er sich, selbst dieses Relikt der Vergangenheit dialektisch in sich ›aufzuheben‹.

Und so münden Heines Reflexionen in diesen Jahren immer wieder in die Umschreibung eines neuen Glaubens. Er hat das Gefühl, daß jede Ära einen neuen Glauben braucht, wie auch jede Ära neue Enthusiasten und Märtyrer braucht, die sich für diesen Glauben einsetzen und sich nötigenfalls für ihn opfern. Auch auf diesem Sektor gibt es für ihn nichts Ewiges oder Transzendentes, sondern nur historisch Relatives. So ruft er schon in seiner *Reise von München nach Genua* den Neogotikern zu, sich endlich »einen neuen Glauben« anzuschaffen (3,282). Ja, am Schluß des 29. Kapitels schreibt er hier noch offener: »Jede Zeit glaubt, ihr Kampf sei vor allen der wichtigste, dieses ist der eigentliche Glaube der Zeit, in diesem lebt sie und stirbt sie, und auch wir wollen leben und sterben in dieser Freiheitsreligion, die vielleicht mehr den Namen Religion verdient als das hohle, ausgestorbene Seelengespenst, das wir noch so zu benennen pflegen – unser heiliger Kampf dünkt uns der wichtigste, wofür jemals auf dieser Erde gekämpft worden, obgleich historische Ahnung uns sagt, daß einst unsre Enkel auf diesen Kampf herabsehen werden, vielleicht mit demselben Gleichgültigkeitsgefühl, womit wir herabsehen auf den Kampf der ersten Menschen, die gegen ebenso gierige Ungetüme, Lindwürmer und Raubriesen, zu kämpfen hatten« (3,276).

Und damit fällt zugleich das entscheidende Stichwort: die »Freiheitsreligion« – ein Begriff, der auch zu Anfang der *Englischen Fragmente* wiederkehrt und dort als jene Religion charakterisiert wird, »die sich heute über die ganze Erde verbreitet« (3,433). Um in diesem Zusammenhang den Staatschristen von heute, die sich in voller Übereinstimmung mit ihren aristokratischen Machthabern dünken, eins kräftig auszuwischen, stellt Heine in der *Stadt Lucca* ausgerechnet Jesus von Nazareth als den Begründer dieser modernen Freiheitsreligion hin, indem er ihm eine spezifisch »demokratische« Gesinnung unterschiebt (3,401). Dieser Mann sei kein »Gott einer Aristokratie« gewesen, heißt es hier, sondern ein »bescheidener Gott des Volks, ein Bürgergott, un bon dieu citoyen« (3,402), das heißt ein »Prediger der Freiheits- und Gleichheitslehre« (3,419). Doch diesen Kern seiner Lehre hätte erst die Französische Revolution wieder neu entdeckt. Dort sei man 1789 endlich zum Bewußtsein der Mündigkeit erwacht und habe sich unter der Parole »Freiheit, Gleichheit, Brüderlichkeit« zu jener Religion bekannt, der ein progressiver Enthusiasmus für das Gute zugrunde liege, während in Deutschland, England und Italien weiterhin der Aberglauben, die Vernünftelei, der Pragmatismus oder der Irrsinn herrschten. Wieweit Heine dabei in seiner Gleichstellung dieser beiden Freiheits- und Gleichheitsreligionen geht, beweist wiederum eine Stelle aus den *Englischen Fragmenten*, wo es unter anderem heißt: »Die tiefste Wahrheit erblüht nur aus der tiefsten Liebe, und daher die Übereinstimmung in den Ansichten des älteren Bergpredigers, der gegen die Aristokratie von Jerusalem gesprochen, und jener späteren Bergprediger, die von der Höhe des Konvents zu Paris ein dreifarbiges Evangelium herabpredigten, wonach nicht bloß die Form des Staates, sondern das ganze gesellschaftliche Leben nicht geflickt, sondern neu umgestaltet, neu begründet, ja neu geboren werden sollte« (3,498).

Seit dieser Zeit herrscht nach Heines Meinung ein Religionskrieg, der zwischen der Priesterkaste des Establishments und den gläubigen Radikaldemokraten geführt werde. Wer in diesem Kriege für den Fortschritt Partei ergreife, müsse notwendig ein Freund der Franzosen werden, da sie die kühnsten Vertreter dieser ›Freiheitsreligion‹ seien. Heine schließt deshalb die *Englischen Fragmente* und damit die Gesamtreihe der *Reisebilder* mit der zuversichtlichen Verkündigung: »Die Franzosen sind das auserlesene Volk der neuen Religion, in ihrer Sprache sind die ersten Evangelien und Dogmen verzeichnet, Paris ist das neue Jerusalem, und der Rhein ist der Jordan, der das geweihte Land der Freiheit trennt von dem Lande der Philister« (3,501).

Und damit sagt Heine endgültig ›Adieu‹ zu seiner in Deutschland verbrachten Jugend. Unter diesen Spießern, die ihn in ihren Winkelnblättern ständig aufs Grausamste zerfleddert hatten, sah er keine Zukunft für sich und seine Ideen. Um so enger schloß er sich darum den Franzosen an, vor allem nachdem der gallische Hahn im Juli 1830 ein zweitesmal zu krähen begann und sich eine zweite, vielleicht noch weitergreifende Umwälzung aller Verhältnisse anzukündigen schien. Während er 1826 im *Buch Le Grand* noch Napoleon als den neuen »weltlichen Heiland« verkultet hatte (3,160), wählt er sich jetzt eher Gestalten wie Lafayette, Robespierre und Saint-Just zu seinen Hausgöttern. Überhaupt wird der Ton seiner Werke immer aufrührerischer, radikaler, revolutionärer und mündet schließlich in der *Nachschrift* zur *Stadt Lucca* vom November 1830 in einen zügellosen Wutausbruch gegen Junker und Pfaffen, bei dem ihm das »Aux armes, citoyens« der *Marseillaise* auf die Lippen kommt (3,430). Wie weggeblasen erscheint plötzlich jede Rücksicht auf Monarchen, Priester und Adlige.

Hier ist es bloß noch das Volk, das Heine als die alleinige Quelle der Macht bezeichnet.

Daß er dabei immer wieder nach religiösen Metaphern greift, statt sich einer unverblümten politischen Rhetorik zu bedienen, hat neben der bewußten Umkehrungs-, ja Umfunktionierungstechnik sicher noch einen anderen Grund. Und dieser wird Heines steigende Vorliebe für die französischen Saint-Simonisten gewesen sein, die ihm mit ihrem Evangelium des *Nouveau christianisme* noch am ehesten in jene Richtung zu tendieren schienen, von der auch er sich einen allgemeinen Umschwung der Dinge erhoffte. Daß dieser Prozeß bereits 1829 einsetzte[7] und durch die saint-simonistischen Neigungen des Berliner Varnhagen-Kreises begünstigt wurde[8], ist inzwischen unwiderleglich nachgewiesen worden. Und so ist es nur folgerichtig, wenn Heine am 1. April 1831 an Varnhagen schrieb, daß er jede Nacht davon träume, wie er seine »Koffer packe und nach Paris reise, um frische Luft zu schöpfen, ganz den heiligen Gefühlen meiner neuen Religion mich hinzugeben, und vielleicht als Priester derselben die letzte Weihe zu empfangen«. Dolf Sternberger hat diese Neigung zum Saint-Simonismus, die dann im Gedanken einer pantheistischen Götterdemokratie kulminiere, jüngst als Heines eigentlichen »Glauben« hingestellt und dabei den Hauptnachdruck auf die erotische Emanzipation gelegt.[9] Dies ist sicher stark übertrieben und soll bewußt von Heines politischen und sozialen Ansichten ablenken. Doch andererseits sollte man Heines Neigung zum Religiösen nicht einfach unter den Tisch fallen lassen. Indem Heine den Spießern immer wieder ihren Atheismus unter die Nase rieb, ist er schließlich in der aufreizenden Betonung seiner eigenen Religiosität manchmal etwas zu weit gegangen. Das hat niemand klarer erkannt als Georg Lukács, der Heines Neigung, das »Diesseits religiös zu verhimmeln« zu Recht mit ähnlichen Neigungen beim späten Feuerbach vergleicht.[10] Jedenfalls steckte in dieser Tendenz ins Pantheistische nicht nur ein befreiender Sensualismus, sondern auch ein gewisser Elitarismus, dem Heine Mitte der dreißiger Jahre manchmal allzu leichtfertig nachgegeben hat. Doch das ist ein anderes Kapitel.

DIE ›REISEBILDER‹
IN DER ZEITGENÖSSISCHEN KRITIK

Auf verlorenem Posten

> »Nicht den Glauben der Juden hassen wir, sondern die vielen häßlichen Eigenschaften dieser Asiaten, die unter ihnen so häufige Unverschämtheit und Anmaßung, die Unsittlichkeit und Leichtfertigkeit, ihr vorlautes Wesen und ihre so oft gemeine Grundgesinnung« (Eduard Meyer, 1831).

Über die ungewöhnlich große Wirkung, die Heine in allen außerdeutschen Landen hatte, gibt es laut Auskunft der beiden umfassenden Heine-Bibliographien Hunderte und Aberhunderte von Arbeiten.[1] Dem stehen im Bereich der deutschen Literaturwissenschaft – neben rein feuilletonistischen Plaudereien – an sich nur acht ernstzunehmende Arbeiten gegenüber, die obendrein alle erst in den letzten Jahren erschienen sind.[2] Schon diese nackte Statistik beweist, daß Heines Wirkungsgeschichte, soweit sie seinen eigenen Sprachraum betrifft, lange Zeit zu den Tabus der deutschen Germanistik gehörte. Aber trotz dieser bewußten oder unbewußten Verschweigetechnik hat es sich nicht verhindern lassen, daß jeder halbwegs Gebildete auch heute noch weiß, wie schimpflich man in Deutschland mit Heine umgesprungen ist. Zugegeben: sein *Buch der Lieder* (1827) erlebte in der zweiten Hälfte des 19. Jahrhunderts eine Auflage nach der anderen. Doch dieser Ruhm fiel auch Geibels *Gedichten* (1840) und Bodenstedts *Liedern des Mirza Schaffy* (1851) zu. Genau betrachtet, liebte man dieses Büchlein nicht, weil es von Heine war, sondern weil es sich so gut unter den »Strauß von duftenden Reseden« legen ließ. Als man es allmählich zu verstehen begann und hinter dem vordergründigen Wohlklang auch die wermutgetränkte Ironie verspürte, wurde es schließlich dahin geworfen, wo Werke wie die *Romantische Schule*, der *Rabbi von Bacherach* oder *Deutschland. Ein Wintermärchen* schon lange lagen: auf den nationalen Abfallhaufen.

Und zwar waren es nicht erst die Nazis, die diesen Racheakt vollzogen, sondern bereits die Literaten und Wissenschaftler der wilhelminischen Ära, welche in Heines Oeuvre nur noch ›welschen Tand‹ erblickten. So nennt Heinrich von Treitschke in seiner *Deutschen Geschichte im 19. Jahrhundert* (1879–1894) Heine einen »Witzling ohne Überzeugung, selbstisch, lüstern, verlogen«.[3] In Goedekes *Grundriß* wird ihm »gröbste Unwissenheit«, »alleroberflächlichste Schriftstellerei« und »geistige Öde und Leerheit« vorgeworfen.[4] Victor Hehn spricht in seinen *Gedanken über Goethe* (1887) über Heines »Verwilderung des Geschmacks« und zugleich gesinnungslose »Heuchelei«.[5] Rudolf von Gottschall brandmarkt seinen »mephistophelischen Hohn« auf jedes echte Gefühl.[6] Wilhelm Scherer bezeichnet die *Reisebilder* als ein politisches Gebilde »leerster Art«.[7] August Friedrich Christian Vilmar ereifert sich über Heines »witzelnde Augenblicksdarstellerei« und »Zersetzung der deutschen Volksseele«.[8] Ferdinand Avenarius hält ihn für maßlos »überschätzt«.[9] Kein Wunder also, daß es kurz nach 1900 in den verschiedensten deutschen Städten zu jenem bekannten Streit um die ›Schmach eines öffentlichen Heine-Denkmals‹ kam[10], bei dem ein Nordfanatiker wie Adolf Bartels das Andenken Heines, dieses üblen ›Revolverjournalisten‹, geradezu eimerweise mit Jauche übergoß.[11] Ganz zu schweigen von einem Mann wie Houston Stewart Chamberlain, der Heine als einen »pornographischen Witzbold« diffamierte, der sich mit dem »Behagen eines Schweines in trivialsten, Brechlust erregenden Obszönitäten« herumwälze.[12]

Soweit wirkt das Ganze wie ein planmäßiger Ausbürgerungsakt, dessen Hauptantriebsquelle der hochgepeitschte Chauvinismus der Gründerjahre zu sein scheint. Eine jüngst erschienene Arbeit von Helmut Koopmann hat jedoch gezeigt, daß sich diese Abwendung von Heine schon viel früher vollzog. Seinen Untersuchungen zufolge galt Heine in der deutschen Kritik bereits um 1838 als ›historisch‹ und damit erledigt.[13] Schon in dieser Zeit habe man ihm allenthalben persönliche »Eitelkeit« und witzelnden »Nihilismus« vorgeworfen, das heißt seine oft betonte ›Zerrissenheit‹ als bloße «Manier» abgestempelt.[14] Bei aller Brillanz und Überzeugungskraft hat diese These lediglich einen Mangel: sie ist nicht radikal genug. Denn – genau besehen – hat es für Heine in Deutschland nie eine rechte Heimstatt gegeben.

Und zwar läßt sich das am leichtesten anhand der zeitgenössischen Rezensionen seiner Frühwerke beweisen. Schon die fast unübersehbare Fülle dieser Zeugnisse ist verräterisch. Es gibt wohl keinen anderen deutschen Dichter des frühen 19. Jahrhunderts, der von seinem ersten Auftreten an als so sensationell, kontrovers oder zumindest irritierend empfunden wurde. Welch ein Blätterwald hier zu rauschen beginnt, ist geradezu frappierend. Auch in dieser Hinsicht kann man Heine durchaus als den ersten ›demokratischen‹ Schriftsteller Deutschlands bezeichnen. Seine Wirkung war so aufwühlend, daß sich fast jeder Kritiker oder Skribent bemüßigt sah, wenigstens eine kurze Glosse über ihn zu schreiben. Welch obskure Rolle haben dagegen ›Biedermeier‹ wie Mörike, Droste oder Stifter in der Tagespresse dieser Ära gespielt!

Wohl am aufschlußreichsten sind dafür jene Rezensionen oder Aufsätze, die in den Jahren zwischen 1826 und 1835 über Heines *Reisebilder* erschienen. Schließlich waren es diese Werke, mit denen er das größte Furore machte, während sich sein *Buch der Lieder* erst zehn Jahre später wirklich durchzusetzen begann. Wie kam es eigentlich zu diesem begrüßenswerten ›Erfolg‹? Waren die Leser von 1830 von der einmaligen Frische dieser kecken Prosaskizzen wirklich so hingerissen, oder war es lediglich das Sensation erregende ›Skandalon‹, was die Auflagenhöhe dieser Bände binnen weniger Jahre die Viertausendergrenze erreichen ließ, was für damalige Verhältnisse fast eine Rekordhöhe bedeutete?

Wenn man die zeitgenössischen Gazetten durchblättert[15], stößt man auf ein kritisches Urteil nach dem anderen. Mit wirklicher Entschiedenheit haben sich in den späten zwanziger Jahren nur Varnhagen von Ense und Immermann für die *Reisebilder* eingesetzt, was ihnen Heine nie vergessen hat.[16] Ab 1830 gesellen sich zu diesen Lobrednern auch Jungdeutsche wie Laube, Harring, Lyser und Wienbarg, die ihn als »großen Dichter-Prosaisten« priesen.[17] Ja, ein Mann wie Herloßsohn ging so weit, Heines *Reisebilder* als die höchste Form des literarischen »Demokratismus« hinzustellen.[18] Doch leider waren diese Kreise so zerstritten, teils auf Heine, teils auf Börne schwörend, daß sie zwar einzelne Bewunderer, aber keinen Massenanhang fanden. Es fehlte auch hier an jener gesamtlinken Solidarität, die nach den Erfahrungen der letzten 200 Jahre offenbar zu den unerfüllbaren Utopien gehört. Und so neigen selbst Heines ›Verehrer‹ von Anfang an zu recht zwiespältigen Urteilen. Wirklich überwältigt, wie man das von Enthusiasten erwartet, äußert sich fast niemand. Die meisten schwanken – je nach Stimmung – zwischen »Bewunderung und Kritik« unschlüssig hin und her.[19] So charakterisiert etwa Varnhagen den Stil der *Harzreise* im Jahre 1826 als eine »ganz eigentümliche Mischung von zartestem Gefühl und bitterstem Hohn, von unbarmherzigem, scharf einbohrendem, ja giftigem Witz und von einschmeichelnder Süßigkeit des Vortrags«.[20] Ja, viele verhehlen nicht, wie ungehalten sie über diese Irritierung sind. Dafür spricht, daß der Rezensent »Vir« der *Allgemeinen Literatur-Zeitung*, hinter dem sich Amalie Henriette Caroline von Voigt verbirgt, den Verfasser des gleichen Werks einen jugendlich unreifen Autor nennt, der noch nicht eingesehen hat, daß auf die schrille »Dissonanz« stets die »ewige Ruhe« folgen müsse.[21] Im *Mitternachtblatt* heißt es kurze Zeit später, wahrscheinlich aus Müllners Feder: »Man wußte nicht, woran man mit ihm war.«[22] In den *Blättern für literarische Unterhaltung* steht 1828 über dem zweiten *Reisebilder*-Band: »Selten kommt ein Beurteiler in den Fall, reine Freude über ein Werk zu empfinden; noch seltener aber möchte sich wie hier sehr große Freude mit gleich starkem Un- und Widerwillen paaren.«[23] Ebenso kritisch beurteilt 1829 ein Dr. Fortlage in der Zeitung *Das Inland* diese mutwillige Zerstörung jeder Harmonie.[24]

Noch schärfer werden diese Urteile über Heines »charakterlose Zwittergestalt«, wie ihn Johann Heinrich Wilhelm Grabau nennt[25], in den frühen dreißiger Jahren – und das nicht nur auf seiten seiner erklärten Feinde. So bezeichnet ihn ein halbliberaler Spötter wie Saphir 1834 in seinen *Dummen Briefen* als eine Mischung aus poetischem Genie und politisch-erotischem Dreckfink.[26] Ein anonymer Kritiker der *Didaskalia* schreibt 1833: »Seltsamere Gegensätze haben kaum jemals in derselben Menschenbrust gewohnt. Überweiche Zartheit und wilde Kraft, ergreifende Tiefe und satyrhafte Frivolität des Gedankens und der Empfindung, Adel und Gemeinheit, großartige Gesinnung und – nicht Feilheit, aber ironische Kälte, tötende Gleichgültigkeit und all dies nicht etwa zu verschiedenen Zeiten, bei verschiedenen Gelegenheiten, sondern in einem und demselben Atem.«[27] Ähnlich drückt sich Alexander Jung in seinen *Ausstellungen über H. Heine* (1835) im *Literarischen Zodiakus* aus, der den Autor der *Reisebilder* und des *Salon* als so ambivalent empfindet, »daß wir ihn bald bemitleiden, bald verachten, bald lieben, bald hassen, bald bewundern, bald verabscheuen«.[28] Richard Otto Spazier, ein glühender Börne-Verehrer, spricht im gleichen Jahr von Heines genialen »Kontrasten«, durch die er schon mit dem ersten Teil der *Reisebilder* ein »großes Aufsehen« erregt habe.[29] Und zwar wird diese Antithetik von Spazier bereits als eine bauernfängerische »Manier« ausgelegt, die Heine nur dazu gebrauche, um sich zum symbolischen Repräsentanten der allgemeinen ›Zerrissenheit‹ aufzuschwingen.[30]

Soweit die ›positiven‹ oder zumindest ›wohlwollenden‹ Stimmen, welche Heine lediglich seine ständige Kontrastmanier zum Vorwurf machen, ohne ihn gleich in Grund und Boden zu verdammen. Sie stammen meist von Freunden, liberalen Außenseitern oder ähnlichen Existenzen. Sobald man dagegen die Durchschnittsrezensenten ins Auge faßt, stößt man sofort auf einhellige Ablehnung. Hier wird fast pausenlos gedonnert, gewettert. gestichelt, verhöhnt oder verdammt. Daß man sich dabei so gereizt gebärdet, beweist, welch ungewöhnliches Aufsehen Heine schon mit seinen frühen *Reisebildern* erregte. An diesem ›Skandalon‹ konnte man einfach nicht vorbeisehen. Ein Mann wie Börne ließ sich gerade noch totschweigen, jedenfalls in den zwanziger Jahren. Denn was er in Frage zog, waren lediglich Teilaspekte: die Zensur, den dynastischen Partikularismus oder die philisterhafte Schlafmützigkeit. Heine dagegen attackierte mit der Gewitztheit eines guten Junghegelianers das gesamte Metternichsche Regime, ja rüttelte an den Grundfesten einer jeden Staatsverfassung, die auf einem einseitigen Autoritätsdenken beruht. Seine Kritik beschränkte sich nicht auf die berühmten ›kleinen Nadelstiche‹, sondern war von vornherein total.

Und so hat denn auch die biedermeierliche Reaktion auf diese versuchte ›Gesamtumwälzung‹ einen ebenso umfassenden Charakter. Schließlich stoßen hier zwei Denkweisen aufeinander, die sich nur wechselseitig ausschließen können: ein in allen Fragen, das heißt politisch, religiös, moralisch und sozial bewußt emanzipatorisch eingestellter Liberalismus und ein in konservativen Ordnungsvorstellungen befangenes Patrimonialdenken, das in politicis von seinen Untertanen weder eine rechte noch eine linke, sondern überhaupt keine Stellungnahme verlangte. Die kritischen Äußerungen über Heine, wie sie in den Zeitungen dieser Jahre erscheinen, lesen sich daher fast wie ein Katalog der gesamten Restaurationsideologie. Aufs Literarische bezogen, stecken in ihr einige der wichtigsten Proklamationen einer noch ungeschriebenen Biedermeierästhetik, die sich nirgends so gut entlarvt wie da, wo sie einmal aus der Defensive zum Angriff übergeht. Selbst die ›sanftesten‹ Gemüter, die sich sonst nur mit Rosenhecken, Grashalmen und Käfern beschäftigen, werden hier plötzlich zu ›Unmenschen‹.

Es ist relativ schwer, diese Kritik im einzelnen auseinanderzudröseln, da ihr eigentlich alles an Heine mißfällt und sie deshalb ständig aus dem Hundertsten ins Tausendste gerät. Weil Heine so subjektiv auftritt, erscheint er seinen Kritikern als zu ungebunden und formlos. Weil er so formlos ist, gilt er als frivol und unmoralisch. Weil er zum Unmoralischen neigt, wird er als Saint-Simonist hingestellt. Wer einer solchen Lehre anhängt, muß in konservativen Augen selbstverständlich ein ›Französling‹ sein. Als Französling gerät man sofort in den Verdacht, sich wurzellos in der Welt herumzutreiben. Wurzellos kann jedoch nur ein Jude sein. Und als Jude ist man bereits in diesen Jahren mit dem Odium des ›Unechten‹ und ›Literatenhaften‹ behaftet -- et cetera ad libitum in infinitum.

Bei aller Anerkennung der Studien von Helmut Koopmann läßt sich dabei noch eine Menge von Schlamm aufwühlen, wie man ihn in dieser Art bisher nur aus den Schriften von Bartels, dem *Stürmer* oder dem *Völkischen Beobachter* kannte. Ist das nötig, werden manche fragen? Ich glaube schon. Wer nämlich diesen Dreck und den aus ihm aufsteigenden Gestank nicht kennt, wird schwerlich in der Lage sein, Heines Exilsituation nach 1831 und seine allgemeine Einstellung zu Deutschland in der richtigen Perspektive zu sehen. Denn dies sind die Stimmen, über die sich Heine als leidenschaftlicher Zeitungsleser täglich zu ärgern hatte und die ihm das Leben unter den Vipern Metternichs, den frömmelnden Krähwinkelianern und urteutonischen Rauschebärten schließlich vergällten.

Beginnen wir mit den Angriffen auf seine ›zügellose‹ Subjektivität, denen man in fast allen Rezensionen begegnet. Daß sich jemand so wenig in die bestehenden Ordnungen einfügte und statt dessen hartnäckig auf die unveräußerlichen Rechte seines eigenen Ichs pochte, wurde allgemein als anmaßend, überheblich, ja geradezu peinlich empfunden. Schließlich handelt es sich in diesen Jahren um eine Epoche, in der man sich bemühte, möglichst leise aufzutreten und von sich selbst nur in vagen Andeutungen zu reden. Vor allem seit 1819, dem berüchtigten Jahr der ›Karlsbader Beschlüsse‹, stößt man ständig auf die Parole der ›Bescheidenheit‹, um nicht Verzicht oder Feigheit zu sagen. Die meisten Kritiker und Literaten zeichneten daher ihre Zeitungsbeiträge in der bewährten Form des Ancien régime nur mit Nummern oder Buchstaben und drückten sich auch sonst mit der äußersten Zurückhaltung aus. Preußen war für sie lediglich eine ›große Macht im Norden‹, der gestürzte Napoleon der ›bekannte Emporkömmling‹ und ihr eigenes Ich ›meine Wenigkeit‹. Im Gegensatz dazu wimmelt es in allen Schriften Heines von Namen, Orten und politischen Figuren, was Varnhagen als eine »fast unglaubliche Keckheit« empfand.[31] Und so trugen Heine schon seine *Briefe aus Berlin* (1822) wegen ihrer »gewagten Ansichten« und »Namen-Nennungen«[32] um ein Haar eine Duellaffäre ein.[33] Ähnlich erging es ihm vier Jahre später mit dem »schwarzen, noch ungehenkten Makler«, in dem sich Salomon Friedländer wiederzuerkennen glaubte.[34]

Eine so unverhüllte Lebensnähe wurde Heine auf biedermeierlicher Seite selbstverständlich als maßlose Ichbezogenheit, ja fast luziferische Eitelkeit ausgelegt. Was diese Leute wollten, war ein völliges Absehen von der eigenen Person und eine ›weise‹ Beschränkung auf das allgemein Anerkannte. Für Aufklärer, Genies oder Stürmer und Dränger hatten sie nur Hohn und Spott übrig. So charakterisiert der Rezensent »A« in der *Iris* von 1826 den Heine der *Harzreise* als einen arroganten, kleinen »Speiteufel«, der »uns alle Augenblicke« zuruft: »Bin ich nicht ein Genie?«[35] Daß dieser »Geniefresser« über »kurz oder lang, breit und geplatzt am Wege liegen« wird, ist für ihn eine ausgemachte Sache. Ludwig Rellstab zählt Heine 1829 in den *Blättern für literarische Unterhaltung* mit Platen und Immermann zu jenen »subjektiv interessanten Erscheinungen, die man wegwerfen muß, sobald sie sich eine objektive Bedeutung anmaßlich beilegen«.[36] Johann Baptist Rousseau, ein ehemaliger Studienfreund Heines, konstatiert 1832 in den *Reisebildern* »ein sich bis zur abstrusen Lächerlichkeit verirrendes Haschen nach Originalität«.[37] Ägidius Raabski nennt 1823 Heines Aufsatz *Über Polen* einen rein subjektiven »Lügen- und Lästerplunder«, der überhaupt nichts Objektives enthalte.[38] Ja, selbst die sogenannte Heine-Freundin Rahel schreibt einmal brieflich, daß ihr das »Ultra-Originelle« der *Reisebilder* persönlich höchst »zuwider« sei.[39]

Und so gibt man denn Heine überall den Rat, seine eitle »Affektation« endlich abzulegen und sich um größere Bescheidenheit zu bemühen.[40] Fast jede Zeile, die er drucken läßt, wird ihm als literarische Streberei, persönliche Ruhmsicht, »selbstvernichtende Genialität«[41] oder verkrampftes Ringen um »Originalität« ausgelegt.[42] Schon »bei seinem ersten Auftreten«, schreibt Theodor Mundt, »dachte er weder an Zeit, noch Politik, noch Geschichte, ihm war alles gleichgültig, nur der Dichterruhm nicht, um den er zu buhlen schien«.[43] Selbst Heines beste Freunde melden in diesem Punkte einige Zweifel an. Man denke an Immermann, der bei aller wohlwollenden Haltung gegenüber Heines Originalität doch Ausdrücke wie »Willkür« und »fessellos« verwendet.[44] Und auch Varnhagen behauptet: »Was zuerst auffällt, ist die Überdreistigkeit, mit der das Buch [der erste Teil der *Reisebilder*] alles Persönliche des Lebens nach Belieben hervorzieht, das Persönliche des Dichters selbst, seiner Umgebung in Freunden und Feinden, in Örtlichkeiten ganzer Städte und Länder; diese Dreistigkeit steigt bis zum Wagnis, ist in Deutschland kaum jemals in dieser Art vorgekommen.«[45]

Eng verbunden mit diesen Ausfällen gegen Heines ›fessellosen‹ Subjektivismus ist die Kritik an der Formlosigkeit seiner literarischen Produkte. Niemand versteht, warum Heine keine landläufigen Novellen, Sonette oder Geschichtsdramen schreibt, sondern sich an scheinbar feuilletonistisch dahingeplauderte Reiseberichte verplempert. Wie konnte man es wagen, mit solchen ›Potpourris‹ vor den gestrengen Herren der konservativen Kritik als ›Künstler‹ aufzutreten! Was diese Kreise als die wahre ›Erzählkunst‹ schätzten, war die epische Harmonie eines Walter Scott oder die liebenswürdige Munterkeit eines Clauren. Gerade auf prosaischem Gebiet sollte jeder Hans seine Grete bekommen – und nicht als verdächtiger Junggeselle spöttelnd durch die Lande ziehen. Wo blieb da das Happy-End einer jeden restaurativen Gesinnung? Dafür spricht, daß der Rezensent der *Iris* die *Harzreise* mit der »Ungesichtetheit und Buntscheckigkeit eines bloßen Brouillons« vergleicht.[46] Sein Kollege in den *Blättern für literarische Unterhaltung* nennt dasselbe Werk eine Folge von »aphoristischen Sprüngen«.[47] Ernst Kratz schreibt 1827 über den zweiten Band der *Reisebilder:* »Die Nordsee könnte ebensogut Chamäleon heißen, wie das Übrige; er [Heine] kommt beständig vom Hundertsten auf das Tausendste, alles liegt wie Kraut und Rüben durcheinander und zeigt, daß er eine Menge in seinem Leben gehört und gelesen, aber alles nur halb oder zum vierten Teile, und das Gelesene oft in noch geringerem Verhältnisse verstanden habe.«[48] Das *Buch Le Grand* charakterisiert der anonyme Kritiker des *Mitternachtblatt* als ein »Chaos«, in welchem absolute »Dunkelheit« herrsche.[49] Über den dritten Band der *Reisebilder* liest man 1830 in den *Literarischen Miscellen* Urteile wie »augenblickliche Einfälle«, »alberne Laune« und »planloses Hin- und Herschweifen«.[50] Was man auf biedermeierlicher Seite immer wieder vermißt, ist die Gestaltqualität des ›Organischen‹, hinter der sich stets eine konservative Harmonisierungstendenz verbirgt. »19000 Taler würde ich drum geben«, schreibt Ludwig Robert 1827 mit durchaus wohlwollender Absicht, »wenn mein *Heine* mit seinem eminenten Talente, einmal ein Werk, bevor er es schriebe, zwei Mal durchdenken würde, um ein regelrechtes Kunstgebilde zu geben; wäre es auch nur als Gegensatz seiner blauen Regellosigkeit.«[51]

Nach der Pariser Julirevolution von 1830 wird diese Art der Kritik fast noch schärfer. So behauptet Johann Heinrich Wilhelm Grabau, daß Heine bis zum Jahre 1834 lediglich »Allerleikraut und Rübendurcheinander«, aber noch kein echtes »Kunstwerk« geschaffen habe.[52] Ständig pfusche er in einer Schreibart herum, die ihm erlaube, »auf dieser Seite von Spanien, auf der zweiten von seinem Herzen, auf der dritten vom Zeitgeiste, und auf der vierten vom Monde zu reden«.[53] Ähnliche Urteile liest man bei Richard Otto Spazier, der sich über den Mangel an »organisch gestalteten Schöpfungen« in Heines Oeuvre beschwert.[54] Der gleiche Vorwurf begegnet bei Mundt, für den sich die Börne-Heinesche-Richtung im »bloßen Polemisieren« erschöpft, ohne je ein vernünftiges Kunstwerk auf den Markt gebracht zu haben.[55] »Alles, was bis jetzt die Charakteristik der [deutschen] Nation ausmachte«, schreibt Herr »139« in den *Blättern für literarische Unterhaltung*, »fehlt dieser Schule, die immer nur Aphorismen in die Welt werfen wird, weil ihr der Ernst, die Liebe, die Begeisterung, die allein das Ganze schaffen, fehlen.«[56]

Wie scharfsichtig wirkt dagegen Immermann, dem schon der erste *Reisebilder*-Band »sehr geformt« erschienen war.[57] Diese zwei Worte hat ihm Heine sicher nie vergessen! Denn in einer Zeit, in der man Prosa so niedrig schätzte wie in der frühen Biedermeierära, war Heine schließlich neben Börne weit und breit der einzige Stilist, der sich einen wohlgelungenen Satz künstlerisch etwas kosten ließ. Was die konservative Mehrheit der Kritiker in diesen Jahren von einem echten ›Dichter‹ verlangte, waren Verse und nochmals Verse, am besten in der Art, wie sie Rückert und Platen lieferten. Heines Gedichte, falls sie nicht allzu maliziös gerieten, wurden daher in den zeitgenössischen Presseorgane wesentlich wohlwollender und ausführlicher besprochen als seine Prosawerke, da man glaubte, daß es sich bei seiner Lyrik um absolute ›Kunst‹ handele. Obendrein war sie durch ihre tödliche Liebenswürdigkeit viel leichter mißzuverstehen.

Dafür wiederum einige Beispiele. So findet schon der notorisch gehässige Müllner die Prosa der *Harzreise* im Vergleich zu den Gedichten des *Lyrischen Intermezzo* reichlich »abgeschmackt«.[58] Auch der Rezensent »f« der *Originalien* stößt sich an der »*scharfen* Seite« dieser Prosa und ruft nach Mäßigung.[59] Als daher Heine – allen Gewalten zum Trotz – gegen Ende der zwanziger Jahre seine lyrische Produktion mehr und mehr einschränkte und sich rein auf die Prosa verlegte, hielten ihn viele als ›Dichter‹ für erledigt. Seine frühe Lyrik hätte man gerade noch goutieren können, schreibt Georg Neu 1836 in seinem Romanpamphlet *Betty, die Gläubige*, doch dann sei Heine immer tiefer gesunken. Sein Schlußverdikt über die *Reisebilder* und den *Salon* lautet daher unverblümt: »Endlich vereinigte sich das alles zu einer nackten Prosa, und der Dichter hatte sich selbst überlebt.«[60]

Was man an dieser Prosa am schärfsten verdammt, ist Heines ständige Neigung zum Satirischen. Etwas Inniges, Gläubiges, Humoriges wäre von diesen Biedermännern sicher geduldet, ja sogar mit leichter Herablassung gepriesen worden. Aber eine Prosa, die fast nur aus witzigen Invektiven besteht, konnte man in diesen Jahren offiziellerweise nicht durchgehen lassen. Und so findet Frau »Vir« in der *Allgemeinen Literatur-Zeitung* schon den ersten *Reisebilder*-Band reichlich »gallig«. Nach ihrer Meinung ist die Satire eine Form, mit der sich ein wahrer »Dichter« überhaupt nicht einlassen solle.[61] Auch Herr »5« in den *Blättern für literarische Unterhaltung* bezeichnet die *Harzreise* als so »derb« und »gemein«, so voller »Ausbrüche der satirischen Laune«, daß sie notwendig jedes »Gefühl« verletze. Wer in dieser Schärfe gegen die deutsche »Innigkeit« verstoße und mit »gesuchten Witzeleien« zu brillieren versuche, heißt es hier, müsse schließlich zusehen, wie aus seinen Dichtungen jeder echte »Humor entweiche«.[62] Das gleiche behauptet sein Kollege »153«, der Heine eine auffällige »Neigung zu Persiflage« und »schneidender Satire« vorwirft, die auf einen schwerwiegenden Mangel an »Liebe« deute.[63]

Heines Prosastil wird daher immer stärker mit bloßer ›Witzigkeit‹, mit Spott und Satire gleichgesetzt.[64] Was alle diese Kritiker an seinen *Reisebildern* vermissen, ist der urdeutsche ›Gemütshumor‹, das skurrile Jeanpaulisieren, das selbst über das Kauzigste und Abseitigste den goldenen Schimmer des Idyllischen breitet. Nicht zündende Witze, sondern gemächliches Behagen und vergnügte Pudelmützigkeit lieben die biedermeierlichen Rezensenten. Heines Galligkeit gilt darum allgemein als verräterische Gallomanie. Eine Witzigkeit à la Saphir, die sich in belanglosen Schnurrpfeifereien und Humoresken erschöpft, ließ man gerade noch gelten.[65] Aber diesen Witzen eine liberale oder emanzipationssüchtige Pointe unterzuschieben, galt als absoluter Verstoß gegen jede literarische Gepflogenheit. Und so wurde denn Heines witzelnde Art häufig als ein geschmackloses ›Französeln‹ hingestellt, um ihn in den Augen aller deutschfühlenden und deutschgesitteten Kreise als einen Fremdling zu brandmarken. Besonders die Kritiker der erzreaktionären Münchener *Eos* sehen in Heine und Börne lediglich »Affen der Franzosen«.[66] Doch selbst Jungdeutsche wie Mundt und Jung werfen Heine ein unwürdiges »Französeln« vor.[67] Ähnlich verhielt sich Willibald Alexis, der sich für seinen *Freimüthigen* einen Mann wie Hutten zum Symbol der deutschen Freiheit wählte, während er Heine beschuldigte, unter der »Flagge des französischen Liberalismus« zu segeln[68] und sich der berüchtigten »Modefloskeln« des Saint-Simonismus zu bedienen.[69]

Aufgrund dieser Beschuldigungen wird Heine gern als gefährlicher Propagandist der »neuen Weltreligion« des gallischen Eros angegriffen, wie ihn das preußische Oberzensurkollegium einmal bezeichnete.[70] Fast mit den gleichen Worten stellt ihn Georg Neu in seiner *Betty* als den »Chef der neuen sensualistischen Propaganda« hin, der sich »unter der Firma: ›das junge Deutschland‹ marktschreierisch wie ein neu etablierter Krämer in Deutschlands Hauptstädten ansässig« zu machen versuche. Voller Ressentiment gegen jede freiere Lebensart heißt es in diesem Roman: »Er, der eine Religion des Sensualismus, angenommen im Umgang mit einer euch stets feindlichen Nation, an die er euch verraten hat, von der Hauptstadt der Frivolität unter euch aufrichten wollte [...], glaubt ihm nichts, gar nichts!«[71] Einen ähnlichen Tenor haben die Schriften von Gustav Bacherer, der Heine 1835 als einen »lockeren Düsseldorfer Zeisig« diffamiert, dessen »französisches«, über den »klaren Rhein zu uns herübergesendetes Gift den Embryo bildete zu dem aussätzigen Körper unserer ›jungen Literatur‹«, die ihre Hauptaufgabe darin sehe, die »ehrwürdigen Sitten« unserer Altvorderen zu »untergraben«.[72] Und zwar beginnt diese Art der Kritik mit dem vierten Band der *Reisebilder*, der von der *Eos* als ein Produkt schäbigster, französischer »Genußsucht«[73] und von den *Kritischen Blättern der Börsen-Halle* als ein Bekenntnis zum »dreifarbigen Evangelium« der Freiheit angegriffen wurde.[74]

Doch dieser Vorwurf des Unmoralischen hängt nicht allein mit Heines Frankreich-Begeisterung und den von Menzel inszenierten *Wally*-Krawallen zusammen. Mit solchen Thesen konnte man sich beim hochmoralischen Biedermeierpublikum immer ins ›rechte‹ Licht setzen. An nichts läßt sich leichter appellieren als an den Sexualneid einer in autoritären Bindungen gefesselten Gesellschaft, die ihre eigene Frustrierung zum obersten sittlichen Maßstab erhebt.[75] Und so werfen schon die Kritiker der *Harzreise* dem jungen Heine »unerträgliche Gemeinheiten« vor.[76] Besonders scharf drücken sich die *Blätter für literarische Unterhaltung* in dieser Hinsicht aus, wo einmal von »Kloaken« und »kotigen Hohlwegen« die Rede ist.[77] Als Rezensent schien man sich solche Ausdrücke durchaus erlauben zu dürfen, nur nicht als Autor! Der Kritiker der *Leipziger Literatur-Zeitung* findet dagegen in den frühen *Reisebildern* manches so »gemein«, daß es sich gar nicht »nachschreiben«

ließe.[78] Hier waltet also wieder die holde Prüderie! Auch Herr »A« in der *Iris* konstatiert in diesen Werken viel »bare Gemeinheit« und »Ekelhaftigkeit des Ausdrucks«, wie man sie sonst nur in den Niederungen eines Julius von Voß oder Adolph von Schaden finde.[79] Nach den Vorstellungen dieses Mannes darf die »Schelmerei« in der Literatur nur »wie ein schalkhaftes Mädchen durch die Ritze gucken«[80], was sich fast wie eine Schmeichelei für den Autor der *Mimili* liest. Auch der Dichter des *Buchs Le Grand* wird von Ernst Kratz als ein zutiefst »unmoralischer und verworfener« Schriftsteller angegriffen, dessen Werke die »Ausgeburt« eines »verwahrlosten Herzens« seien. »Verbrennt ihn!«, heißt es hier über den zweiten *Reisebilder*-Band.[81] Selbst die ehrwürdige *Allgemeine Literatur-Zeitung* schreibt über dieses Buch: »Zuweilen kann der Satyr des Vfs. seine Bocksnatur durchaus nicht verbergen; er verliert sich bis zu den ärgsten Gemeinheiten und Zoten, die den gebildeten Geist unmöglich ergetzen können.«[82] Kein Wunder, daß auch die oft zitierten *Blätter für literarische Unterhaltung* nicht versäumen, diesem Werk »freche Sünden des Gedankens« und öffentlich »zur Schau getragene Unsittlichkeit« anzukreiden.[83]

Noch schlimmer wird dies Geschimpfe auf Heines ›Unmoral‹ nach der Platen-Affäre, die ihm von seiten Goethes den Ehrentitel eines ›Gassenjungen‹ eintrug. Sogar Männer wie Harring schreiben jetzt, daß Heine seine »goldene Feder« durch schnöde »Gemeinheit« verunreinigt habe.[84] Wilhelm Wackernagel, der spätere Germanist, entrüstet sich darüber, daß Heine mit dem »Laster« prunke.[85] Andere sprechen von »schmutziger« Kleinlichkeit[86] oder »niederträchtiger Gemeinheit«.[87] Ja, Moritz Veit, ein alter Bekannter Heines, schreibt im *Gesellschafter*, daß man in »guter Gesellschaft« kaum zugeben dürfe, den Platen-Abschnitt in den *Bädern von Lucca* überhaupt »gelesen zu haben«.[88] Doch auch den vierten Band der *Reisebilder*, in dem das Erotische stark zurücktritt, nennt die *Eos* ein »Produkt der höchsten sittlichen Fäulnis, in welchem sich Blasphemien, Obszönitäten und Sansculotismus an nichtswürdiger Schändlichkeit überbieten«.[89] Kurze Zeit später bezichtigen die *Blätter für literarische Unterhaltung* Heine, die gesamte Literatur zur »chronique scandaleuse« herabgewürdigt zu haben.[90] Fast alles, was er produziere, sei ein »unflätiger Plunder«, vor dem man die deutschen Jünglinge und

Frauen nachdrücklich bewahren müsse.[91] Auch Saphir findet in Heines Werken zuviel Niederes, Gemeines, an Freudenhäuser Erinnerndes, das heißt zuviel »revolutionäre Geilheit«, wie er es nennt.[92]

Nicht anders springen Heines ehemalige ›Freunde‹ mit ihm um, als sich der Frankfurter Bundestag 1835 zu dem folgenreichen Verbot der jungdeutschen Bewegung entschloß. So verdammt der einst so liberale Gustav Schlesier im Jahre 1837 Heine plötzlich als einen Sklaven der »Frivolität«.[93] Gutzkow, kaum von seiner *Wally* genesen, verhöhnt ihn als »Sänger kolossaler Gliedermassen«.[94] Nicht minder entrüstet sich Mundt, der Heines *Reisebilder* als verdorbene »kleine Teufel« bezeichnet.[95] Aufs Ganze gesehen, erscheint ihm Heines Schaffen wie ein »Akt der Selbstreinigung«, durch den sich die »deutsche Nationalität« mittels »Erbrechen« aller »schlechten Stoffe« zu entledigen suche.[96] Es fehle Heine »aller heilige Sinn zur wahren Hervorbringung von Poesie«, heißt es bei ihm, weshalb seine Werke meist den Eindruck »unreiner Geschwüre« erweckten.[97] Wohl den schärfsten Ausdruck erlebt dieses Moralgebrüll in den Schriften von Wolfgang Menzel, der Heine mit einem »wütenden Affen« vergleicht, der sogar seinen »eigenen Kot« als »Wurfgeschoß« verwende. Bei einer derart gehässigen Sicht nimmt es nicht wunder, daß er die *Reisebilder* mit perfider Geringschätzung als »literarische Abtritte« bezeichnet.[98]

Von solchen Angriffen gegen Heines ›Unmoral‹ bis zu dem wesentlich gravierenderen Vorwurf der ›Gotteslästerung‹ ist in den meisten der hier zitierten Schriften nur ein kleiner Schritt. Besonders unrühmlich tat sich in dieser Beziehung die erzkatholische *Eos* hervor, deren Pharisäertum kaum zu überbieten ist.[99] Doch auch die *Bellona* beschuldigt Heine, ständig den Himmel »anzugeifern«[100], was als Beleidigung der Kirche damals noch zu den ›Delicta atrocia‹ gehörte. Andere bezichtigten ihn atheistischer Neigungen oder sprachen von bewußter »Verwirrung des Vfs. in Hinsicht auf das Christentum«.[101] Dieser Autor scheint, heißt es 1827 in der *Allgemeinen Literatur-Zeitung*, »die Bemerkung Jean Pauls in der Vorschule der Ästhetik: ›daß der Witz ein Gottesleugner sei‹, wörtlich zu verstehen«.[102] Eine solche Äußerung wirkt heute lediglich ›geistreich‹, war jedoch in der frühen Restaurationsepoche noch eine unverhüllte Drohung, nicht vom rechten

Wege der obrigkeitlichen Religionsvorstellungen abzuweichen.

Und damit stellt sich fast zwangsläufig der Vorwurf des ›Jüdischen‹ ein, der bereits in der Kritik an den undeutschen und unmoralischen Elementen in Heines *Reisebildern* eine mehr oder minder untergründige Rolle spielt. Schon Ägidius Raabski, der nationalpolnische Redakteur der *Zeitung des Großherzogtum Posen*, rät Heine 1823, doch lieber nach »Jericho zu gehen, bis ihm der Bart wachse«, als Heine es gewagt hatte, in seinem Aufsatz *Über Polen* auch ein gutes Wort für die Posener Juden einzulegen.[103] Johann Heinrich Wilhelm Grabau prangert ihn in seinem kleinen Heine-Büchlein von 1834 als einen »blassen Judenjungen« an, »welk, schacherschmutzig und mit frechen Lungen«.[104] Auch die *Eos* wirft ihm unverschämte »Judenfrechheit« vor.[105] Friedrich Heinrich von der Hagen ereifert sich in seinem Dreckpamphlet *Neueste Wanderungen, Umtriebe und Abenteuer des Ewigen Juden unter den Namen Börne, Heine, Saphir u.a.*, (1832) über die »giftige Aufhetzung gegen die Könige und Obrigkeiten«, die »gottvergessene Beschönigung der Zügellosigkeit, Unzucht und Lüge«, den »boshaften, alles berechnenden und verneinenden Witz« und den »ruchlosen Mißbrauch oder die Besudelung aller heiligen und verehrten Namen und Worte«, wie man sie nur bei »Juden« finde.[106] Ebenso empört gebärdet sich Eduard Meyer, der Börne und Heine als »entartete Burschen«, »jämmerliche Skriblerbande« und nichtswürdiges »Gesindel« hinstellt, denen man einmal »auf die Finger klopfen sollte«, damit »etwas Furcht hineinfährt«.[107] »Getauft oder nicht, das gilt gleichviel«, heißt es bei ihm, »nicht den Glauben der Juden hassen wir, sondern die vielen häßlichen Eigentümlichkeiten dieser Asiaten, die unter ihnen so häufige Unverschämtheit und Anmaßung, die Unsittlichkeit und Leichtfertigkeit, ihr vorlautes Wesen und ihre so oft gemeine Grundgesinnung. [...] Sie gehören zu keinem Volke, zu keinem Staate, zu keiner Gemeinde, schweifen als Aventuriers in der Welt umher, schnüffeln überall herum und bleiben da, wo sie recht viel zu raisonnieren finden. Wo es still und gesetzlich hergeht, da ist ihnen nicht wohl in ihrer Haut.«[108] Auch Ludwig Wachler warnt 1833 seine geliebten ›Teutschen‹ vor der »Umwälzungsgier und Schmähsucht« solcher »ausgearteten Söhne« wie Börne und Heine.[109] Ja, sogar Mundt, der ›edle Liberale‹, wettert gegen die Heinesche »Judenschule«, wo man »mauscheln hört von Verzweiflung, von Morgenröten der neuen Zeit, von Zerrissenheit, von Leid und Lust liederlicher Liebe, von lustig übertünchtem Lebensjammer und parfümiertem Leichengeruch einer ebenso modernen als modernden Gesinnung«. All das hat für ihn keine »spekulative Tiefe«, sondern huldigt allein der sinnlichen »Verdorbenheit«.[110] Im gleichen Sinne stellt auch ein anonymer Rezensent der *Blätter für literarische Unterhaltung* Heine als einen »echtjüdischen Großhändler mit Geist und Witz« hin, dem in seinen *Reisebildern* nichts, aber auch gar nichts »heilig« sei.[111]

Doch auch hier ist es wiederum Menzel, der dem Ganzen die Krone aufsetzt und dessen antisemitische Äußerungen fast das Niveau des *Stürmers* oder des *Völkischen Beobachters* erreichen. So schreibt er über den Heine der *Reise von München nach Genua:* »Wir sehen da einen Judenjungen, mit der Hand in den Hosen, frech vor italienischen Madonnenbildern stehen.« Als den Prototyp einer solchen Gesinnung charakterisiert er den »aus Paris kommenden, nach der neuesten Mode gekleideten, aber gänzlich blasierten, durch Lüderlichkeit entnervten Judenjüngling mit spezifischem Moschus- und Knoblauchgeruch«.[112] Äußerungen wie diese sollten ein für allemal beweisen, daß die antisemitische Hetzkampagne gegen Heine nicht erst mit dem Düsseldorfer Denkmalstreit von 1906 begann, sondern sich, wie so viele chauvinistische Tendenzen, auf den burschenschaftlichen Ungeist der sogenannten ›Befreiungskriege‹ zurückführen läßt. Hier wurde jene Gesinnung gezüchtet, wie wir sie von den Jahnschen Turnern, Maßmannianern und Arndt-Anhängern kennen und die bereits 1819 in mehreren deutschen Städten zu pogromartigen Ausschreitungen führte.

Fast ebenso schlimm wie diese antijüdische Tendenz, wenn auch indirekt mit ihr verbunden, ist der Vorwurf des ›Unechten‹ und ›Geheuchelten‹, dem sich Heine bereits in den zwanziger und frühen dreißiger Jahren ausgesetzt sah. Ob nun die *Harzreise* oder das *Buch Le Grand*, die *Bäder von Lucca* oder die *Englischen Fragmente:* nichts wird ihm von seinen biedermeierlichen Kritikern als ›wahr‹, ›echt‹, ›erlebt‹ oder ›geglaubt‹ abgenommen. Im Gegensatz zur grundlosen Tiefe des deutschen Gemüts, heißt es bei diesen Leuten, sei bei Heine alles Mache oder grimassierende Pose, die den geborenen Pojaz verrate. So schreibt die Rezensentin »Vir« in der *Jenaischen* schon 1826, daß Heine sicher selbst nicht an das glaube, was er in der *Harzreise* »behaupte«.[113] Die *Nordsee III* und das *Buch Le Grand* charakterisiert Herr »K« im selben Blatte als eine Folge von »künstlichen« Fechterstreichen, bei denen »man nicht einsehen kann, welchen er im Ernste ficht, und welchen er nur in die Luft schickt«.[114] Auch Ferdinand Gustav Kühne schreibt 1831 in den *Blättern für literarische Unterhaltung*, daß Heine mit seinen »unheilbaren Schmerzen« nur »grimassiere«, wodurch notwendig der Eindruck des »Geheucheltenِ« entstehe.[115] Ähnlich empört äußert sich ein anderer *Blätter*-Rezensent über diese dichterische »Falschspielerei«, die ihm wie ein Hohn auf jede ›ehrbare‹ Gesinnung erscheint. Er schreibt: »Heine mit seinem frechen, albernen Gewäsch, das uns durch seine Unverschämtheit zuweilen zum Erstaunen nötigt, [obwohl es] nicht einen neuen Gedanken, kaum einen Funken wahren Gefühls [enthält], der nicht in hohler, ohnmächtiger Selbstsucht erstickt wäre, darf es wagen, sich unsern ersten und größten Namen an die Seite zu stellen, und niemand stößt den eitlen, aufgeblasenen Witzling von dem angemaßten Ehrenplatz herab.«[116] Das *Literatur-Blatt* zum Stuttgarter *Morgenblatt* schreibt in einer Rezension des vierten Teils der *Reisebilder*, Heine solle sich hüten, ständig die »Blößen seines Charakters« zu zeigen, die selbst sein unleugbares »Talent« nie ganz zudecke.[117] Ja, Mundt behauptet schlichtweg, Heine habe weder »Charakter« noch »Liebe«, sondern beute alles bloß gewissenlos zu seinem privaten Ruhme aus. Eine solche Erscheinung kann man nach seiner Meinung nicht besser charakterisieren als mit den Worten: »Im eigenen Nihilismus versumpft.«[118]

Und so ergibt sich immer wieder die scheinbar ›schlüssige‹ Beweiskette von heineanisch gleich formlos, undeutsch, liberal, wurzellos, oberflächlich, rationalistisch, witzelnd, gemütlos, saint-simonistisch, unsittlich, französelnd, semitisch und unecht, von der wir ausgegangen waren. Wie eng und konservativ muß die literarische ›Öffentlichkeit‹ gewesen sein, die solche Urteile gefällt hat! Man könnte es sich natürlich leicht machen und diesen ›Rufmord‹ der Zensur in die Schuhe schieben, die sich jeder freiheitlichen Regung von vornherein hartnäckig widersetzte und damit eine erdrückende Konformität der öffentlichen Meinung erzwang. Doch die Angst vor der Obrigkeit sollte nicht das letzte Kriterium in solchen Fragen sein. Schließlich hat es Heine ja auch verstanden, trotz aller äußeren Schwierigkeiten wenigstens einen Teil seiner politischen, sozialen und antiklerikalen Meinungen an den Mann zu bringen. Daß man ihm diesen Schneid als bloße Sensationslust auslegte, ist geradezu schnöde. Wie leicht machen es sich doch immer wieder jene, die alles vom sicheren Hafen des Status quo aus beurteilen, indem sie jede Äußerung, die gegen ihre Ideologie verstößt, von vornherein als ›radikal‹, ›sensationell‹ oder ›marktschreierisch‹ verdammen. Wer sich dagegen wie sie auf Gesetz und Ordnung beruft, wird von den Reaktionären stets als ein würdevoller Vertreter der ›Vernunft‹ bezeichnet.

Das Erschreckende ist, daß diese Epoche – bei allen äußeren Spannungen – dadurch eine auffallende Einheitlichkeit bekommt. Denn es sind nicht nur die konservativen Biedermeier, die Heine als ihren großen Antipoden empfinden, sondern auch Halbliberale wie Alexander Jung, Ferdinand Gustav Kühne, Richard Otto Spazier und Gustav Schlesier, ja sogar Dichter wie Karl Gutzkow und Theodor Mundt, die zu den Koryphäen des Jungen Deutschland gehören. Und hat nicht selbst Ludwig Börne dem von allen Geschmähten in seinen *Briefen aus Paris* (1832–34) den Fehdehandschuh hingeworfen? Man fragt sich unwillkürlich, warum in dieser prekären Situation so wenige als Verteidiger Heines aufgetreten sind? Erschien es seinen Kritikern, die sich am *Buch der Lieder* und den *Reisebildern* sicher köstlich amüsierten, zu gefährlich, sich für einen solchen Mann einzusetzen? Oder lag ihrem Interesse an Heine nur ein kurzlebiger Flirt mit dem Skandalösen und Verbotenen zugrunde? Der ausschlaggebende Grund wird auch hier – wie so oft – die Feigheit gewesen sein. Selbst das auffällige ›Heinisieren‹ so mancher Jungdeutschen steht dazu nicht im Widerspruch. Zugegeben: seine *Reisebilder* wurden oft nachgeahmt, wenn auch auf eine relativ harmlose Weise, um sich zwar ebenfalls als ›interessant‹ aufzuspielen, ohne jedoch der Zensur ins Gehege zu kommen.

Was sich daraus ablesen läßt, ist nicht nur die säkulare Bedeutung Heines, dessen irritierende Radikalität einen ganz anderen politischen und ästhetischen Rang besitzt als die seiner Zeitgenossen, sondern auch die entsetzliche Enge der sogenannten ›Restaurationsliteratur‹.[119] Der Hauptakzent dieser

Ära liegt nun einmal auf dem Konservativen, ja offen Reaktionären, wie die hier ausgebreiteten Urteile nur allzu deutlich beweisen. Nun gut, könnte man sagen, was interessieren uns die Meinungen von Herrn »X« und Frau »Y«? Ist das nicht alles bloßer Zeitungs- und Zeitschriftenklüngel? Wie äußern sich denn die literarischen Matadoren dieser Jahre zu Heine? Doch auch das ist kein Einwand, denn die Erfolgsautoren zwischen 1825 und 1840 sind ja Männer wie Menzel, Müllner und Konsorten. Wen selbst diese Antwort nicht befriedigt, mag sich bei den reaktionär hochgejubelten ›Größen‹ dieser Ära, bei den Stillen im Lande wie Stifter, Mörike und Droste umsehen. Aber auch ihre Haltung zu Heine ist keineswegs positiv. Entweder polemisieren sie gegen ihn oder schweigen sich als gute Biedermeier über ihn aus, was die innere Einheit dieses Zeitraums noch beklemmender erscheinen läßt. Trotz Heine und Büchner, trotz der Jungdeutschen und der Vormärzler, deren Bedeutung man gar nicht genug herausstreichen kann, steht diese Ära nun einmal im Zeichen konservativer Beharrungstendenzen, in denen sich die politische, soziale und gesellschaftliche Rückständigkeit Deutschlands manifestiert. Damit wird auf ein Faktum hingewiesen, das nicht nur die besondere Radikalität eines Feuerbach, Marx oder Stirner erklärt, sondern auch jenes von der überwältigenden Mehrheit der Bevölkerung bejahte biedermeierliche Obrigkeitsdenken, an dem selbst die Achtundvierziger Revolution gescheitert ist. Die Vertreter eines wirklich liberalen oder gar demokratisch-revolutionären Geistes gingen daher fast alle ins Exil, wodurch sich in Deutschland die politische Aktivität immer stärker auf den Bereich des Nationalen verengte. Bismarck und die Folgen sind jedermann bekannt. Als darum 1871 das ›Zweite Reich‹ zustande kam, wurde der politisch-emanzipatorische Heine endgültig zu Grabe getragen. Daß es dazu keines großen Kraftaktes mehr bedurfte, hat dieser Überblick wohl deutlich genug gezeigt.

ANMERKUNGEN

Alle Heine-Zitate sind den *Sämtlichen Werken*, hrsg. von Ernst Elster (Leipzig, 1887–1890), entnommen. Bei den Briefen wird nur das Datum und der Empfänger angegeben. Hier folgt der Wortlaut den Briefbänden innerhalb der *Heine-Säkularausgabe*, hrsg. von Fritz H. Eisner (Berlin und Paris, 1970ff.). Bei diesen wie bei allen anderen Zitaten wurde die Schreibweise behutsam modernisiert, um eine gewisse Einheitlichkeit zu erzielen. Hinweise auf die DHA beziehen sich auf den 6. Band der *Düsseldorfer Heine-Ausgabe* (Hamburg, 1973), der die *Briefe aus Berlin*, *Über Polen* und die Prosateile der *Reisebilder* I/II enthält und von mir bearbeitet wurde.

Von den elf in diesem Bande enthaltenen Aufsätzen wurden vier bereits vorher veröffentlicht: Heines ›Briefe aus Berlin‹. Politische Tendenz und feuilletonistische Form. In: *Gestaltungsgeschichte und Gesellschaftsgeschichte*. Hrsg. von Helmut Kreuzer (Stuttgart, 1969), S. 283–305; Werthers Harzreise. In: Jost Hermand, *Von Mainz nach Weimar. 1793–1919. Studien zur deutschen Literatur* (Stuttgart, 1969), S. 129–151; Heines ›Ideen‹ im ›Buch Le Grand‹. In: *Internationaler Heine-Kongreß 1972*. Hrsg. von Manfred Windfuhr (Hamburg, 1973), S. 370–385; Heines frühe Kritiker. In: *Der Dichter und seine Zeit*. Hrsg. von Wolfgang Paulsen (Heidelberg, 1970), S. 113–133. Alle vier Aufsätze wurden für diesen Band teilweise erheblich bearbeitet, erweitert und zugleich auf den letzten Stand der Forschung gebracht. Zum gegenwärtigen Forschungsstand vgl. allgemein Jost Hermand, *Streitobjekt Heine. 1945–1975. Ein Forschungsbericht* (Frankfurt, 1975).

E = Entstehung

Einleitung

1 Vgl. dazu Jost Hermand, Der ›Fall Geiger‹. In: J. H., *Von Mainz nach Weimar. 1793–1919* (Stuttgart, 1969), S. 69f. und Karsten Witte, *Reise in die Revolution. G. A. von Halem und Frankreich im Jahre 1790* (Stuttgart, 1971), S. 27ff.

2 Vgl. Carolyn Becker, *From the Jacobins to the Young Germans: The Travel Literature in Germany from 1785 to 1840* (Diss. Wisconsin, 1974, masch.), S. 27ff.

3 Vgl. Jost Hermand, *Die literarische Formenwelt des Biedermeiers* (Gießen, 1958), S. 141ff.

4 Vgl. dazu allgemein Friedrich Sengle, *Biedermeierzeit* II (Stuttgart, 1972), S. 238ff.

5 Vgl. DHA 6,532ff.

6 Vgl. *Das Junge Deutschland.* Hrsg. von Jost Hermand (Stuttgart, 1966), S. 374.

7 Vgl. DHA 6,684ff.

8 Vgl. Carolyn Becker, *Travel Literature*, S. 337ff.

9 Eine Ausnahme bildet lediglich Wilhelm Bölsches *Heinrich Heine* (Leipzig, 1888), S. 179.

10 Erich Loewenthal, *Studien zu Heines ›Reisebildern‹* (Berlin, 1922), S. 3.

11 Vgl. Jost Hermand, *Streitobjekt Heine. 1945–1975. Ein Forschungsbericht* (Frankfurt, 1975), S. 23ff.

12 Hans Kaufmann, *Politisches Gedicht und klassische Dichtung* (Berlin, 1959), S. 65ff.

13 Karl Emmerich, *Heinrich Heines ›Reisebilder‹* (Diss. Berlin, Humboldt-Universität, 1965, masch.), S. 4.

14 Ebd., S. 28.

15 Ebd., S. 229ff.

16 Vgl. Emmerich, S. 242 und Hermand, *Streitobjekt Heine*, S. 26.

17 Vgl. z. B. Jeffrey L. Sammons, Heine's Composition: Die Harzreise. In: *Heine-Jahrbuch* 6 (1967), S. 40–47.

18 Wolfgang Preisendanz, Der Funktionsübergang von Dichtung und Publizistik bei Heine (1968). In: W. P., *Heinrich Heine* (München, 1973), S. 22.

19 Ebd., S. 43, 51.

20 Dierk Möller, *Heinrich Heine: Episodik und Werkeinheit* (Frankfurt, 1973), S. 343–459.

21 Marianne Schuller, Überlegungen zur Textkonstitution der Heineschen ›Reisebilder‹. In: *Lili* 2 (1973), H. 12, S. 81–98.

22 Götz Großklaus, *Textstruktur und Textgeschichte. Die ›Reisebilder‹ Heinrich Heines. Eine textlinguistische und texttheoretische Beschreibung des Prosatyps* (Frankfurt, 1973), S. IX, 16, 39.

23 Ebd., S. 7.

24 Ebd., S. 8.
25 Ebd., S. 162.
26 Ebd., S. 133.
27 Vgl. u.a. Jost Hermand, Werthers Harzreise. In: *Von Mainz nach Weimar*, S. 129–151 und Norbert Altenhofer, *Harzreise in die Zeit* (Düsseldorf, 1972).
28 Albrecht Betz, *Ästhetik und Politik. Heinrich Heines Prosa* (München, 1971), S. 117.
29 Wolfgang Kuttenkeuler, *Heinrich Heine. Theorie und Kritik der Literatur* (Stuttgart, 1972), S. 21.
30 Ebd., S. 64.
31 Ebd., S. 105.
32 Günter Oesterle, *Integration und Konflikt. Die Prosa Heinrich Heines im Kontext oppositioneller Literatur der Restaurationsepoche* (Stuttgart, 1972), S. 3.
33 Ebd., S. 2f.
34 Ebd., S. 3.

Briefe aus Berlin

1 Näheres darüber bei Richard Salomon, Aus Heines Frühzeit: Ein unbekannter Brief und ein verlorenes Manuskript. In: *Modern Language Notes* 58 (1943), S. 329–334.
2 Dafür spricht ein späterer Hinweis in den *Briefen aus Berlin* (7,579).
3 Vgl. den Brief an Ernst Christian Keller vom 15. Juni 1822.
4 Vgl. den Brief an Ernst Christian Keller vom 1. September 1822.
5 *Literarisches Konversationsblatt* (1822), Nr. 90 vom 18. April, S. 359f. Vgl. dazu den Brief an Ernst Christian Keller vom 27. April 1822.
6 *Westfalen und Rheinland* (1822), Nr. 16. Näheres über diese Stelle bei Werner Deetjen, Neue Heinefunde. In: *Zeitschrift für deutsche Philologie* 44 (1912), S. 478f.
7 *Gesellschafter* (1822), Nr. 85 vom 29. Mai, in der Beilage *Der Bemerker*, Nr. 9, S. 402.
8 Vgl. den Brief an Varnhagen vom 16. Juni 1830 und das Schlußwort der *Englischen Fragmente* (3,502).
9 Adolf Strodtmann, *Heinrich Heines Leben und Werke* (Hamburg, [3]1884), I, 214–217.
10 Wilhelm Bölsche, *Heinrich Heine* (Leipzig, 1888), S. 161f.
11 Friedrich Marcus, *Jean Paul und Heinrich Heine* (Diss. Marburg, 1919), S. 160.
12 Heinrich Uhlendahl, *Fünf Kapitel über Heinrich Heine und E.T.A. Hoffmann* (Diss. Berlin, 1919), S. 18.

13 Max Brod, *Heinrich Heine* (Amsterdam, 1935), S. 134.
14 Salomon, Aus Heines Frühzeit, S. 334.
15 Walter Vontin. *Heinrich Heine. Lebensbild eines Dichters und Kämpfers* (Berlin, 1949), S. 27.
16 In seinem Nachwort zu Heines *Briefen aus Berlin* (Berlin, 1954) S. 84.
17 Vgl. *Abendzeitung* (1821), Nr. 267–268, 272–274, 285–286, 299–301, (1822), Nr. 4–5, 60–63, 78–80, 108–110.
18 Vgl. *Morgenblatt* (1822), Nr. 3, 5, 10–11, 13–14, 46, 58, 68, 72, 85, 88, 101, 117–118.
19 Elise von Hohenhausen, Briefe aus Berlin. In: *Abendzeitung* (1921), Nr. 87–88.
20 Briefe von Freimund. In: *Rheinisch-Westfälischer Anzeiger* (1820), in der Beilage *Kunst- und Wissenschaftsblatt*. Vgl. besonders den 3. Brief, Sp. 538ff.
21 Ludwig Salomon, *Geschichte des deutschen Zeitungswesens*, Bd. III (Oldenburg-Leipzig, 1906), S. 239.
22 Karoline Bauer, *Aus meinem Bühnenleben* (Berlin, [2]1876), S. 182.
23 K.A. Varnhagen von Ense, *Blätter aus der preußischen Geschichte* (Leipzig, 1868f.), II, 124.
24 Vgl. Varnhagen, *Blätter*, 1. Februar 1820, I, 70.
25 Ebd., 20. Februar 1822, II, 39.
26 Ebd., 12. März 1822, II, 61.
27 Vgl. *Das Junge Deutschland*. Hrsg. von Jost Hermand (Stuttgart, 1966), S. 375.
28 Varnhagen, *Blätter*, 18. Mai 1821, I, 308 und Heinrich Eduard Brockhaus, *Friedrich Arnold Brockhaus* (Leipzig, 1881), III, 159ff.
29 Schulz in Hamm fand es nötig, sich von dieser Empfehlung zu distanzieren und setzte die Fußnote »Ich nicht!« unter den Heineschen Text. Vgl. *Kunst- und Wissenschaftsblatt*, Nr. 30 vom 19. Juli, Sp. 474.
30 Vgl. Wilhelm Dorow, *Erlebtes aus den Jahren 1790–1827* (Leipzig, 1845), III, 298f.
31 Varnhagen, *Blätter*, 10. Januar 1822, II, 8.
32 Genaueres bei Georg Ellinger, Das Disziplinarverfahren gegen E.T.A. Hoffmann. In: *Deutsche Rundschau* 128 (1906), S. 79ff.
33 Voll entwickelt findet sich diese Methode dann in der *Romantischen Schule*. Vgl. 5, 246ff. und 322ff.
34 Varnhagen, *Blätter*, 4. April 1820, I, 115.
35 Ebd., 20. April 1824, III, 58.
36 Genaueres bei Max Lenz, *Geschichte der Königlichen Friedrich-Wilhelms-Universität zu Berlin* (Halle, 1910), II, 2, 150ff.
37 Vgl. den Brief an Christian Sethe vom 14. April 1822.
38 Vgl. Lenz, *Geschichte*, II, 2, 88ff.

39 Hugo Fetting, *Die Geschichte der deutschen Staatsoper* (Berlin, 1955), S. 98.
40 Eduard Vehse, *Geschichte des preußischen Hofs und Adels* (Hamburg, 1851), IV, 257.
41 Fetting, *Staatsoper*, S. 92.
42 Varnhagen, *Blätter*, 15. Mai 1821, I, 307.
43 Vgl. Friedrich Wilhelm Gubitz, *Erlebnisse* (Berlin, 1868), III, 241.
44 Varnhagen, *Blätter*, 2. Juli 1821, I, 334.
45 Max Maria von Weber, *Carl Maria von Weber* (Leipzig, 1864), II, 312.
46 Varnhagen, *Blätter*, 18. Juni 1821, I, 327.
47 Weber, II, 313.
48 Ebd., S. 313.
49 Varnhagen. *Blätter*, 20. Juni 1822, II, 147.
50 Ebd., 30. Juni 1822, II, 153.

Über Polen

1 Die meisten Studien zu diesem Thema beschäftigen sich mit der Wirkungsgeschichte Heines in Polen. Zu Heines Aufsatz selbst vgl. von den deutschsprachigen Publikationen vor allem Adolf Warschauer, *Heinrich Heine in Posen* (Posen, 1911); Hans Knudsen, Zu Heinrich Heines Aufsatz ›Über Polen‹. In: *Zeitschrift für Bücherfreunde*, N. F. 9 (1917/18), H. 1, Beiblatt 64–67; Roman Karst, Heine und Polen. In: *Neue deutsche Literatur* 4 (1956), H. 8, S. 79–89; Anna Milska, Heine über Polen. In: *Sinn und Form* 8 (1956), H. 1, S. 66–77; Maria Kofta, Heinrich Heine und die polnische Frage. In: *Weimarer Beiträge* 6 (1960), S. 506–531; Wacław Kubacki, Heine und Polen. In: *Heine-Jahrbuch* 5 (1966), S. 90–106; Siegfried Röder, Heinrich Heines Polenbild nach seiner Reise in die Provinz Posen im Jahre 1822. In: *Zeitschrift für Kulturaustausch* 19 (1969), S. 258–259; Ernst Josef Krzywon, *Heinrich Heine und Polen. Ein Beitrag zur Poetik der politischen Dichtung zwischen Romantik und Realismus* (Köln-Wien, 1972); Maria Grabowska, Heine und Polen. Die erste Begegnung. In: *Internationaler Heine-Kongreß 1972* (Hamburg, 1973), S. 348–369.
2 Zu den Details dieser Reise vgl. DHA 6,476–486.
3 Vgl. hierzu Carolyn Becker, *From the Jacobins to the Young Germans: The Travel Literature in Germany from 1785 to 1840* (Diss. Wisconsin, 1974, masch., S. 58ff.) und Asta Heller, *Heines nationale Gesellschaftscharakteristiken* (Diss. Wisconsin, 1976).
4 Vgl. dazu Krzywon, *Heine und Polen*, S. 35ff.

5 Vgl. dazu meinen Aufsatz »Auf andre Art so große Hoffnung. Heine und die USA«. In: *Amerika in der deutschen Literatur.* Hrsg. von Sigrid Bauschinger, Horst Denkler und Wilfried Malsch (Stuttgart, 1975), S. 82f.

6 Vgl. dazu meinen Aufsatz »Erotik im Juste milieu. Heines ›Verschiedene‹«. In: *Artistik und Engagement.* Hrsg. von Wolfgang Kuttenkeuler (Stuttgart, 1976).

7 Zit. in *Zeitschrift für die Geschichte der Juden in Deutschland* 5 (1935), S. 30.

8 Vgl. DHA 6,480.

9 Vgl. hierzu auch Günter Oesterle, *Integration und Konflikt. Die Prosa Heinrich Heines im Kontext oppositioneller Literatur der Restaurationsepoche* (Stuttgart, 1972), S. 67.

Die Harzreise

1 Erich Loewenthal, *Studien zu Heines ›Reisebildern‹* (Berlin-Leipzig, 1922), S. 1.

2 *Heines Sämtliche Werke.* Hrsg. von Ernst Elster (Leipzig, ²1924), III, 299.

3 Joachim Müller. Über Heines ›Harzreise‹. In: *Wirlichkeit und Klassik* (Berlin, 1955), S. 444.

4 Jeffrey L. Sammons, Heine's Composition: Die Harzreise. In: *Heine-Jahrbuch* 6 (1967), S. 42.

5 Vgl. DHA 6,228–233.

6 Karl Goedeke, *Grundriß zur Geschichte der deutschen Dichtung* (Dresden, 1881), III, 450.

7 Brief vom 1. Oktober 1824.

8 *Sophienausgabe* (Weimar, 1887ff.), 3. Abtl., IX, 277.

9 Vgl. H. H. Houben, *Gespräche mit Heine* (Frankfurt, 1926), S. 90f.

10 Vgl. Eduard Wedekind, *Studentenleben in der Biedermeierzeit. Ein Tagebuch aus dem Jahre 1824.* Hrsg. von H. H. Houben (Göttingen, 1927), S. 86.

11 Vgl. *Goethes Gespräche.* Hrsg. von Flodoard von Biedermann (Leipzig, 1910), III, 128f.

12 Vgl. Fritz Strich, Goethe und Heine. In: *Der Dichter und die Zeit* (Bern, 1947), S. 188.

13 Adalbert von Chamisso, *Werke* (Leipzig, ³1852), VI, 226.

14 Sartorius schickte nicht nur seine Publikationen, sondern ab und zu auch eine Kiste Göttinger Würste an Goethe (vgl. DHA 6,587).

15 Goethe, *Lyrische Dichtungen in zeitlicher Folge* (Leipzig, 1961), II, 294.

16 Ebd., II, 295.
17 Den Göttinger Mediziner Karl Friedrich Heinrich Marx, der auch Heines Arzt war und der Goethe am 7. Juni 1824 mit einem Empfehlungsbrief von Sartorius besuchte, bezeichnet Goethe in seinem Tagebuch als »Dr. Markus« (vgl. DHA 6, 591).
18 Strich, Goethe und Heine, S. 192.
19 Börne, *Sämtliche Schriften*. Hrsg. von Inge und Peter Rippmann (Düsseldorf, 1964), II, 45.
20 Franz Koch, *Goethe und die Juden* (Hamburg, 1937), S. 3, 13, 26.
21 Zit. in der Einleitung zu Philipp Spittas *Psalter und Harfe* (Gotha, 1890), S. IL.
22 Walter Robert-tornow, *Goethe in Heines Werken* (Berlin, 1883), S. 7.
23 In *Sämtliche Werke* (Leipzig, 1887ff.), I, 17f.
24 Gustav Karpeles, Goethe und Heine. In: *Heinrich Heine und seine Zeitgenossen* (Berlin, 1888), S. 41.
25 Eduard Grisebach, *Das Goethesche Zeitalter in der deutschen Dichtung* (Leipzig, 1891), S. 143.
26 Sol Liptzin, Heine, the Continuator of Goethe. A Mid-Victorian Legend. In: *Journal of English and Germanic Philology* 43 (1944), S. 317–25.
27 Oskar Kanehl, *Der junge Goethe im Urteil des jungen Deutschland* (Greifswald, 1913), S. 73.
28 Loewenthal, *Studien*, S. 85.
29 Strich, Goethe und Heine, S. 194.
30 Wolfgang Kuttenkeuler, *Heinrich Heine. Theorie und Kritik der Literatur* (Stuttgart, 1972), S. 50.
31 Christoph Trilse, Das Goethe-Bild Heinrich Heines. In: *Goethe. Jahrbuch der Goethe-Gesellschaft* 30 (1968), S. 154–191.
32 Fritz Mende, Zu Heinrich Heines Goethe-Bild. In: *Etudes germaniques* 23 (1968), S. 212–23.
33 Trilse, S. 190.
34 Walther Wadepuhl, Heines Verhältnis zu Goethe. In: *Jahrbuch der Goethe-Gesellschaft*, Neue Folge 18 (1956), S. 121–31.
35 Ulrich Maché, Der junge Heine und Goethe. In: *Heine-Jahrbuch* 4 (1965), S. 42–47.
36 Vgl. Robert-tornow, *Goethe in Heines Werken*, S. 2ff.
37 Vgl. DHA 6, 466.
38 In der Schrift *Über Polen* (7, 199) und in einem Brief vom 14. April 1822 an Christian Sethe.
39 Wedekind, *Studentenleben*, S. 75.
40 Vgl. Michael Holzmann, *Aus dem Lager der Goethe-Gegner* (Berlin, 1904).
41 Victor Hehn, *Gedanken über Goethe* (Berlin, [3]1895), S. 162.
42 *Gespräche mit Heine*, S. 136.

43 Brief vom 26. Mai 1825.
44 Karl Schulte-Kemminghausen, Tagebuchaufzeichnungen des westfälischen Freiherrn Ludwig von Diepenbrock-Grüter über Heine. In: *Jost-Trier-Festschrift* (Meisenheim, 1954), S. 294.
45 Robert-tornow, *Goethe in Heines Werken*, S. 10.
46 Loewenthal, *Studien*, S. 84.
47 Fritz Friedländer, *Heine und Goethe* (Berlin, 1932), S. 29.
48 Vgl. *Das Junge Deutschland*. Hrsg. von Jost Hermand (Stuttgart, 1966), S. 21–29.
49 *Die deutsche Literatur*. Bd. 6. Das 19. Jahrhundert. Hrsg. von Benno von Wiese (München, 1965), S. 335.
50 Vgl. DHA 6,616.
51 *Sophienausgabe*, 1. Abtl., XL, 349.
52 Vgl. DHA 6,683.
53 Kuttenkeuler lehnt diesen Vergleich als »einseitig« ab (S. 122). Renate Möhrmann findet ihn als »literarisches Bonmot nicht reizlos«, jedoch als »Hauptinterpretationspunkt überspitzt« (Der naive und der sentimentalische Reisende. Ein Vergleich von Eichendorffs ›Taugenichts‹ und Heines ›Harzreise‹. In: *Heine-Jahrbuch* 10, 1971, S. 14). Norbert Altenhofer stimmt dagegen diesem Vergleich weitgehend zu (S. 9).
54 Wedekind, *Studentenleben*, S. 86, 133.
55 Salomon Gessner, *Schriften* (Zürich, 1770), II, 5.
56 *Sophienausgabe*, 1. Abtl., XIX, 7.
57 Ebd., S. 18.
58 Ebd., S. 27.
59 Ebd., S. 36.
60 Vgl. DHA 6,228.
61 Dasselbe Motiv erscheint auch in der Hochzeitsnachtphantasie in E.T.A. Hoffmanns *Meister Floh*. Vgl. *Sämtliche Werke*. Hrsg. von Eduard Grisebach (Leipzig, o. J.), XII, 133f.
62 *Sophienausgabe*, 1. Abtl., XIX, 195.
63 Karl Marx/Friedrich Engels, *Über Kunst und Literatur* (Frankfurt, 1968), I, 470.
64 [Johann Friedrich Wilhelm Pustkuchen,] *Wilhelm Meisters Wanderjahre* (Quedlinburg, 1821ff.), I, 95.
65 Ebd., S. 121, 151.
66 Hegel, *Jubiläumsausgabe*, XI, 61.
67 Brief vom 28. November 1827.
68 Zit. in Erhard Weidl, *Heinrich Heines Arbeitsweise. Kreativität der Veränderung* (Hamburg, 1974), S. 111.
69 Wie schon Christoph Trilse und Fritz Mende (vgl. Anm. 31 und 32) betont auch Rudolf Dau in diesem Punkte eher die Kontinuität als den Bruch, obwohl er zugeben muß, daß die *Harzreise* »tatsächlich eine partiell parodistische ›Umkehrung‹ wichtiger

Motive des Werther-Romans, ein großartiger Gegenentwurf« ist (vgl. Erben oder Enterben? Jost Hermand und das Problem einer realistischen Aneignung des klassischen bürgerlichen Erbes. In: *Weimarer Beiträge* 19, 1973, H. 7, S. 93). Als dagegen Dau auf dem Weimarer Heine-Kongreß von 1972 den Begriff »Klassik« auf die »Weimarer Klassik« einengte und Heines »neue Qualität entwickelterer revolutionär-demokratischer Positionen« über die »heroischen Illusionen klassisch-utopischer Ideale« stellte, wurde ihm das von Wolfgang Hecht als eine gefährliche Annäherung an den von Reinhold Grimm und Jost Hermand aufgestellten Begriff der »Weimarer Hofklassik« ausgelegt (vgl. *Internationale Wissenschaftliche Heine-Konferenz 1972*, Weimar, 1974, S. 286).

70 *Gespräche mit Heine*, S. 136ff.

71 So wirft etwa Josef Nadler Heine vor, daß er die Deutschen zum »Abfall von Goethe« verführen wollte (vgl. *Literaturgeschichte der deutschen Stämme und Landschaften*, Bd. IV, Regensburg, ³1932, S. 63).

72 Strich, S. 195.

Nordsee III

1 *Heines Werke*. Hrsg. von Ernst Elster. Zweite Ausgabe (Leipzig, 1925), IV, 11.

2 Zur Entstehungsgeschichte dieses Bandes vgl. DHA 6,709–723.

3 Vgl. DHA 6,390, 507.

4 Wie verbreitet dieses Lebensgefühl unter den rastlosen Liberalen dieser Ära war, beweist folgende Bemerkung aus den *Fahrten eines Friesen in Dänemark, Deutschland, Ungarn, Holland, Frankreich, Griechenland, Italien und der Schweiz* (1828) von Rhonghar Jarr [Harro Harring]: »Es war ein sogenanntes bewegtes Leben, und die innere Bewegung des Lebens, oder die Bewegung des inneren Lebens war wohl noch größer und schlug noch größere Wellen« (III, 180f.). – Vgl. dazu auch Carolyn Becker, *From the Jacobins to the Young Germans: The Liberal Travel Literature in Germany from 1785 to 1840* (Diss. Wisconsin, 1974, masch., S. 198ff.).

5 [Martin Hieronymus Hudtwalcker:] *Bruchstücke aus Karl Berthold's Tagebuch. Herausgegeben von Oswald* (Berlin, 1826). S. 299f.

6 Vgl. dazu Friedrich Sengle, *Biedermeierzeit* (Stuttgart, 1971), I, 2–33.

7 Der erste, der auf diese Elemente hingewiesen hat, ist Ernst Feise in seinem Aufsatz »Form and Meaning of Heine's Essay ›Die Nordsee III‹«. In: *Monatshefte* 34 (1942), S. 223–234.

8 Vgl. dazu den grundlegenden Aufsatz »Heine und Hegel« von Wolfgang Heise. In: *Weimarer Beiträge* 19 (1973), H. 5, S. 7ff.
9 Hegel, *Vorlesungen über die Philosophie der Geschichte*. In: *Werkausgabe* (Frankfurt, 1970), XII, 77.
10 Ebd., S. 32.
11 Ebd., S. 60.
12 Vgl. DHA 6,724f.
13 Eine auf sie bezügliche Stelle strich Heine später (vgl. DHA 6,734).
14 Vgl. dazu auch Heinz Brüggemann, *Literarische Technik und soziale Revolution* (Reinbek, 1973), S. 32ff.
15 *Ästhetik*. Hrsg. von Friedrich Bassenge (Frankfurt, o. J.), I, 255.
16 Ebd.
17 Ebd., S. 256.
18 Vgl. DHA 6,748.
19 Aus dem gleichen Grunde werden die Heine sympathischen Italiener in der *Reise von München nach Genua* als »innerlich krank« charakterisiert, während an den Engländern das »pöbelhaft Gesunde« gerügt wird (3,273). Ähnlich negativ beschreibt Hegel in der *Phänomenologie* den ›gesunden Menschenverstand‹, der kein Bewußtsein von sich selber besitzt – und sich somit als der eigentlich ›ungesunde‹ entlarvt.
20 *Ästhetik*, I, 21.
21 Vgl. dazu die lange Hegel-Diskussion in *Berthold's Tagebuch*, wo es an einer Stelle heißt: »So wenig wie die Menschheit zu dem Naturdienst des Orients, oder zu der sinnlichen Religion des heidnischen Occidents, oder zu der antiken Vaterlandsliebe, oder zu dem Rittergeist des Mittelalters zurückkehren wird, eben so wenig zum Christenthum, welches in seiner wahren Bedeutung dem Mittelalter angehört, und sich eigentlich schon in der Reformation endigte« (S. 173).
22 Vgl. Grimm, *Deutsches Wörterbuch*, XV, 742f. Im Hinblick auf den Begriff »Zerrissenheit« in *Nordsee III* vgl. auch Feise, S. 103f., Alfred Betz, *Ästhetik und Politik. Heinrich Heines Prosa* (München, 1971), S. 22–29 und Wolfgang Preisendanz, *Heinrich Heine* (München, 1973), S. 62. Völlig abwegig ist die Deutung der Heineschen »Zerrissenheit« bei Gerhard Thrum, der sie auf Heines »Impressionismus«, »Ideenmangel« und »krankhafte Anlage« zurückzuführen versucht. Vgl. G. Th., *Der Typ des Zerrissenen* (Leipzig, 1931), S. 94ff. – Rhonghar Jarr bemerkt einmal in seinen *Fahrten eines Friesen*, daß er nur in »zerrissenen Kapiteln« schreiben könne, da »die ganze Welt zerrissen sei« (II, 214). Ja, selbst der wesentlich nüchternere Wienbarg behauptet in seinen *Ästhetischen Feldzügen* (1834): »Der Dichter müßte

blind sein, oder kalt, oder gefühllos, oder heuchlerisch, oder gar kein Dichter, der mit seiner Leier hinweghüpft über den ungeheuren Riß« (S. 284).

23 *Phänomenologie des Geistes.* In: *Werkausgabe*, III, 36.

24 Ebd., S. 463.

25 Ebd., S. 422.

26 *Vorlesungen über die Philosophie der Geschichte.* In: *Werkausgabe*, XII, 42.

27 Vgl. Heise, Heine und Hegel, S. 17. – Ähnliche Gedanken vertritt Theodor W. Adorno in seinen *Drei Studien zu Hegel* (Frankfurt, 1963), S. 59.

28 Diese Sicht überwiegt in Günter Oesterles Buch *Integration und Konflikt. Die Prosa Heinrich Heines im Kontext oppositioneller Literatur der Restaurationsepoche* (Stuttgart, 1972), S. 33–36.

29 *Werkausgabe*, XII, 45 f.

30 Vgl. Heise, Heine und Hegel, S. 7.

31 Ebd., S. 31.

32 Ebd., S. 10.

Ideen. Das Buch Le Grand

1 Jeffrey L. Sammons, *Heinrich Heine. The Elusive Poet* (New Haven, 1969), S. 116–149.

2 Albrecht Betz, *Ästhetik und Politik. Heinrich Heines Prosa* (München, 1971), S. 116–127.

3 Vgl. Karl Hessel, Heines ›Buch Legrand‹. In: *Vierteljahrsschrift für Literaturgeschichte* 5 (1892), S. 546–572; Hermann J. Weigand, Heine's ›Buch Le Grand‹. In: *Journal of English and Germanic Philology* 18 (1919), S. 102–136; Léon Polak, Heinrich Heines ›Buch Legrand‹. In: *Neophilologus* 7 (1921/22), S. 260–272; Hermann J. Weigand, The Double Love-Tragedy in Heine's ›Buch Le Grand‹. A Literary Myth. In: *Germanic Review* 13 (1938), S. 121–126; Herman Uyttersprot, Nog eens das Buch Le Grand. In: *Album Prof. Frank Baur* (Antwerpen, 1948), II, 317–322; Jürgen Jacobs, Zu Heines ›Ideen. Das Buch Le Grand‹. In: *Heine-Jahrbuch* 7 (1968), S. 3–11; Hans Elema, Evelina und die Seelenwanderung. Zu Heines ›Ideen. Das Buch Le Grand‹. In: *Heine-Jahrbuch* 12 (1973), S. 20–33.

4 Eberhard Galley, *Heinrich Heine* (Stuttgart, 1968), S. 23.

5 Sammons, *Heinrich Heine*, S. 118 ff.

6 Vgl. DHA 6, 800–802.

7 Heine, *Sämtliche Werke*. Hrsg. von Ernst Elster (Leipzig, 1887 ff.), 1, 80.

8 Weigand, The Double Love-Tragedy, S. 125.

9 Ders., Heine's ›Buch Le Grand‹, S. 130.
10 Galley, *Heinrich Heine*, S. 23.
11 Im Nachwort zum zweiten Band der Insel-Ausgabe (Frankfurt, 1968), S. 874.
12 Hessel, Heines ›Buch Legrand‹, S. 546–572.
13 Polak, Heines ›Buch Legrand‹, S. 260.
14 Jacobs, Zu Heines ›Ideen. Das Buch Le Grand‹, S. 5, 10.
15 Sammons, *Heinrich Heine*, S. 116.
16 Brief an Moses Moser vom 14. Oktober 1826.
17 Brief an Karl August Varnhagen von Ense vom 24. Oktober 1826.
18 Brief an Rudolf Christiani vom November 1826.
19 Vgl. die Briefe an Ludwig Robert vom 27. November 1823 und 4. März 1825 und an Moses Moser vom 25. Oktober 1824 und 11. Januar 1825.
20 Vgl. den Brief an Moses Moser vom 1. April 1825.
21 *Dichtung und Wahrheit*, I, 3.
22 Ebd., I, 5.
23 Vgl. 7,593.
24 *Dichtung und Wahrheit*, IV, 16.
25 Vgl. *Exil und Innere Emigration. Third Wisconsin Workshop*. Hrsg. von Reinhold Grimm und Jost Hermand (Frankfurt, 1972). S. 31–73.
26 Vgl. dazu den Aufsatz »Goethe und Heine« von Fritz Strich, in dem er bedauert, »daß Goethes ungeheure Wirkung den nachteiligsten Einfluß auf die politische und soziale Entwicklung des deutschen Volkes hatte« (Fritz Strich, *Der Dichter und die Zeit*, Bern 1947, S. 195).
27 Die bisherige Heine-Forschung hat sich in diesem Punkte meist ›goethefromm‹ verhalten. Vgl. u.a. Fritz Mende, Zu Heinrich Heines Goethe-Bild. In: *Etudes germaniques* 23 (1968), S. 212 bis 231; Helmut Koopmann, Heine in Weimar. In: *Zeitschrift für deutsche Philologie* 91 (1972), Heine-Sonderheft, S. 46–66; Wolfgang Kuttenkeuler, *Heinrich Heine. Theorie und Kritik der Literatur* (Stuttgart, 1972), S. 53–64. Letzterer verzeichnet auch die ältere Literatur zu diesem Thema.
28 Brief an Rudolf Christiani vom 7./8. September 1827.
29 Vgl. Karl Schulte-Kemminghausen, Tagebuchaufzeichnungen des westfälischen Freiherrn Ludwig von Diepenbrock-Grüter über Heine. In: *Jost-Trier-Festschrift* (Meisenheim, 1954), S. 294.
30 Vgl. Ewald A. Boucke, Heine im Dienste der ›Idee‹. In: *Euphorion* 16 (1909), S. 116ff.
31 Clemens Brentano, *Werke* (München, 1963), II, 967.
32 *Wilhelm Meisters Wanderjahre* (Quedlingburg, ²1823), I, 155ff.
33 Brief an Rudolf Christiani vom 26. Mai 1825.

34 Brief an Moses Moser vom 1. Juli 1825.
35 Vgl. dazu auch den Aufsatz zur »Harzreise«, S. 65 f.
36 *Älteste Urkunde des Menschengeschlechts*, III, 3.
37 Hegel, *Werkausgabe* (Frankfurt, 1970), XIII, 144.
38 *Vorlesungen über die Philosophie der Geschichte*. In: *Werkausgabe*, XII, 46f.
39 Zit. in Adolf Strodtmann, *Heinrich Heines Leben und Werke* (Hamburg, [3]1884), I, 302.
40 Ebd., I, 303 f.
41 Vgl. hierzu Manfred Windfuhr, *Heinrich Heine. Revolution und Reflexion* (Stuttgart, 1969), S. 79ff. und Betz, *Ästhetik und Politik*, S. 116ff.
42 Vgl. den Brief an Moses Moser vom 14. Oktober 1826.
43 *Gesellschafter* (1827), Nr. 77 vom 23. Mai, S. 306. Außerdem schreibt Varnhagen an derselben Stelle: »In diesem zweiten Teile seines Buches hat der Verfasser zugleich einen ganz neuen Schwung genommen. Seine poetische Welt, anhebend von der Betrachtung seiner individuellen Zustände, breitet sich mehr und mehr aus, sie ergreift Allgemeineres, wird endlich universell.«
44 *Phänomenologie des Geistes*. In: *Werkausgabe*, III, 24.
45 So wirft etwa Jacobs Heine im *Buch Le Grand* eine »extrem subjektive Behandlung« des Historischen vor (S. 5). Auch Hans Mayer betont beim Heine der zwanziger Jahre vor allem den »Ich-Kult« und läßt den »Objektivierungs«-Prozeß erst in den dreißiger Jahren einsetzen (Vgl. Heine, *Beiträge zu einer deutdeutschen Ideologie*, Frankfurt 1972, S. Xf.).
46 *Vorlesungen über die Ästhetik*. In: *Werkausgabe*, XIII, 24, 141.
47 Brief an Wilhelm Müller vom 7. Juni 1826.
48 Wie bewußt sich Heine dieser Rolle war, geht noch aus dem handschriftlichen Entwurf vom Winter 1855/56 zur *Préface de la dernière édition des Reisebilder* hervor, wo er sich als den einzigen Liberalen im Deutschland der zwanziger Jahre bezeichnet (vgl. DHA 6,358).
49 Brief an Moses Moser vom 1. Juli 1825.

Englische Fragmente

1 Über die genaueren Details dieser Reise vgl. Gerhard Weiß, Heines Englandaufenthalt (1827). In: *Heine-Jahrbuch* 2 (1963), S. 3–32.
2 Vgl. dazu auch meine ausführliche Einleitung zur Reprint-Ausgabe der *Briefe eines Verstorbenen* (New York, 1969), S. 3–81.

3 Vgl. Asta Heller, *Heines nationale Gesellschaftscharakteristiken* (Diss. Wisconsin 1976, masch.).
4 Vgl. dazu auch Gerhard Schmitz, *Über die ökonomischen Anschauungen in Heines Werken* (Weimar, 1960), S. 77ff.

Reise von München nach Genua

1 So noch Manfred Link, *Der Reisebericht als literarische Kunstform von Goethe bis Heine* (Diss. Köln, 1963, S. 179). Eine Abwendung von dieser Haltung bahnt sich erst bei Manfred Windfuhr an. Vgl. *Heinrich Heine. Revolution und Reflexion* (Stuttgart, 1969), S. 93f.
2 Goethes *Italienische Reise* wird nach der Inselausgabe von 1959, hrsg. von Heinz Nicolai, zitiert.
3 Als Beispiel solcher ›Begegnungen‹ vgl. die Lindheimer-Episode in der *Harzreise* (DHA 6,616).
4 Nach Abschluß dieser Studie stieß ich auf eine Deutung der Harfnerinnen-Episode, die mir sehr einleuchtet (vgl. Michael Werner, Heines ›Reise von München nach Genua‹ im Lichte ihrer Quellen. In: *Heine-Jahrbuch* 14, 1975, S. 35ff.). Werner sieht hierin eine eindeutige »Mignon-Parodie«. Während Goethe in dieser Gestalt das »reine Gefühl« symbolisiere, repräsentiere sie bei Heine das »kranke, leidende, wissende, geknechtete Italien, das durch die politischen Verhältnisse gezwungen ist, sein nationales Unglück hinter grotesken Späßen zu verbergen und sich die Narrenkappe aufzusetzen« (S. 36).
5 Ebenso erhellend sind in diesem Zusammenhang die Vergleiche zwischen den »innerlich kranken« und daher »vornehmen« Italienern und den »pöbelhaft gesunden« Engländern (3,270).
6 Während sich Goethe mehr der Tradition Winckelmann-Heinse anschließt, setzt Heine die Linie jener Italienbücher fort, in denen wie in Johann Wilhelm Archenholz' *England und Italien* (1786) oder Cornelius von Ayrenhoffs *Briefe über Italien* (1789) der Akzent weniger auf Kunst und Natur als auf den gesellschaftlichen Zuständen liegt.
7 Vgl. dazu auch die Heine-Goethe-Konfrontation in Albrecht Betz, *Ästhetik und Politik. Heinrich Heines Prosa* (München, 1971), S. 13ff.
8 »Die sogenannte Objektivität, wovon heut' soviel die Rede ist«, schreibt Heine später in *Shakespeares Mädchen und Frauen*, »ist nichts als eine trockene Lüge« (V, 377).

Die Bäder von Lucca

1 Vgl. den Brief vom 8. Dezember 1828.
2 Platen, *Sämtliche Werke*. Hrsg. von Max Koch und Erich Petzet (Leipzig, 1910), IV, 227.
3 Vgl. *Eos* (1828), Nr. 135 f. vom 23. und 25. August.
4 Ebd., Nr. 132 vom 18. August.
5 Vgl. dazu Jeffrey L. Sammons, *Heinrich Heine. The Elusive Poet* (New Haven, 1969), S. 150.
6 Brief vom 5. August 1837.
7 Brief vom 4. Februar 1830.
8 Vgl. dazu Günter Oesterle, *Integration und Konflikt. Die Prosa Heinrich Heines im Kontext oppositioneller Literatur der Restaurationsepoche* (Stuttgart, 1972), S. 76ff.
9 *Gesellschafter* (1830), Nr. 20 vom 3. Februar, S. 98.
10 *Blätter für literarische Unterhaltung* (1830), Nr. 44 vom 13. Februar, S. 176.
11 *Der Komet* (1830), Literaturblatt, Nr. 6 vom 23. April, Sp. 121ff.
12 *Blätter für literarische Unterhaltung* (1830), Nr. 23 vom 23. Januar, S. 9f.
13 Vgl. Dierk Möller, *Heinrich Heine. Episodik und Werkeinheit* (Wiesbaden, 1973), S. 384.
14 Ebd., S. 459.
15 H.G. Atkins, *Heine* (London, 1929), S. 108.
16 Manfred Windfuhr, *Heinrich Heine. Revolution und Reflexion* (Stuttgart, 1969), S. 100.
17 Sammons, S. 167, 171.
18 Ebd., S. 159, 170.
19 Möller, S. 384–460.
20 Ebd., S. 451.
21 Vgl. dazu grundsätzlich Hans Kaufmann, *Heinrich Heine. Geistige Entwicklung und künstlerisches Werk* (Berlin, 1967), S. 23ff. und Wolfgang Kuttenkeuler, *Heinrich Heine. Theorie und Kritik* (Stuttgart, 1972), S. 65–78.
22 Oesterle, S. 80.
23 Ebd., S. 76.
24 Vgl. zu diesem Aspekt auch Dieter Arendt, Parabolische Dichtung und politische Tendenz. Eine Episode aus den ›Bädern von Lucca‹. In: *Heine-Jahrbuch* 9 (1970), S. 41–57.
25 Vgl. Jeffrey L. Sammons, Platen's Tulip Image. In: *Monatshefte* 52 (1960), S. 293–301.
26 Vgl. hierzu auch Kuttenkeuler, S. 66.
27 Zu Heines Kampf gegen die »Unvolkstümlichkeit« vgl. Georg Lukács, Heinrich Heine als nationaler Dichter. In: G.L., *Deutsche Realisten des 19. Jahrhunderts* (Berlin, 1956), S. 134.

28 Inwieweit diese Satire auf das ›Unmännliche‹ – in Heines Terminologie – auch Goethe und das »Goethetum« zu treffen versucht, möge eine offene Frage bleiben. Jedenfalls schreibt Heine am 28. Februar 1830 an Varnhagen, daß Goethe alles besitze, »nur nicht Männlichkeit«. Und auch in der *Reise von München nach Genua* hieß es ja schon, daß sich Goethe mit Lady Morgan und Madame de Staël an »männlichen Gesinnungen« wahrlich nicht vergleichen lasse (3, 266).

29 Vgl. Miriam Faye Moore, *The Petronian Influence in Heinrich Heine's ›Die Bäder von Lucca‹* (Diss. Vanderbilt, 1970, masch.), S. 37.

30 *Blätter für literarische Unterhaltung* (1830), Nr. 44 vom 13. Februar, S. 176.

31 Hans Mayer, Die Platen-Heine-Konfrontation. In: *Akzente* 20 (1973), S. 273–286.

32 Ebd., S. 282.

33 Ebd., S. 285.

34 Jakob Raphael, Die Hamburger Familie Gumpel und der Dichter Heinrich Heine. In: *Zeitschrift für die Geschichte der Juden* (1969), S. 37.

35 Ludwig Rosenthal, *Heinrich Heine als Jude* (Frankfurt, 1973), S. 237–248.

Die Stadt Lucca

1 Die gleiche These vertritt Ludwig Rosenthal, *Heinrich Heine als Jude* (Frankfurt, 1973), S. 11.

2 Brief an Moritz Embden vom 3. Mai 1823.

3 Vgl. Jost Hermand, Karl Emil Franzos: Der Pojaz. In: J.H., *Unbequeme Literatur* (Heidelberg, 1971), S. 107–127.

4 Brief an Moses Moser vom 21. Januar 1824.

5 Goethe, *Lyrische und epische Dichtungen* (Leipzig, 1961), I, 330.

6 Vgl. Jost Hermand, Biedermeier Kids. Eine Mini-Polemik. In: *Monatshefte* 67 (1975), S. 59–66.

7 Vgl. Wingolf Scherer, *Heinrich Heine und der Saint-Simonismus* (Diss. Bonn, 1949, masch.), S. 62.

8 Vgl. Werner Vordtriede, Der Berliner Saint-Simonismus. In: *Heine-Jahrbuch* 14 (1975), S. 93–110.

9 Dolf Sternberger, *Heinrich Heine und die Abschaffung der Sünde* (Hamburg, 1972), S. 287f.

10 Georg Lukács, Heinrich Heine als nationaler Dichter. In: G.L., *Deutsche Realisten des 19. Jahrhunderts* (Berlin, 1956), S. 115.

Die ›Reisebilder‹ in der zeitgenössischen Kritik

1 Vgl. Wilhelm/Galley, *Heine-Bibliographie* (Weimar, 1960), Nr. 3435–3898 und Siegfried Seifert, *Heine-Bibliographie. 1954–1964* (Berlin-Weimar, 1968), Nr. 2304–2560.

2 Erika Schmohl, *Der Streit um Heine* (Diss. Marburg 1956, masch.); Günther Cwojdrak, Heine und die Literaturhistoriker. In: *Neue deutsche Literatur* 4 (1956), H. 4, S. 11–22; Fritz Mende, Heinrich Heine und die Deutschen. In: *Etudes germaniques* 17 (1962), S. 251–258; Paul Arnsberg, Heinrich Heine als linksintellektuelles ›Anti-Symbol‹. Ein Bildersturm im vorigen Jahrhundert. In: *Tribüne* 2 (1963), S. 643–657; Wilhelm Höck, Deutsche Dichter im Wandel des Urteils. Heinrich Heine. In: *Der junge Buchhandel* 17 (1964), Nr. 12, S. 186–192; Eberhard Galley, *Heinrich Heine im Widerstreit der Meinungen. 1825–1965* (Düsseldorf, 1967); Helmut Koopmann, Heinrich Heine in Deutschland. In: *Nationalismus in Germanistik und Dichtung.* Hrsg. von Benno von Wiese und Rudolf Henß (Berlin, 1967), S. 312 bis 333; Hans-Georg Werner, Zur Wirkung von Heines literarischem Werk. In: *Weimarer Beiträge* 19 (1973), H. 9, S. 35–73.

3 Heinrich von Treitschke, *Deutsche Geschichte im 19. Jahrhundert* (Leipzig, 1879–94), III, 718.

4 Karl Goedeke, *Grundriß zur Geschichte der deutschen Dichtung* VIII (Dresden, ²1905), S. 534ff.

5 Victor Hehn, *Gedanken über Goethe* (Berlin, 1887), S. 160.

6 Rudolf von Gottschall, *Die deutsche Nationalliteratur des 19. Jahrhunderts* (Breslau, 1872), II, 62.

7 Wilhelm Scherer, *Geschichte der deutschen Literatur* (Berlin, ³1885), S. 664.

8 August Friedrich Christian Vilmar, *Geschichte der deutschen Nationalliteratur* (Marburg, ²²1886), S. 481.

9 Ferdinand Avenarius, Heinrich Heine. In: *Kunstwart* 13 (1900), S. 260f.

10 Vgl. Ferdinand Werner, *Fort mit der Schmach eines öffentlichen Heinedenkmals* (Leipzig, 1913).

11 Adolf Bartels, *Heinrich Heine. Auch ein Denkmal* (Dresden, 1906).

12 Houston Stewart Chamberlain, *Rasse und Persönlichkeit* (München, 1925), S. 88f.

13 Koopmann, S. 324.

14 Ebd., S. 332.

15 Vollständige oder auszugsweise Nachdrucke der *Reisebilder*-Rezensionen finden sich in: Heinrich Heine, *Gesammelte Werke* II. Hrsg. von Günter Häntzschel (München, 1969), S. 724–747, 781–800, 838–855, 883–896 und DHA 6, S. 539–548, 551–555, 716–720, 722, 728–730, 787–790.

16 Ebenso positiv äußerten sich Bekannte Heines in Hamburg und Berlin wie Friedrich Gottlieb Zimmermann und Joseph Lehmann. Vgl. *Staats und Gelehrte Zeitung des Hamburgischen unparteiischen Correspondenten* (1826), 4. Juli, S. 6f. und *Berliner Schnellpost* (1826), Nr. 79 und 80 vom 3. und 5. Juli, S. 314f. und 318f.

17 Ludolf Wienbarg, *Ästhetische Feldzüge* (Hamburg, 1834), S. 284. – Wohl die positivsten Rezensionen von Heines *Reisebildern* erschienen im Jahr der Julirevolution, als sich auch die liberalen Kritiker wieder an die ›Öffentlichkeit‹ wagten. Vgl. *Lesefrüchte* (1830), Bd. 1, 11. Stück, S. 161–63; *Der Komet* (1830), Literaturblatt, Nr. 16 vom 23. April, Sp. 121–25; *Der Eremit* (1830), Nr. 54 vom Mai, Sp. 425–28; *Das Inland* (1831), Nr. 50 vom 19. Februar, S. 198–200. Da Heine jedoch 1831 nach Paris übersiedelte, verstärken sich ab 1832 wieder die ›deutschbewußten‹ Affekte gegen ihn.

18 Vgl. *Damen Conversations Lexikon* 5 (Adorf, 1835), S. 219.

19 Koopmann, S. 319.

20 Varnhagen von Ense, *Zur Geschichtsschreibung und Literatur* (Hamburg, 1833), S. 584.

21 *Allgemeine Literatur-Zeitung* (1826), Nr. 176 vom September, Sp. 447.

22 *Mitternachtblatt* (1826), Nr. 139 vom 15. November, S. 555.

23 *Blätter für literarische Unterhaltung* (1828), Nr. 15 vom 17. Januar, S. 57, gez. »75«.

24 *Das Inland* (1829), Nr. 193 vom 12. Juli, S. 773f.

25 Maxim. Jos. Stephani [d.i. Johann Heinrich Wilhelm Grabau], *Heinrich Heine und Ein Blick auf unsere Zeit* (Halle, 1834), S. 27.

26 M[oritz] G[ottlieb] Saphir, *Dumme Briefe* (München, 1834), S. 140ff.

27 *Didaskalia* (1833), Nr. 186 vom 8. Juli, S. 2, nicht gez.

28 Alexander Jung, Ausstellungen über H. Heine. In: *Literarischer Zodiakus* (1835), August, S. 129.

29 [Richard Otto] Sp[azier], Heinrich Heine. In: *Gallerie der ausgezeichnetsten Israeliten aller Jahrhunderte*. Hrsg. von Eugen Graf Breza (Stuttgart, 1835), S. 116.

30 Ebd., S. 117.

31 Varnhagen von Ense, *Blätter aus der preußischen Geschichte* (Leipzig, 1856), 21. Juni 1826, IV, 84.

32 *Westphalen und Rheinland* (822), Nr. 16 vom 20. April, S. 130.

33 Vgl. DHA 6,367ff.

34 Vgl. DHA 6,536ff.

35 *Iris* (1826), Nr. 200 vom 7. Oktober, S. 804.

36 *Blätter für literarische Unterhaltung* (1829), Nr. 292 vom 19. Dezember, S. 1169.

37 Johann Baptist Rousseau, *Kunststudien* (Frankfurt, 1832), S. 257.

38 [Ägidius Raabski], Quousque tandem. In: *Zeitung des Großherzogtum Posen* (1823), Nr. 19 vom 5. März, S. 201.
39 *Rahel. Ein Buch des Andenkens für ihre Freunde* (Berlin, 1833), S. 549.
40 *Literatur-Blatt* (1833), Nr. 5 vom 11. Januar, S. 18, gez. »G«.
41 *Berliner Conversations-Blatt* (1828), Nr. 9 vom 12. Januar, S. 33.
42 *Leipziger Literatur-Zeitung* (1827), Nr. 134 vom 25. Mai, Sp. 1072.
43 Theodor Mundt, Über Bewegungsparteien in der Literatur. In: *Literarischer Zodiakus* (1835), Januar, S. 10.
44 *Jahrbücher für wissenschaftliche Kritik* (1827), Mai, Sp. 775f.
45 Varnhagen, *Zur Geschichtsschreibung*, S. 587.
46 *Iris* (1826), Nr. 200 vom 7. Oktober, S. 804, gez. »A«.
47 *Blätter für literarische Unterhaltung* (1827), Nr. 10 vom 11. Januar, S. 39, gez. »5«.
48 E[rnst] Kratz, *Kritik mehrerer literarischen und artistischen Erscheinungen in Hamburg vom November 1826 bis Mai 1827, die Sensation gemacht* (Hamburg, 1827), S. 33.
49 *Mitternachtblatt* (1827), Nr. 111 vom 12. Juli, S. 443.
50 *Literarische Miscellen* (1830), Nr. 3 vom 16. Januar, gez. »+ + +«, d.i. Franz Wolfgang Adolf Ullrich.
51 *Literatur-Blatt* (1827), Nr. 48 vom 15. Juni, S. 190.
52 Grabau, *Heinrich Heine*, S. 22.
53 Ebd., S. 22.
54 Spazier, Heinrich Heine, S. 117.
55 Mundt, Über Bewegungsparteien, S. 17.
56 *Blätter für literarische Unterhaltung* (1835), Nr. 226 vom 14. August, S. 931.
57 *Jahrbücher für wissenschaftliche Kritik* (1827), Nr. 95–98, Mai, Sp. 767.
58 [Adolf Müllner], *Mitternachtszeitung* (1826), Nr. 139 vom 15. November, S. 555.
59 *Originalien* (1826), Nr. 82, Sp. 650.
60 Georg Neu, *Betty, die Gläubige* (Nürnberg, 1836), S. 313.
61 *Allgemeine Literatur-Zeitung* (1826), Nr. 176 vom September, Sp. 447f.
62 *Blätter für literarische Unterhaltung* (1827), Nr. 10 vom 11. Januar, S. 39.
63 Ebd. (1831), Nr. 299 vom 26. Oktober, Sp. 1293f.
64 Vgl. *Zeit-Bilder* (1830), Nr. 44 vom 13. Februar.
65 Saphirs Vorstellung von Humor beruht auf dem Diktum: »Dichtkunst verträgt sich nicht mit Politik«. Vgl. *Dumme Briefe*, S. 117.
66 *Eos* (1831), Nr. 138 vom 31. August, S. 554.
67 Jung, Ausstellungen, S. 130ff.
68 *Der Freimüthige* (1831), Nr. 64 vom 2. April, S. 256, gez. »W. A.«.

69 Ebd. (1831), Nr. 33 vom 17. Februar, S. 132.
70 Vgl. *Das Junge Deutschland.* Hrsg. von Jost Hermand (Stuttgart, 1966), S. 332f.
71 Neu, *Betty*, S. 317f.
72 Gustav Bacherer, *Die junge Literatur und der Roman Wally* (Stuttgart, 1835), S. 11, 43.
73 *Eos* (1831), Nr. 37 vom 5. März, S. 150.
74 *Kritische Blätter der Börsen-Halle* (1831), Nr. 28 vom 20. Januar, S. 12.
75 Vgl. Jost Hermand, *Stänker und Weismacher. Zur Dialektik eines Affekts* (Stuttgart, 1971), S. 7ff.
76 *Allgemeine Literatur-Zeitung* (1826), Nr. 307 vom Dezember, Sp. 800.
77 *Blätter für literarische Unterhaltung* (1827), Nr. 10 vom 11. Januar, S. 38, gez. »5«.
78 *Leipziger Literatur-Zeitung* (1827), Nr. 134 vom 25. Mai, Sp. 1072.
79 *Iris* (1826), Nr. 194 vom 29. September, S. 780, gez. »A«.
80 Ebd., S. 779.
81 Kratz, *Kritik*, S. 35, 45, 47.
82 *Allgemeine Literatur-Zeitung* (1827), Ergänzungsblatt 85, August, Sp. 680.
83 *Blätter für literarische Unterhaltung* (1828), Nr. 16 vom 18. Januar, S. 61, gez. »75«.
84 *Der Komet* (1831), Nr. 4 vom 29. Januar, S. 28.
85 *Schlesische Provinzialblätter* (1830), Literarische Beilage 2, Februar, S. 69.
86 *Literarische Miscellen* (1830), Nr. 3 vom 16. Januar.
87 *Blätter für literarische Unterhaltung* (1830), Nr. 23 vom 23. Januar, S. 91f., gez. »1«.
88 *Der Gesellschafter* (1830), Nr. 20 vom 3. Februar, S. 98.
89 *Eos* (1831), Nr. 140 vom 3. September, S. 562.
90 *Blätter für literarische Unterhaltung* (1835), Nr. 361 vom 27. Dezember, S. 1492, gez. »139«.
91 Ebd. (1831), Nr. 160 vom 9. Juni, S. 702, gez. »74«.
92 Saphir, *Dumme Briefe*, S. 140.
93 *Europa* (1837), I, 281f.
94 *Telegraph für Deutschland* (1839), Nr. 108 vom Juli, S. 281f.
95 Mundt, Über Bewegungsparteien, S. 11.
96 Ebd., S. 14.
97 Ebd., S. 10.
98 Wolfgang Menzel, *Deutsche Dichtung* (Stuttgart, 1859), III, 337.
99 Vgl. Champagner und Terpentinöl, oder ›Dr. Heine‹ und die ›Münchner Eos‹. In: *Deutscher Horizont* (1831), Nr. 22 vom 8. September.
100 *Bellona* (1831), H. 1, S. 116.

101 *Allgemeine Literatur-Zeitung* (1827), Ergänzungsblatt 85, August, Sp. 680.
102 Ebd., Sp. 680.
103 *Zeitung des Großherzogtum Posen* (1823), Nr. 15 vom 19. Februar, S. 147f.
104 Grabau, *Heinrich Heine*, S. 1.
105 *Eos* (1831), Nr. 140 vom 3. September, S. 562.
106 Cruciger [d.i. Friedrich von der Hagen], *Neueste Wanderungen, Umtriebe und Abenteuer des Ewigen Juden unter den Namen Börne, Heine, Saphir u.a.* (Friedrich Wilhelmstadt Berlin, 1832), S. 5.
107 Eduard Meyer, *Gegen L. Börne den Wahrheit-, Recht- und Ehrvergessenen Briefsteller aus Paris* (Altona, 1831), S. 5.
108 Ebd., S. 13f.
109 Ludwig Wachler, *Handbuch der Geschichte der Literatur* (Leipzig, 1833), III, 416.
110 Mundt, Über Bewegungsparteien, S. 13.
111 *Blätter für literarische Unterhaltung* (1844), Nr. 326 vom 21. November, S. 1303.
112 Menzel, *Deutsche Dichtung*, S. 464ff.
113 *Allgemeine Literatur-Zeitung* (1826), Nr. 176, September, Sp. 447.
114 Ebd. (1827), Nr. 171, September, Sp. 408.
115 *Blätter für literarische Unterhaltung* (1831), Nr. 300 vom 27. Oktober, S. 1300.
116 Ebd. (1831), Nr. 160 vom 9. Juni, S. 702, gez. »74«.
117 *Literatur-Blatt* (1831), Nr. 79 vom 3. August, S. 319.
118 Mundt, Über Bewegungsparteien, S. 11, 13, 17.
119 Vgl. dazu meinen Forschungsbericht »Allgemeine Epochenprobleme«. In: *Zur Literatur der Restaurationsepoche. 1815–1848.* Hrsg. von Jost Hermand und Manfred Windfuhr (Stuttgart, 1970), S. 3–61.

NAMENREGISTER

Adorno, Theodor W. 16, 210
Affsprung, Johann Michael 8, 27
Albrecht, Daniel Ludwig 36
Alexandrine von Preußen 35, 40
Alexis, Willibald 30, 62, 191
Altenhofer, Norbert 202, 207
Altenstein, Karl vom Stein zum 36
Ancillon, Johann Peter 36, 37
Archenholz, Johann Wilhelm 120, 213
Arendt, Dieter 214
Aristophanes 150, 160, 163–165
Arndt, Ernst Moritz 54, 89, 196
Arnsberg, Paul 216
Ascher, Saul 176
Atkins, H.G. 155, 214
Avenarius, Ferdinand 182, 216
Ayrenhoff, Johann Wilhelm 213

Baader, Franz von 158
Bacherer, Gustav 192, 219
Bartels, Adolf 182, 186, 216
Barthes, Roland 16
Bauer, Karoline 30, 203
Baumgärtner, Klaus 16
Beckedorff, Georg Philipp 36, 37
Becker, Carolyn 201, 204, 208
Becker, Jürgen 17
Beer, Michael 75, 153
Benjamin, Walter 16
Benzenberg, Johann Friedrich 24
Betz, Albrecht 17, 18, 102, 202, 209, 210, 212, 213
Bierwisch, Manfred 16
Bismarck, Otto von 199
Blücher, Gerhard Leberecht von 101
Blume, Heinrich 30
Bodenstedt, Friedrich 181
Boeckh, Philipp August 22
Bölsche, Wilhelm 26, 202
Bopp, Franz 22
Borchardt, Rudolf 15
Börne, Ludwig 59, 63, 68, 78, 115, 161, 184, 185, 189–191, 195, 198, 206
Boucher, Alexandre-Jean 29
Boucke, Ewald A. 211
Brecht, Bertolt 105, 163
Brentano, Clemens 107, 211
Breza, Eugeniusz 24, 36, 45, 217
Briegleb, Klaus 26
Brod, Max 26, 203
Brockhaus, Friedrich Arnold 23, 33, 36, 203
Brüggemann, Heinz 209
Brühl, Karl von 40
Brutus 143
Büchner, Georg 115, 199
Byron, George Gordon Noel 22, 69, 82, 83, 94, 118, 120

Campe, Julius 10, 81, 157
Canning, George 126
Casanova, Giacomo 33
Cäsar 143
Castlereagh, Henry Robert 127
Catalani, Angelica 29
Chamberlain, Houston Stewart 182, 216
Chamisso, Adelbert von 205
Chomsky, Noam 16
Christiani, Rudolf 61, 65–67, 107–109, 211
Clauren, H. 26, 30, 41, 150, 188
Cromwell, Oliver 124, 128
Cwojdrak, Günther 216

Dau, Rudolf 207, 208
Diepenbrock-Grüter, Ludwig von 67, 207
Diogenes 109
Döllinger, Ignaz 152, 158, 168
Dorow, Wilhelm 203
Droste-Hülshoff, Annette von 183, 199

Eckstein, Ferdinand von 165
Eichendorff, Joseph von 13
Eisner, Fritz H. 200
Elema, Hans 210
Ellinger, Georg 203
Elster, Ernst 13, 26, 59, 64, 70, 81, 103, 155, 200, 205, 208, 210
Embden, Moritz 169, 215
Emmerich, Karl 14, 15, 201
Engels, Friedrich 25, 125, 207

Feise, Ernst 208, 209
Fetting, Hugo 204
Feuerbach, Ludwig 199
Forster, Johann Georg Adam 8
Fouqué, Friedrich de la Motte 35
Franzos, Karl Emil 171
Freytag, Gustav 12
Friedländer, Fritz 68, 207
Friedländer, Salomon 187
Friedrich Wilhelm III. von Preußen 31, 35, 37, 39
Fries, Jakob Friedrich 47
Fugger-Hoheneck, Friedrich von 151

Galley, Eberhard 103, 210, 211, 216
Gans, Eduard 22, 55, 57, 84, 109, 153, 154, 165
Gathy, Franz August 11
Geibel, Emanuel 160, 181
Geiger, Carl Ignaz 8, 27
George, Stefan 160
Gessner, Salomon 71, 89, 207
Glassbrenner, Adolf 11
Gluck, Willibald 38
Göde, August Gottlieb 120
Goedeke, Karl 60, 182, 205, 216
Goethe, Johann Wolfgang 12, 14, 18, 20, 27, 40, 60–80, 82, 91, 93, 97, 104–110, 114, 116, 132–140, 142–148, 153, 160, 163, 168, 193, 205, 206, 208, 211, 213, 215
Görres, Joseph von 158
Gottschall, Rudolf von 182, 216
Grabau, Johann Heinrich Wilhelm 184, 189, 195, 217, 218, 220
Grabowska, Maria 204
Grimm, Reinhold 106, 208, 211
Grisebach, Eduard 64, 206, 207
Großklaus, Götz 16, 17, 201
Gubitz, Friedrich Wilhelm 26, 30, 41, 56, 59, 204
Gumpel, Lazarus 166
Gundolf, Friedrich 15
Gutzkow, Karl 11, 194, 198

Habermas, Jürgen 16
Hafis 160
Hagen, Friedrich von der 220
Handke, Peter 17
Häntzschel, Günter 216
Harring, Harro 183, 208
Hasse, Johann Christian 22
Hauff, Wilhelm 150
Hecht, Wolfgang 208
Hegel, Georg Wilhelm Friedrich 16, 18, 20, 22, 52, 55, 66, 75, 77, 81, 84, 89–93, 97, 98, 100–102, 108–112, 115, 117, 131, 169, 209, 210, 212
Hehn, Victor 67, 182, 206, 216
Heine, Amalie 102, 113
Heine, Maximilian 61, 64, 153
Heine, Salomon 102, 166
Heine, Therese 102
Heinse, Wilhelm 213
Heise, Wolfgang 100, 209, 210

Heißenbüttel, Helmut 17
Heller, Asta 204, 213
Herder, Johann Gottfried 50, 52, 56, 65, 76, 84, 108
Herloßsohn, Carl 154, 183
Hermand, Jost 200–203, 207, 208, 211, 215, 219, 220
Herwegh, Georg 68
Hessel, Karl 210, 211
Heyse, Paul 160
Höck, Wilhelm 216
Hoffmann, Ernst Theodor Amadeus 34, 111, 203, 207
Hohenhausen, Elise von 22, 28, 203
Hölderlin, Friedrich 93
Holz, Arno 111
Holzmann, Michael 206
Horaz 112, 113, 160
Houben, H.H. 205
Hudtwalcker, Martin Hieronymus 208
Hugo, Gustav 66
Hundeshagen, Helfrich Bernhard 54
Hutten, Ulrich von 191

Ihwe, H. Jens 16
Immermann, Karl 29, 65, 83, 148, 150, 151, 157, 161, 183, 187, 188, 190

Jacobs, Jürgen 102, 210–212
Jagor (Restaurant) 22
Jahn, Johann Friedrich 196
Jakobson, Roman 16
Jauss, Hans Robert 16
Jean Paul 49, 93, 191, 194
Jesus von Nazareth 178
Joseph II. von Österreich 105
Josty (Café) 22
Jung, Alexander 185, 191, 198, 217, 218

Kamptz, Carl Christoph von 33, 34, 36, 37
Kanehl, Oskar 64, 206
Karl von Mecklenburg 39
Karpeles, Gustav 64, 206
Karst, Roman 204
Kaufmann, Hans 14, 26, 201, 214
Keller, Ernst Christian 24, 202
Kleist, Heinrich von 22, 31, 34, 93
Klindworth, Georg 23, 34, 36
Klopstock, Friedrich Gottlob 72, 76
Knudsen, Hans 204
Koch, Franz 63, 206
Koch, Max 214
Köchy, Karl Georg 22, 24
Kofta, Maria 204
Koopmann, Helmut 182, 186, 211, 216, 217
Körner, Theodor 36, 40
Kotzebue, August 37, 164
Kraus, Karl 13, 15
Kratz, Ernst 189, 193, 218, 219
Krzywon, Josef 204
Kubacki, Waclaw 204
Kühne, Ferdinand Gustav 11, 197, 198
Kuttenkeuler, Wolfgang 17, 18, 64, 202, 205–207, 211, 214

Lafayette, Marie-Josephe de 179
Laube, Heinrich 11, 183
Lehmann, Joseph 154, 217
Lenau, Nikolaus 113
Lenz, Max 203
Lessing, Gotthold Ephraim 55, 56, 65, 75, 76, 84, 172
Lewald, Fanny 11
Ludwig I. von Bayern 152
Luise von Preußen 34
Lukács, Georg 16, 180, 214, 215
Lukian 163
Luther, Martin 37, 172
Lutter und Wegener (Restaurant) 22
Lyser, Johann Peter 183

Maché, Ulrich 64, 206
Marcus, Friedrich 26, 202
Maria Anna von Preußen 34
Maßmann, Hans Ferdinand 196
Marx, Karl 16, 199, 207
Marx, Karl Friedrich Heinrich 206
Mayer, Hans 165, 212, 215
Mende, Fritz 64, 206, 207, 211, 216
Mendelssohn, Moses 63
Mendelssohn-Bartholdy, Felix 165
Menzel, Wolfgang 77, 78, 145, 157, 192, 194, 196, 199, 219, 220
Merckel, Friedrich 109
Metternich, Clemens Wenzel Lothar von 11, 14, 185
Meyer, Eduard 181, 195, 220
Milska, Anna 204
Moore, Miriam Faye 215
Möhrmann, Renate 207
Möller, Dierk 16, 156, 201, 214
Morgan, Sidney 144, 145, 215
Mörike, Eduard 183, 199
Moser, Moses 10, 22, 47, 52, 61, 67, 76, 77, 81, 82, 84, 97, 107, 109, 116, 117, 154, 158, 165, 170, 171, 211, 212, 215
Mozart, Wolfgang Amadeus 32, 38
Müchler, Karl 28
Müller, Joachim 59, 205
Müller, Wilhelm 212
Müllner, Adolf 78, 150, 164, 184, 190, 199, 218
Mundt, Theodor 11, 188, 191, 194, 195, 197, 198, 218–220
Murat, Joachim 104

Nadler, Josef 208
Napoleon I. 12, 40, 44, 82, 94, 100, 101, 104, 105, 108–111, 113, 121, 127, 129, 179, 187
Neu, Georg 190, 192
Neumann, Amalie 30
Nicolai, Friedrich 75
Nicolai, Heinz 213
Novalis 8

Oesterle, Günter 18, 157, 202, 205, 210, 214

Paganini, Niccolo 29
Palladio, Andrea 134, 146
Paulus, Heinrich 172
Peters, Adolf 63
Petrarca, Francesco 160
Petronius 163
Petzet, Erich 214
Pezzl, Johann 27
Platen, August von 66, 150–153, 155–165, 187, 190, 193
Plato 112
Polak, Léon 210, 211
Pradt, Dominique-Georges de 33
Preisendanz, Wolfgang 15, 16, 18, 103, 201, 209
Pückler-Muskau, Hermann von 11, 119–122, 126
Pustkuchen, Johann Friedrich Wilhelm 76, 82, 108, 150, 207

Raabski, Ägidius 188, 195, 218
Raphael, Jakob 166, 215
Rauch, Christian Daniel 38
Raumer, Friedrich von 22
Raupach, Ernst Benjamin 162
Rebmann, Johann Andreas 8, 27
Rellstab, Ludwig 30, 187
Riedel, Andreas 27
Riesbeck, Kaspar 8, 27
Robert, Friederike 102, 115
Robert, Ludwig 22, 67, 153, 189, 211
Robert-tornow, Walter 64, 65, 68, 206, 207
Robespierre, Maximilien 179
Rosenthal, Ludwig 166, 215
Roos, Heinrich 135

Rossini, Gioachino 140
Rousseau, Jean-Jacques 50, 53, 89
Rousseau, Johann Baptist 217
Rückert, Friedrich 190
Rühs, Christian Friedrich 47

Saint-Simon, Claude Henry de 180, 186
Salomon, Ludwig 29, 203
Salomon, Richard 26, 202, 203
Sammons, Jeffrey L. 60, 102, 103, 156, 201, 205, 210, 211, 214
Sand, Karl Ludwig 37
Saphir, Moritz Gottlieb 184, 191, 194, 195, 217–219
Sartorius, Georg 66, 205
Savigny, Friedrich von 32, 36
Schaden, Adolph von 193
Scherer, Wilhelm 182, 216
Scherer, Wingolf 215
Schiller, Friedrich 40, 56, 65, 76, 79, 86, 106, 145, 153
Schilling, August Wilhelm Heinrich von 25
Schinkel, Karl Friedrich 38
Schlegel, August Wilhelm 54, 66
Schlegel, Friedrich 15
Schleiermacher, Friedrich 37, 172
Schlesier, Gustav 194, 198
Schmalz, Theodor Anton 22, 37
Schmidt, Siegfried J. 16
Schmitz, Gerhard 213
Schmohl, Erika 216
Schottky, Maximilian 54
Schuller, Marianne 16, 201
Schulte-Kemminghausen, Karl 207, 211
Schulz, Friedrich 31
Schulz, Heinrich 23, 24, 203
Scott, Walter 30, 68, 82, 88, 101, 107, 120, 124, 127, 188
Seifert, Siegfried 215
Segur, Paul-Philippe 82, 101
Sengle, Friedrich 201, 208
Sethe, Christian 47, 203, 206
Seume, Johann Gottfried 8, 51
Sonntag, Henriette 29
Spaun, Franz von 78
Spinoza, Benedictus de 63
Spitta, Philipp 206
Spontini, Gasparo 23, 24, 39, 40, 41
Staël, Germaine de 144, 145, 214
Sternberger, Dolf 180, 215
Sterne, Laurence 7, 111
Stich, Auguste 30
Stifter, Adalbert 183, 199
Stirner, Max 199
Stolberg, Christian Friedrich von 150, 172
Strich, Fritz 64, 80, 205, 206, 208, 211
Strodtmann, Adolf 25, 202, 212

Tacitus 89
Theremin, Ludwig 37
Thrum, Gerhard 209
Thümmel, Moritz August von 111
Tieck, Ludwig 29, 63
Todorow, Tzvetan 16
Treitschke, Heinrich von 182, 216
Trilse, Christoph 64, 206, 207
Tschich, Günther 13
Tucholsky, Kurt 166

Uechtritz, Friedrich von 22
Uhland, Ludwig 63
Uhlendahl, Heinrich 26, 202
Ullrich, Franz Wolfgang Adolf 218
Uyttersprot, Herman 210

Varnhagen von Ense, Karl August 7, 22, 30, 31, 34, 36, 39–41, 60, 66, 67, 77, 109, 110, 115, 153, 154, 158, 164, 180, 183, 184, 187, 188, 202–204, 211, 212, 215, 217, 218

Varnhagen von Ense, Rahel 22, 43, 64–67, 79, 188
Vehse, Eduard 204
Veit, Moritz 154, 193
Veit, Philipp 22
Victor, Walther 26
Vilmar, August Friedrich Christian 182, 216
Virgil 135
Voigt, Amalie von 184
Voltaire 84, 169, 174
Vontin, Walter 26, 203
Vordtriede, Werner 215
Voss, Johann Heinrich 51, 53, 89, 150, 152, 154, 163, 172
Voss, Julius von 193

Wachler, Ludwig 195, 220
Wackernagel, Wilhelm 193
Wadepuhl, Walter 64, 206
Walzel, Oskar 26
Warschauer, Adolf 204
Washington, George 57
Weber, Carl Maria von 23, 35, 39, 50, 204
Wedekind, Eduard 60, 66, 70, 205–207
Weerth, Georg 125
Weidl, Erhard 207
Weigand, Hermann J. 103, 210
Weinrich, Harald 16
Weiß, Gerhard 212
Wekhrlin, Wilhelm Ludwig 8, 27
Wellington, Arthur Wellesley 127
Werner, Ferdinand 216
Werner, Hans-Georg 216
Werner ,Michael 213
Wienbarg, Ludolf 11, 183, 209, 217
Wiese, Benno von 207
Willkomm, Ernst 11
Wilmans (Verlag) 34
Winckelmann, Johann Joachim 160, 163, 213
Windfuhr, Manfred 155, 200, 212–214, 220
Witte, Karsten 201
Wittgenstein, Wilhelm Ludwig von 37
Witzleben, Karl Ernst von 37, 39
Wolf, Friedrich August 22, 60
Wolf, Pius Alexander 30
Wundermann, Gottlieb Augustin 23

Zimmermann, Friedrich Gottlieb 217
Zunz, Leopold 22